GUY GAUCHER

HIST~~OIRE~~
D'UN~~E VIE~~

THÉRÈSE MARTIN
(1873-1897)

SŒUR THÉRÈSE DE L'ENFANT-JÉSUS
DE LA SAINTE-FACE

LES ÉDITIONS DU CERF
29, bd Latour-Maubourg, Paris
1982

A la mémoire de sœur Geneviève
moniale dominicaine de Clairefontaine
qui a rejoint dans la Vie
son amie Thérèse
le 10 mai 1980.

IMPRIMATUR
Orléans, le 15 juin 1982
René PICANDET
évêque

Il est peu de phrases de ce livre qui ne s'appuient sur un document. Mais de nombreuses notes dans le texte auraient gêné le lecteur. On trouvera toutes les références et les sigles des ouvrages utilisés en fin de volume, page 245.

Pour y voir plus clair dans les noms de l'entourage de Thérèse Martin, consulter la brève généalogie de sa famille, p. 242.

Tout ce qu'écrit ou dit Thérèse Martin se trouve imprimé *en italique* (les mots soulignés par elle sont en romain).

() signifie: passage omis dans la citation d'un document.

© Les Editions du Cerf, 1982.
ISBN 2-204-01923-2

PROLOGUE

«JE NE PUIS ME NOURRIR QUE DE LA VÉRITÉ»

Vous ne me connaissez pas telle que je suis en réalité, écrivait sœur Thérèse de l'Enfant-Jésus à l'abbé Bellière, son frère spirituel, quelques mois avant de mourir. Ce reproche amical demeure sans doute justifié pour nombre de nos contemporains. Pèlerins, touristes de Lisieux ou seulement lecteurs de l'*Histoire d'une Ame* croient connaître «la petite sainte»: elle est si simple! Simplicité qui entretient l'équivoque.

Dans ses *Manuscrits autobiographiques* (origine de la première partie de l'*Histoire d'une Ame*), deux petits cahiers qui totalisent 120 feuillets format écolier, sœur Thérèse n'a pas raconté sa vie. A sa prieure, Mère Agnès de Jésus (sa sœur Pauline), elle a clairement précisé son projet: *Vous m'avez demandé d'écrire sans contrainte ce qui me viendrait à la* pensée; *ce n'est donc pas ma vie proprement dite que je vais écrire, ce sont mes* pensées *sur les grâces que le Bon Dieu a daigné m'accorder.*

Ces cahiers écrits par obéissance comportent donc de grandes lacunes. Par exemple, elle dit avoir *beaucoup abrégé l'histoire de sa vie religieuse.* Parlant de la période de son noviciat, elle remarque: *Tout ce que je viens d'écrire en peu de mots demanderait bien des pages de détails, mais ces pages ne se liront jamais sur la terre.* Cela, pour nous , n'est plus vraiment exact. La jeune carmélite ne pouvait alors imaginer que certains de ces

3

détails seraient un jour publiés dans sa *Correspondance* ou dans les deux *Procès de canonisation*. De même, elle qui vivait cachée et voulait rester inconnue, ne pouvait penser qu'un jour, des millions de personnes verraient son visage à découvert, grâce aux photographies prises en clôture par sa sœur Céline.

Outre ses deux cahiers, Thérèse Martin a en effet laissé des lettres, des poésies, des pièces récréatives, des prières, diverses notes. Tous ces textes étoffent et complètent l'histoire de son âme. Elle s'y exprime aussi pleinement que dans ses souvenirs.

Ecrire aujourd'hui l'histoire de sa vie « proprement dite » exige d'abord de replacer tous ces textes authentiques dans leur ordre chronologique, de les éclairer les uns par les autres et de les confronter aux nombreux témoignages des contemporains : correspondances, derniers entretiens, notes personnelles, dépositions aux procès, sans oublier les archives du carmel et celles de l'époque [1], etc.

Il n'aura pas fallu moins de quatre-vingt-cinq ans pour que tous les écrits thérésiens soient publiés. Ce travail considérable a été inauguré en 1956 par le P. François de Sainte-Marie, carme. Les cahiers originaux, *Manuscrits autobiographiques*, ont été reproduits en édition photocopique. Les *Lettres*, les *Poésies*, les *Derniers entretiens* [2] et les deux *Procès* ont été publiés à partir de 1971.

Cette masse de documents appelait donc une nouvelle et brève biographie à l'usage d'un vaste public qui ne connaît pas encore Thérèse Martin « telle qu'elle fut en réalité ». Peu de saints ont été aussi incompris qu'elle durant sa vie. Après sa mort, elle le fut parfois davantage, victime des excès d'une dévotion sentimentale qui la trahissait, victime aussi de son langage de la fin du XIXe siècle, tributaire de la religiosité de son époque. Handicap à dépasser.

Cette *Histoire d'une vie* se fonde uniquement, scrupuleusement sur les documents authentiques. Rien n'est ici romancé.

1. Un Centre de Documentation thérésienne pour les chercheurs a été ouvert à Lisieux en 1978.
2. Edition du Centenaire, Cerf-DDB. Les *Récréations* paraîtront prochainement.

Ces pages se veulent seulement fidèles à Thérèse qui disait sur son lit d'agonie : *Je n'aime que la simplicité. J'ai horreur de la feintise.*

Elle protestait contre les vies de saints de son temps : *Il ne faudrait pas dire des choses invraisemblables ou qu'on ne sait pas. Il faut que je voie leur vie réelle, pas leur vie supposée.*

Nous laisserons donc parler Thérèse.

Nous espérons que le lecteur, devant cette histoire dépouillée, rejoindra en profondeur la vérité de cette mystérieuse jeune fille, morte de tuberculose à vingt-quatre ans.

Ce 30 septembre 1897, personne ne trouva quelque chose de particulier à dire sur cette carmélite si semblable aux autres, dans la vie cachée d'un obscur monastère de province. Or, dès 1899, sa tante Guérin disait à ses nièces, les sœurs de la défunte, que sa famille allait être obligée de quitter Lisieux « à cause de Thérèse ». La vie devenait intenable ! A défaut des sœurs Martin, protégées par leurs grilles, des foules voulaient voir et interroger les Guérin. Il fallait faire garder la tombe de « la petite sœur Thérèse » : des pèlerins accourus de France et d'ailleurs, arrachaient les fleurs, emportaient la terre du cimetière, faisant reliques de tout... Depuis 1898, l'*Histoire d'une Ame* a bouleversé des millions d'hommes et de femmes de toutes langues, races, peuples et nations [3].

Pourquoi ? Pourquoi, en si peu de temps, une vie si simple, si cachée a-t-elle déclenché cet « ouragan de gloire » (Pie XI) sur cette famille Martin au nom si commun, sur cette petite ville tranquille du Calvados ?

Est-il un sage ?
Qu'il observe ces choses
et comprenne l'Amour du Seigneur !
(Psaume 106.)

3. On en aura une petite idée en lisant quelques témoignages choisis parmi des milliers, pp. 235 ss.

Thérèse à quinze ans (avril 1888).

ALENÇON (1873-1877)

« Tout me souriait sur la terre »

La petite dernière... (2 janvier 1873)

A l'aube de l'année 1873, Zélie Martin annonce à son frère et à sa belle-sœur l'heureuse naissance de son neuvième enfant : « Ma petite fille est née, hier, jeudi, à 11 heures et demie du soir. Elle est très forte et bien portante, on me dit qu'elle pèse huit livres, mettons cela à six, ce n'est déjà pas mal ; elle paraît bien gentille. Je suis très contente. Cependant, au premier moment, j'ai été très surprise, car je m'attendais à avoir un garçon ! Je m'étais figuré cela depuis deux mois, parce que je la sentais beaucoup plus forte que mes autres enfants. Je n'ai guère souffert qu'une demi-heure, ce que j'ai ressenti avant n'est pas à compter. »

L'après-midi du 4 janvier, l'abbé Dumaine baptise Marie-Françoise-Thérèse Martin, en l'église Notre-Dame. L'enfant est tenue sur les fonts baptismaux par sa marraine de treize ans, Marie, la sœur aînée, et par un parrain du même âge, Paul-Albert Boul.

Ce bébé vient prendre sa place dans une famille aux ascendances paysannes et militaires. Ce foyer s'est constitué dans des circonstances peu ordinaires.

Louis Martin à quarante ans (1863).

Louis Martin

Louis Martin, né à Bordeaux le 22 août 1823, élevé dans les camps militaires, au hasard des garnisons de son père, a choisi d'exercer le métier d'horloger. Vers vingt-deux ans, il avait pensé entrer dans la vie religieuse, au monastère du Grand Saint-Bernard, haute solitude et secours des voyageurs égarés en montagne. Refusé pour son ignorance du latin, il se mit, dès son retour, à l'étude de cette langue.

Après un séjour de trois ans à Paris – pour un jeune provincial célibataire, la capitale apparaît comme une «Babylone moderne» –, il s'installe à Alençon chez ses parents, en 1850. Ils occupent un magasin d'horlogeriebijouterie, 15, rue du Pont-Neuf. Calme, méditatif, Louis mène pendant huit ans une vie de travail qu'égaient seulement de longues séances de pêche – «sa distraction favorite» –, quelques parties de chasse et des soirées entre jeunes gens au Cercle catholique, fondé par son ami Vital Romet. Il a mis un terme à ses travaux de latiniste. Mais sa foi reste vive et active. Dût-il perdre de bonnes ventes, jamais il n'ouvre son magasin le dimanche. Messes en semaine, adoration nocturne, pèlerinages, cet homme est un chrétien qui s'affirme sans honte. Sa prestance, ses yeux clairs, son air affable ne laissent pas insensibles quelques jeunes filles alençonnaises. Il semble les ignorer. L'acquisition d'une bizarre construction, tour hexagonale à deux étages entourée d'un jardin – le Pavillon, rue des Lavoirs –, l'isole davantage. Il s'y retire souvent, pour méditer, lire, jardiner. Au milieu des fleurs, il a installé une statue de Marie que lui a offert une pieuse demoiselle.

Mme Martin s'inquiète de le voir encore célibataire à trente-quatre ans. En suivant des cours pour apprendre la technique du point d'Alençon, elle a remarqué une jeune fille vive, aimable, très chrétienne, fort douée pour cet art de la dentelle qui fait la renommée d'Alençon en Europe. Ne serait-elle pas une parfaite épouse pour son Louis?

Zélie Guérin

Marie, Azélie Guérin, née le 23 décembre 1831, à Gandelain (Orne), allait sur ses vingt-six ans. Fille d'un ancien combattant de Wagram qui, après avoir parcouru le Portugal et l'Espagne avec Masséna et Soult, s'est retrouvé gendarme à Saint-Denis-sur-Sarthon, elle n'a pas connu une enfance heureuse. Son père, Isidore, avait épousé en 1828 Louise-Jeanne Macé, paysanne assez rude. Zélie écrira un jour à son frère cadet : «Mon enfance, ma jeunesse ont été tristes comme un linceul, car, si ma mère te gâtait, pour moi, tu le sais, elle était trop sévère ; elle, pourtant si bonne, ne savait pas me prendre, aussi j'ai beaucoup souffert du cœur.»

Azélie, Isidore et Marie-Louise (sœur Marie Dosithée) Guérin, en 1857.

Intelligente, écrivant facilement, elle travaille énormément, gardant de cette éducation austère une certaine anxiété, une tendance au scrupule, favorisée par la spiritualité de l'époque. Sa sœur visitandine lui reprochera souvent d'être « ingénieuse à se tourmenter ». Mais son robuste bon sens reprend vite le dessus. « Je veux devenir une sainte, ce ne sera pas facile, il y a bien à bûcher et le bois est dur comme une pierre. »

Elle aussi a songé à devenir religieuse. Mais la supérieure de l'Hôtel-Dieu d'Alençon a découragé net la postulante. Déçue, celle-ci se lance dans la confection de dentelle au point d'Alençon. Elle excelle si rapidement dans ce travail très minutieux qu'en 1853 (elle a vingt-deux ans), elle s'installe à son compte, 36, rue Saint-Blaise, travaillant d'abord avec sa sœur aînée, Marie-Louise. Mais bientôt, sa sœur la quitte pour entrer au monastère de la Visitation, au Mans. Leur correspondance ne cessera qu'avec la mort de la visitandine qui a toujours été sa fidèle conseillère.

Entre la première rencontre avec Louis Martin et le mariage, trois mois à peine s'écoulèrent. Le 13 juillet 1858, à minuit, selon une coutume de l'époque, la dentellière et l'horloger échangèrent leurs consentements en l'église Notre-Dame. Leur vie conjugale commença d'étonnante façon : Louis proposa à sa femme de vivre comme frère et sœur. Docile, ignorante, elle acquiesça. Au bout de dix mois de cette vie monacale, un confesseur les fit changer d'avis. Radicalement... Ils eurent neuf enfants : sept filles et deux garçons.

De 1859 à 1870, accouchements et deuils se sont succédés à un rythme rapide. La mortalité infantile reste un fléau en cette seconde moitié du XIXe siècle. En trois ans et demi, les Martin perdent trois enfants en bas âge et une adorable petite Hélène de cinq ans et demi [4].

Deuils auxquels s'ajoutent la mort des parents et du beau-père de Mme Martin, de 1859 à 1868. On comprend qu'elle ait pu écrire, après la naissance de sa dernière fille : « J'ai déjà beaucoup souffert dans ma vie. »

Elle a donc souhaité avoir une autre « petite Thérèse » pour remplacer celle qui vient de mourir en octobre 1870, étant bien consciente qu'elle va mettre au monde son dernier enfant. Depuis environ sept ans, elle souffre d'un mal qui progresse lentement : une glande au sein. Son intense activité n'en est pas ralentie, mais elle s'inquiète : « Si le bon Dieu me faisait la grâce de pouvoir allaiter cet enfant, ce ne serait qu'un plaisir de l'élever. Moi, j'aime les enfants à la folie. J'étais née pour en avoir, mais il sera bientôt temps que cela finisse. J'aurai quarante et un ans le 23 de ce mois, c'est l'âge où l'on est grand-mère ! »

___

4. Voir la généalogie des Martin et des Guérin, p. 242. Notons l'absence de garçons dans ces deux familles, tous décédés à la naissance (Guérin) ou peu après (Martin).

La famille Martin, à Alençon

La toute dernière arrive en ce foyer, choyée et chérie : quatre filles la précèdent, qui veulent toutes s'occuper de cette poupée. L'aînée, Marie, treize ans, la préférée de son père, se révèle indépendante, originale : elle ne veut entendre parler ni de mariage, ni de couvent. Pauline, douze ans, pensionnaire avec elle à la Visitation du Mans, la suit de près. Décidée, studieuse, elle sera la confidente de sa mère. La « pauvre Léonie », dix ans, se trouve entre le groupe des deux grandes et celui des petites. Ses maladies, son visage ingrat, ses retards scolaires l'isolent davantage. On hésite à l'envoyer à son tour chez la tante visitandine. Elle n'y restera que six mois. « Qu'en faire ? Quelle croix ! » Quant à Céline, quatre ans, elle respire l'ardeur de vivre, mais elle est délicate. Elle sera beaucoup plus proche de la nouvelle arrivée.

Dans le couple Martin, la mère joue un rôle prépondérant. Mais elle ne se plaint pas de la bonté paisible de Louis : « C'est un saint homme que mon mari, j'en désire un pareil à toutes les femmes. » A force de travail et grâce à une gérance vigilante, les époux vivent à l'abri du besoin. A leur mariage, ils ont mis en commun 34 000 F [5], deux maisons et le Pavillon. Mᵐᵉ Martin emploiera jusqu'à une vingtaine d'ouvrières qui apportent chaque semaine leur pièce de dentelle (il faut environ soixante heures de travail pour en faire 8 cm²). Tôt levée, tard couchée, Zélie fait elle-même le délicat travail d'assemblage. Chaque jeudi elle reçoit les clientes. « Je suis dans l'esclavage le plus complet, écrit-elle en avril 1872, à cause des commandes qui se succèdent et ne me laissent pas un instant de repos. J'ai près de cent mètres de point d'Alençon à faire fabriquer. » En 1870, son mari a vendu son horlogerie à Adolphe Leriche, son neveu. Il se consacre à l'administration

---

5. A Lisieux en 1874, un homme dans le textile gagnait de 2,25 F à 3,50 F par jour ; les femmes de 1,60 à 2,50 ; les enfants de 0,90 à 1,50. Le kilo de pain valait 0,30 ; le kilo de bœuf, 1,50 F.

La maison natale de Thérèse à Alençon.

du commerce de sa femme tout en réalisant de bons placements.

Avec la libération du territoire, les souvenirs du récent conflit franco-allemand s'estompent peu à peu. Mais les Martin n'ont pas oublié le formidable «appareil de guerre des Prussiens» qui a déferlé sur Alençon. Ils ont dû loger neuf soldats «ni méchants, ni pillards», mais qui dévorent «tout sans pain!» s'indigne Zélie. Après leur départ, le commerce reprend.

1873 : les catholiques restent inquiets [6]. Après les jours terribles de la Commune, ils redoutent une nouvelle révolution. En mai 1872, Louis Martin a participé à un pèlerinage qui a rassemblé vingt mille hommes à Chartres. Il y retournera en mai 1873, puis, durant l'été, se rendra à Lourdes. En cette période incertaine, tant de «prophètes» alarmistes prédisent des catastrophes si diverses que Zélie Martin finit par ne plus être troublée par leurs menaces.

Alençon compte alors 16 000 habitants. Avec ses fabriques de dentelles, de toile de chanvre, ses trois marchés hebdomadaires, ses sept foires annuelles, la paisible Cité des Ducs n'est pas dénuée de charme. Traversée par deux rivières, la Briante et la Sarthe, elle possède un château crénelé, une vaste demeure Henri IV en briques roses devenue préfecture, un théâtre, de vieilles maisons pittoresques.

La famille Martin, qui accède au niveau de vie de la petite bourgeoisie montante, aime cette ville calme, si proche de la vie rurale. La petite Thérèse n'y vivra que trois ans et demi. Mais ces années d'enfance sont toujours décisives.

6. Trois jours après la naissance de Thérèse, les journaux annoncent la mort de l'ex-empereur Napoléon III. Thiers préside, pour peu de temps, aux destinées de la jeune République française. La majorité des catholiques espère le retour du roi mais l'obstination du comte de Chambord, attaché au drapeau blanc, les déçoit. Bientôt le maréchal de Mac-Mahon va être élu président de la République. Les travaux pour ériger une basilique du Vœu national à Montmartre vont commencer. On prie pour la libération du pape Pie IX, prisonnier en Italie.

En nourrice à Semallé (mars 1873 – 2 avril 1874)

Après la joie de la naissance («Tout le monde me dit qu'elle sera belle, elle rit déjà»), les inquiétudes reviennent en force. Problèmes d'allaitement, dérangements des intestins, nuits agitées... Ce beau bébé va-t-il mourir d'entérite comme les autres ? «Souvent, je pense aux mères qui ont la joie de nourrir elles-mêmes leurs enfants ; et moi, il faut que je les voie tous mourir les uns après les autres !»

Alertes en janvier, puis en mars. Une nuit, la petite touche les portes de la mort. Le docteur Belloc est formel : il faut allaiter cette enfant au sein. Sinon elle est perdue. Affolée, la maman part dès le lendemain matin à pied, en direction de Semallé (8 km), en quête d'une nourrice, Rose Taillé, trente-sept ans, qui avait déjà nourri les deux petits Martin décédés. Elles reviennent ensemble, toujours à pied. Après avoir tété, le bébé s'endort et se réveille en souriant. Sauvé ! Mais il faut se résigner à le confier au

La ferme de Rose Taillé, à Semallé.

foyer de Rose et de Moïse (quatre enfants dont le dernier, Eugène, a treize mois). Le mari ronchonne quelque peu mais sa femme a du caractère. Dans cette très petite maison de briques, isolée en pleine campagne normande, Thérèse va vivre plus d'un an.

Vie saine et rustique qui lui convient parfaitement. Toujours elle aimera la nature, l'eau, les fleurs, les arbres, les animaux. En juillet, elle est un «gros bébé bruni par le soleil». Fréquents va-et-vient entre le hameau de Carrouges et la rue Saint-Blaise. Chaque jeudi, «la petite Rose» va au marché d'Alençon vendre beurre, œufs, légumes et le lait de la Roussette, son unique vache. Les Martin vont en famille voir la benjamine : parties de campagne qui réjouissent Marie, Pauline, Léonie, Céline. Elles se régalent du pain noir des Taillé et les enfants de la nourrice mangent le pain blanc des citadins.

Devenue une vraie campagnarde, «brouettée dans les champs, montée sur des faix d'herbe», la petite éprouve du mal à se réadapter à la ville. Lors de ses fréquents passages à la maison familiale, si les belles clientes de sa mère la prennent dans leurs bras, elle hurle, affolée par leurs toilettes et surtout par leurs chapeaux. Elle ne veut plus quitter Rose. Pour éviter cris et trépignements, il faut la laisser aller s'asseoir à l'étal du marché, en compagnie de sa nourrice.

Retour rue Saint-Blaise

A un an, la petite fille marche seule. Il tarde de plus en plus à sa famille de la voir revenir. La date du retour est fixée au jeudi 2 avril 1874. En ce jour de liesse familiale, Thérèse étrenne une toilette et des souliers bleus, une capote blanche. «Je n'ai jamais eu d'enfant si forte, excepté la première ; elle paraît très intelligente, je suis bien heureuse de l'avoir. () Elle sera belle et déjà elle est gracieuse.»

Fortement marquée par son année à la campagne, Thérèse, quinze mois, découvre l'univers familial : les trois piè-

16

ces du rez-de-chaussée, les chambres à l'étage, le petit jardin où son papa a installé une balançoire. On y attache le bébé avec une corde. « Quand ça ne va pas assez fort, elle crie. » Par les fenêtres, elle voit la préfecture, de l'autre côté de la rue. Elle ira y jouer avec Genny Bechard, « la petite préfète », en compagnie de Céline. Mais les pièces immenses, les balcons, le parc, tout ce luxe l'effarouchent. Elle préfère son minuscule jardin.

Presque chaque dimanche, Mme Martin écrit à ses deux filles pensionnaires au Mans et aux Guérin à Lisieux. Ses lettres abondent en détails sur les faits et gestes de la dernière venue, sur son physique et son tempérament.

« Mon heureux caractère »

Dans cette existence enfantine, quelques *joies vives* illuminent la suite monotone des jours. Par exemple, le retour au bercail des deux aînées, pour le temps des vacances scolaires. Au moment des retrouvailles, ce sont des cris de joie, des embrassades, des rires sans fin.

Thérèse manifeste une nette préférence pour Pauline, son *idéal*. Lorsqu'elle s'ennuie, c'est à cette sœur qu'elle pense.

Les fêtes tranchent aussi sur l'austérité de la vie provinciale : seules, certaines pièces sont chauffées ; le petit déjeuner comporte de la soupe. Mais à Noël et au jour de l'An, lorsque les cadeaux des parents et des Guérin ornent la cheminée, quelles explosions de joie ! Et les veillées en famille, quels souvenirs ! Sans oublier le premier voyage en chemin de fer Alençon-Le Mans pour aller voir la tante visitandine.

La sensibilité de l'enfant restera profondément marquée par les beautés de la nature : les cueillettes de fraises au Pavillon, les parties de pêche en barque, les promenades à travers les champs fleuris, les visites à Semallé où l'on est surpris par un orage terrible : on rentre trempés, affamés, heureux.

Les petites misères de cet âge n'épargnent pas Thérèse Martin. A deux ans, tombant sur un pied de table, elle se « fend le front jusqu'à l'os ». Maux de dents, rougeole, rhumes se succèdent. Ceux-ci inquiètent fort sa maman : « Depuis qu'elle est au monde, elle ne sort pas d'un rhume qu'elle n'en attrape un autre, la nourrice me l'avait bien dit, mais le pire est qu'elle en est très malade. »

Au même âge, elle fait une tentative de fugue pour courir à l'église Notre-Dame. Louise, la bonne, la rattrape sous la pluie. Une heure après, Thérèse en pleure encore.

A trois ans et demi, sa première photographie est ratée. Habituellement souriante, elle a fait ce jour-là une grosse lippe, car M. le photographe l'a effrayée en se cachant sous le grand voile noir.

Boucles blondes et yeux bleus, la petite montre une intelligence précoce. « Elle est très avancée pour son âge », note sa mère. Marie renchérit : « Elle a vraiment une facilité incroyable, () je crois que dans six mois, elle saura lire couramment. » Avant trois ans, elle a su son alphabet et a fait tout un drame pour suivre les leçons que Pauline donne à Céline, de trois ans et demi son aînée.

« Elle a des réparties très rares à son âge. » Comme dans toutes les familles, on recueille ses mots d'enfant. *Faut pas vous mettre dans le toupet que Papa va vous emmener tous les jours au Pavillon,* dit-elle à ses sœurs, avec une mimique irrésistible.

Elle possède un sens aigu de l'observation et, *sans en avoir l'air,* enregistre tout. « Sa petite imagination travaille sans cesse. » Elle réfléchit beaucoup. Elle *pense.* A quatre ans, elle explique à Céline pourquoi Dieu est Tout-Puissant et elle lui donne la signification du nom de cette pauvre M\ulle Patira, si malheureuse.

Sa bonne mémoire lui permet de réciter très tôt de petites fables. Facilement, elle mime les personnes rencontrées. Il faut la faire taire lorsqu'elle imite le jardinier expliquant que sa défunte vient le « navrer » la nuit.

Sa joie de vivre réjouit la famille. « Elle rit et s'amuse du matin au soir», chante de tout son cœur. «Espiègle», elle aime faire des malices à ses sœurs. *J'étais très expansive*, dira Thérèse.

«Très sensible»

L'atmosphère chaude et affectueuse du foyer convient bien à sa grande sensibilité. Tout le monde l'aime. *Mes premiers souvenirs sont empreints des sourires et des caresses les plus tendres !... mais si (Dieu) avait placé près de moi beaucoup d'amour, Il en avait mis aussi dans mon petit cœur, le créant aimant et sensible, aussi j'aimais beaucoup Papa et Maman et leur témoignais ma tendresse de mille manières.*

Elle adore en effet son père, l'unique homme de la famille. Il le lui rend bien : sa petite dernière est sa «Reine». «Ton père la gâte et lui fait toutes ses volontés», écrit la maman à Pauline. Thérèse n'est pas en reste avec sa mère, l'appelant à chaque marche de l'escalier qu'elle descend. «Et si je ne réponds pas toutes les fois "Oui, ma petite fille !" elle reste là sans avancer ni reculer.»

Très émotive, elle pleure souvent et sait pousser des *cris perçants* qui peuvent durer *une bonne heure*. «C'est une enfant qui s'émotionne bien facilement.» Pleurs au parloir de la Visitation du Mans en voyant les grilles, pleurs silencieux pendant les leçons de Pauline d'où elle est exclue, pleurs lors de disputes avec Céline, mais aussi pleurs de repentir.

«J'étais loin d'être une petite fille sans défauts»

Volontaire et fière, la petite sait ce qu'elle veut. Sa mère lui propose de baiser le sol pour avoir un sou. Elle refuse tout net. Les choses, il les lui faut «tout de suite». Son tempérament la porte vers l'absolu. Un jour, Léonie propose à ses deux petites sœurs quelques pauvres chiffons dans une minuscule corbeille. Céline prend une belle ganse. Thérèse s'empare du reste en disant : *Je choisis tout* [7] !

A vingt-deux ans, devenue carmélite, sœur Thérèse reconnaîtra : *J'étais loin d'être une petite fille sans défauts.* L'impatience et la colère la menacent.

Elle a trois ans : « Voilà Céline qui s'amuse avec la petite au jeu de cubes, elles se disputent de temps en temps. Céline cède pour avoir une perle à sa couronne. Je suis obligée de corriger ce pauvre bébé qui se met dans des furies épouvantables ; quand les choses ne vont pas à son idée, elle se roule par terre comme une désespérée croyant que tout est perdu, il y a des moments où c'est plus fort qu'elle, elle en est suffoquée. C'est une enfant bien nerveuse. »

Sa mère remarque : « Elle est beaucoup moins douce que Céline et surtout d'un entêtement presque invincible ; quand elle dit "non" rien ne peut la faire céder, on la mettrait une journée dans la cave qu'elle y coucherait plutôt que de dire "oui" ! » Un peu plus tard : « Rien ne peut la décider à lire, cela a été bien tant qu'elle n'a eu que les lettres à nommer, mais à présent qu'il faut épeler, il n'y a pas moyen de la décider. On lui promet de tout, rien n'y fait, mais elle est si petite ! »

Avec un tel caractère, Thérèse aurait pu faire caprice sur caprice. Mais, chez les Martin, toute velléité de se comporter en enfant gâtée est fermement réprimée. Un jour, à son père qui l'appelait pour obtenir un baiser, elle répondit du haut de sa balançoire : *Dérange-toi, Papa !* Marie intervient aussitôt : « Petite mal élevée, que c'est vilain de répondre ainsi à son père ! » La leçon a porté.

Lorsqu'elle a fait une bêtise (casser un vase, déchirer un coin de tapisserie), elle se précipite pour demander « des pardons à n'en plus finir ». « On a beau lui dire qu'on lui pardonne, elle pleure quand même. » « Elle a dans sa

---

7. Attention ! L'interprétation que Thérèse donnera, en 1895, de ce mot significatif, s'applique au choix de *tous les sacrifices* (A, 10r°).

Thérèse à trois ans et demi (juillet 1876).

petite idée qu'on va lui pardonner plus facilement si elle
s'accuse. »

A son avis, son défaut principal était *un grand amour-
propre.* Elle n'ignorait pas non plus la coquetterie.
Etrennant une jolie robe bleu ciel, garnie de dentelles, elle
regrette que par crainte du soleil, on cache ses jolis bras
nus.

« Faire plaisir à Jésus »

Fervents chrétiens, ces Martin, mais pas bigots.
A mesure que les aînées grandissent, les soucis vestimen-
taires se manifestent. « On est vraiment les esclaves de la

mode», déplore la maman. Mais il ne lui déplaît pas que «Céline et Thérèse soient mises comme jamais Marie et Pauline ne l'ont été». Aux reproches de la tante du Mans qui trouve que Marie n'aurait pas dû aller à certaine réunion mondaine, Mme Martin réagit vigoureusement: «Il faut donc s'enfermer dans un cloître? On ne peut pas, dans le monde, vivre comme des loups! Dans ce que la sainte fille nous dit, il y a à prendre et à laisser.»

Certes, dans le quartier, on remarque ce couple qui descend chaque matin la rue Saint-Blaise pour assister à «la messe des pauvres et des ouvriers», à 5 h 30. On jeûne rigoureusement en famille. Sacrés le repos du dimanche, la prière familiale, les cérémonies liturgiques rythmant toute l'année. «Je suis de toutes les associations», constate Zélie.

Mais elle ne perd ni son jugement, ni son franc-parler: «Nous avons, depuis huit jours, deux missionnaires qui nous font trois sermons par jour. Ils ne prêchent pas mieux l'un que l'autre, à mon avis. On va les entendre tout de même par devoir et, pour moi du moins, c'est une pénitence de plus.»

Rien de rigide ou de pharisien dans cette piété. Les Martin savent passer à l'acte pour accueillir un vagabond à leur table, faire des démarches pour qu'il soit accepté à l'hospice des Incurables. Ils visitent les vieillards isolés, les malades, les mourants. Zélie aide une mère en difficulté, soigne ses bonnes inexpérimentées. Elle démasque, non sans crainte, deux fausses religieuses qui exploitent et terrorisent Armandine V., une enfant de huit ans.

Thérèse entre à fond dans cet univers. *Faire plaisir à Jésus* demeure son souci. *Est-il content de moi?* () *Il suffisait qu'on me dise qu'une chose n'était pas bien pour que je n'aie pas envie de me le faire répéter deux fois.*

Ce n'est pas l'effet de la crainte – elle sait le pardon toujours possible – mais son instinct de franchise l'emporte toujours. «Elle ne mentirait pas pour tout l'or du monde.» Sa conscience très délicate aime la clarté.

Mais elle ne s'identifie pas à la petite fille modèle que,

beaucoup plus tard, ses sœurs idéaliseront. Elle est très vivante. Scène prise sur le vif: Marie l'a couchée dans un lit froid, sans lui faire faire sa prière. «Elle s'est mise à crier disant qu'elle voulait un lit chaud. J'ai entendu cette musique-là tout le temps que j'ai fait ma prière. Lasse de cela, je lui ai donné une petite tape, enfin elle s'est tue. Lorsque j'ai été couchée, elle m'a dit qu'elle n'avait pas fait sa prière. Je lui ai répondu: "Dors, tu la feras demain." Mais elle n'a pas lâché.»

Un autre jour, elle réclame sans cesse de partir pour la messe. «Je lui dis qu'elle n'est pas sage à l'église. Dimanche, je l'ai emmenée aux vêpres et elle ne m'a pas laissée en repos, aussi n'allons-nous aller qu'au salut. () La voilà qui me fait des reproches de ce que je ne l'ai pas emmenée à Lisieux. Je lui dis que c'est parce qu'elle est trop turbulente; cela ne la flatte point, elle se met à pleurer.» A quatre ans, aux interminables sermons, elle bâille: «La petite s'est ennuyée passablement. Elle disait: *C'est plus beau que d'habitude mais ça m'ennuie quand même.* () Elle en a poussé des soupirs! () Enfin, elle a pu se dédommager avec la retraite aux flambeaux.»

Sa curiosité se porte vers le ciel. Ira-t-elle? En y mettant le ton et les gestes, elle récite:

> *Petit enfant à tête blonde,*
> *Où crois-tu donc qu'est le bon Dieu?*
> *Il est partout dans tout le monde,*
> *Il est là-haut dans le Ciel bleu.*

A quatre ans et demi, elle joue à la religieuse. Elle se nomme supérieure. Pauline lui ayant indiqué qu'au couvent on ne parle pas, Thérèse se demande comment on peut prier «sans rien dire». Elle conclut: *Après tout, mon petit Paulin, ce n'est pas la peine de se tourmenter déjà, je suis trop petite, vois-tu, quand je serai grande comme toi et comme Marie, avant d'entrer dans le cloîtrage, on me dira comment faire.*

Quels contrastes il y a dans mon caractère ! constatera-t-elle avant de mourir. Pensive et expansive ; intériorisée et extravertie ; volontaire et douce ; prompte vers l'absolu et soumise... Elle connaît de violents combats intérieurs, souvent inaperçus de son entourage. *J'avais déjà un grand empire sur mes actions.* Elle a *pris la bonne habitude de ne se plaindre jamais,* même quand on lui enlève ce qui lui appartient ou lorsqu'on l'accuse injustement. Elle préfère *se taire et ne pas s'excuser.* C'est, chez elle, *vertu naturelle.*

Dans l'*Histoire d'une Ame,* sœur Thérèse ne consacrera que quinze pages à son enfance alençonnaise. Elle la résume ainsi : *Tout me souriait sur la terre : je trouvais des fleurs sous chacun de mes pas et mon heureux caractère contribuait aussi à rendre ma vie agréable.*

Cette appréciation de l'âge mûr se trouve confirmée par ce croquis envoyé par Marie à Pauline, juste avant le malheur qui va briser la famille Martin : « Si tu savais comme elle est espiègle et pas sotte. Je suis dans l'admiration devant ce petit bouquet-là. Tout le monde à la maison la dévore de baisers, c'est un pauvre petit martyr ! Mais elle est tant habituée aux caresses qu'elle n'y fait plus guère attention ; aussi lorsque Céline voit ses airs d'indifférence, elle lui dit d'un ton de reproche : « On dirait que ça lui est dû à mademoiselle toutes ces caresses-là ! » Et il faut voir la figure de Thérèse ! »

La maladie de Madame Martin

Les réponses de Pauline, restée seule pensionnaire à la Visitation du Mans, n'ont pas cette tonalité joyeuse. Elles décrivent le lent déclin de sœur Marie-Dosithée, rongée par la tuberculose. Cette longue maladie affecte beaucoup Zélie. Jusqu'ici, elle a elle-même tenu bon. Malgré ses maux de tête, ses yeux usés, ses douleurs d'estomac – surtout pendant les jeûnes du carême – jamais elle ne s'est arrêtée. Mais fin décembre 1876, elle consulte le docteur

Prévost. Sa franchise ne laisse aucun espoir : c'est très grave, une opération de cette «tumeur fibreuse» serait inutile.

Stupeur et consternation de la famille (on cache la vérité aux deux petites). Louis est «comme anéanti». Sa femme fait lucidement le bilan : «Je sais bon gré (au docteur) de sa franchise, car je vais m'empresser de liquider mes affaires, pour ne pas laisser ma famille dans l'embarras.»

Son frère pharmacien la fait venir à Lisieux pour qu'elle puisse consulter le docteur Notta, chirurgien réputé. Celui-ci déconseille l'opération : il est trop tard. La malade écrit à son mari pour le rassurer : «Le docteur a l'air de dire que je puis aller très longtemps comme cela. Ainsi, remettons-nous entre les mains du bon Dieu, il sait bien mieux que nous ce qu'il nous faut : "c'est lui qui fait la plaie et qui la bande".»

Au retour de Lisieux, toujours active, elle cache son mal, s'efforçant d'être gaie. Son inquiétude vient plutôt du Mans où sa sœur s'éteint, le 24 février 1877. Pour Zélie, un lien vital vient de se rompre. «C'est après la mort de ma tante, notera Pauline, que son mal empira.»

Un moment, elle a pensé vendre son fonds de commerce. Mais elle y renonce et reçoit – entre autres commandes – quinze mètres de dentelle à faire en quatre mois. «Il faudra donc que je travaille jusqu'à la fin!»

Elle souffre de plus en plus, passant par des alternances d'espoir et de crainte. Son souci lancinant reste ses cinq filles à caser. Elle prie pour qu'elles «soient toutes des saintes». Marie, sauvage, timide, répugne toujours au mariage et proclame bien haut qu'elle ne sera jamais religieuse. Certains indices montrent pourtant qu'elle y pense, ainsi que... Léonie. Celle-ci, sa mère ne la voit pas en communauté «sans un miracle». Libérée de l'emprise de Louise, la bonne tyrannique, Léonie ne quitte plus la malade et la couvre de caresses. Ce changement lui redonne espoir : «C'est pour cela, qu'à présent, j'ai un désir de vivre que je ne m'étais pas connu jusqu'à ce jour. Je suis bien nécessaire à cette enfant.» Parfois, au contraire, son cancer ayant fait des progrès «effrayants», elle se voit perdue. Mais quelle lucidité ! «Je suis comme toutes les personnes que j'ai connues, ne voyant pas elles-mêmes leur état; il n'y a que les autres à y voir clair, et on demeure stupéfait de ce qu'elles se promettent un temps indéfini, quand leurs jours sont comptés. C'est vraiment curieux, mais il en est ainsi et je suis comme les autres !»

Pauline, sa confidente («toi, tu es mon amie...»), songe aussi sérieusement à être visitandine. Les deux dernières n'inquiètent pas leur mère. Surtout pas Thérèse. Malgré quelques caprices, «elle sera bonne, on en voit déjà le germe, elle ne parle que du bon Dieu». «Celle-ci se tirera d'affaire.»

Le printemps rouvre le jardin aux deux «inséparables» Céline et Thérèse : elles comptent leurs «pratiques» sur un chapelet (Thérèse se trompe parfois : elle comptabilise même ses sottises), jouent au loup, font des bulles de savon, grimpent aux arbres... La vie est plus forte que le malheur.

Pèlerinage à Lourdes (17-23 juin 1877)

Bien qu'elle n'aime pas les voyages, Zélie décide d'aller à Lourdes avec ses trois aînées, son mari gardant les deux petites. Le départ d'Alençon est fixé au dimanche 17 juin.

Ultime consultation chez le docteur Prévost qui lui est très antipathique. De retour chez elle, sans la lire, elle jette son ordonnance au feu. Seul un miracle peut la sauver. Elle l'espère.

A la Visitation du Mans, elle trouve un vaste mouvement d'affection et de prière. Toutes les sœurs ont demandé sa guérison. Leur aumônier prépare déjà une messe d'action de grâces pour le retour.

«Dis-moi si on peut faire un voyage plus malheureux», écrit Zélie à son frère Isidore, le 24 juin. Souffrances accrues par la fatigue de longues heures de train, contretemps, incidents de toutes sortes (perte du chapelet de sa sœur morte, bidons d'eau de Lourdes qui fuient, provisions inutilisables, robe déchirée, train manqué au retour, plaintes des filles...), tout se ligue pour faire de ce pèlerinage une épreuve supplémentaire.

Pendant les trois jours passés à Lourdes, la malade se plonge quatre fois dans l'eau glacée de la piscine. A chaque heure qui passe, ses filles lui demandent si elle est guérie, alors qu'elle souffre horriblement. Leur déception l'affecte. De retour au Mans, elle devra subir un flot de questions et, à Alençon, les quolibets des sceptiques. Elle raconte son expédition aux Guérin : « Je ne suis pas guérie, au contraire, le voyage a aggravé le mal. () Je ne me repens pas d'être allée à Lourdes, quoique la fatigue m'ait rendue plus malade ; du moins je ne me reprocherai rien, si je ne guéris pas. En attendant, espérons. »

Il lui reste deux mois à vivre. Avec l'aide de Marie, elle continue de diriger son entreprise, organise encore la vie de la maisonnée. « Maman a encore voulu aller à la première messe, mais il lui a fallu un courage et des efforts inouïs pour arriver jusqu'à l'église. Chaque pas qu'elle faisait lui retentissait dans le cou, quelques fois elle était obligée de s'arrêter pour reprendre un peu de force. »

Ses douleurs, surtout la nuit, deviennent intolérables. Elle en crie. Mais il lui faut tenir jusqu'au bout. Début août, une de ses dernières joies est de présider, avec Louis, la distribution familiale des prix de « la Visitation Sainte-Marie d'Alençon », organisée par les deux « institutrices ». « Nos deux petites étaient en blanc et il fallait voir avec quelles figures triomphantes, elles arrivaient chercher leurs prix et leurs couronnes. »

Cet intermède inaugure de tristes vacances. La mère veut que son mari aille promener les plus jeunes en barque. On les éloigne de la maison. *Tous les détails de la maladie de notre mère chérie sont encore présents à mon cœur, je me souviens des dernières semaines qu'elle a passées sur la terre ; nous étions Céline et moi, comme de pauvres exilées... tous les matins, Mme Leriche venait nous chercher et nous passions la journée chez elle.*

Edit. Toutain, Alenço.

La rue Saint-Blaise à Alençon.

Thérèse n'oubliera jamais la cérémonie de l'extrême-onction, le dimanche 26 août. *Je vois encore la place où j'étais à côté de Céline, toutes les cinq nous étions par rang d'âge et ce pauvre petit père était là aussi qui sanglotait...*

Appelés par télégramme, les Guérin arrivent à Alençon le soir du lundi 27. L'agonisante ne peut plus leur parler.

La mort de sa mère (28 août 1877)

Mᵐᵉ Martin meurt le lendemain, à minuit trente, en présence de son mari et de son frère. Elle allait avoir quarante-six ans.

Le père prend dans ses bras sa fille de quatre ans et demi : « *Viens embrasser une dernière fois ta pauvre petite mère.* » *Et moi sans rien dire, j'approchai mes lèvres du front de ma mère chérie.*

28

Elle qui avait les larmes faciles ne se souvient pas d'avoir beaucoup pleuré. *Je ne parlais à personne des sentiments profonds que je ressentais... je regardais et écoutais en silence...* Dans l'agitation générale de la maison, personne ne s'occupe d'elle. Elle voit *bien des choses qu'on aurait voulu lui cacher. Une fois, je me trouvai en face du couvercle du cercueil... je m'arrêtai longtemps à le considérer, jamais je n'en avais vu, cependant je comprenais... j'étais si petite que malgré la taille peu élevée de Maman, j'étais obligée de lever la tête pour voir le haut et il me paraissait bien* grand... *bien* triste...

Première brutale rencontre avec la mort : celle de sa mère. Nul ne sait alors à quelle profondeur elle est touchée. Dans les mois qui suivirent, il n'en paraîtra rien. Plus tard, elle considérera que la première partie de sa vie s'est arrêtée ce jour-là. Une chape de mort est tombée sur sa première enfance, faite d'amour, de bonheur, de joies vives.

Comment vivre lorsque disparaît une mère comme celle-ci, qui tenait une telle place dans la maison ? Tout l'équilibre de la famille vient d'être rompu. Il va falloir « s'organiser » autrement. Mais plus rien, jamais, ne sera comme avant.

Au retour de l'inhumation – au cimetière Notre-Dame, le mercredi 29 août –, Louise Marais considère tristement les deux jeunes orphelines : « Pauvres petites, vous n'avez plus de Mère ! » Céline se précipite dans les bras de Marie : « Eh bien ! c'est toi qui sera Maman ! » Alors Thérèse court vers Pauline : *Eh bien ! moi, c'est Pauline qui sera Maman !*

Le grand départ (15 novembre 1877)

Le père a maintenant cinquante-quatre ans. Profondément atteint par la mort de sa femme, entouré de cinq filles, comment va-t-il faire face ? Sa belle-sœur a reçu le dernier regard de Zélie : elle y a vu un appel pressant à s'occuper de ses enfants. Elle propose une solution sage : que les Martin viennent vivre à Lisieux.

Louis n'a aucune envie de se déraciner après ce choc brutal. Mais il se rend aux raisons des Guérin. « Pour nous, écrit Marie, il ferait tous les sacrifices possibles, il sacrifierait son bonheur, sa vie s'il le fallait pour nous rendre heureuses, il ne recule devant rien, il n'hésite plus un instant, il croit que c'est son devoir et notre bien à toutes et cela lui suffit. »

Toujours actif, l'oncle Isidore se met en quête d'une maison. Dès le 10 septembre, il envoie une description enthousiaste d'une demeure, parmi les vingt-cinq qu'il a visitées. Le 16, après un conseil de famille, M. Martin signe le bail des « Buissonnets ». Isidore Guérin est désigné comme subrogé-tuteur de ses cinq nièces mineures.

Le 15 novembre 1877, après une dernière prière au cimetière, Louis Martin, entouré de ses filles en toilette noire, quitte la rue Saint-Blaise. Après quatre heures en chemin de fer, ils arrivent à Lisieux et passent la première nuit chez les Guérin, place Saint-Pierre.

Le père reviendra à Alençon expédier ses dernières affaires et, le 30 novembre, rejoindra définitivement ses enfants aux Buissonnets Il a vendu son fonds de commerce 3.000 frs, payables en cinq ans.

La petite Thérèse ne reverra son pays natal que six ans plus tard. La rupture avec cet univers enchanté vient d'être consommée. *Comme elles ont passé rapidement les années ensoleillées de ma petite enfance !*

Les Buissonnets.

AUX BUISSONNETS (1877-1888)

« ...*la seconde période de mon existence,*
la plus douloureuse des trois... »

JUSQU'À L'ENTRÉE À L'ÉCOLE
16 novembre 1877 – 3 octobre 1881

Le chemin du Paradis

Je ne ressentis aucun chagrin en quittant Alençon, les
enfants aiment le changement et ce fut avec plaisir que je
vins à Lisieux.

Thérèse va vivre onze ans dans ce nouvel univers. Tout
près du jardin de l'Etoile, réservé aux abonnés, pas très
loin de la caserne Delaunney, à gauche d'un chemin étroit
et raide que M. Martin appelle « le chemin du Paradis »,
s'ouvre, face à un bec de gaz, une porte cochère. Au-delà
d'une petite pelouse se dresse une maison bourgeoise : un
étage, un « belvédère », quatre chambres, trois mansardes.
En arrière, un jardin, une buanderie, un hangar, une serre.
Ensemble bien clos de murs et d'arbres, isolé de la ville
que l'on voit en partie. Un nid pour cette famille exilée.

Elle s'installe. Au rez-de-chaussée, la cuisine avec sa
grande cheminée. Le puits est à quelques mètres dehors.
Fenêtres et porte de la salle à manger donnent sur le jardin
de devant. Un escalier très étroit conduit aux chambres des

aînées. A côté, la chambre du père. Celle de Céline et Thérèse possède une sortie sur le jardin arrière, près de la chambre de Léonie. Du Belvédère, on découvre tout Lisieux, les tours de la cathédrale, le clocher de Saint-Jacques, paroisse des Martin. De ce second étage, le paysage est souvent noyé de brumes qui montent des vallées de l'Orbiquet, de la Touques et du Cirieux, quand il n'est pas obscurci par les fumées des usines. Les Martin sont arrivés en hiver.

Lisieux en 1877

Avec ses 18 600 habitants, Lisieux s'arroge le titre de première cité industrielle du Calvados : manufactures de lin, de toiles de fil, de drap, tanneries, cidreries, distilleries... Les marchés du samedi emplissent la ville des produits de la campagne normande. Lisieux garde un aspect médiéval avec ses vieilles rues aux maisons à colombages : rue aux Fèvres, rue du Paradis, rue d'Ouville, place des Boucheries... Les jours de fête, la musique militaire du 119e régiment d'infanterie anime les allées du jardin public, à l'ombre de la cathédrale.

Après la guerre de 1870, la ville se trouve en déclin, le textile étant en régression. Quelques grèves éclatent, la dénatalité s'accentue. Mais les Martin vont vivre en marge de cet univers.

Une nouvelle vie

Pour l'enfant de quatre ans et demi qui y arrive, Lisieux évoque les vacances, l'atmosphère familiale du foyer Guérin, les jeux avec les cousines Jeanne, dix ans, et Marie, sept ans et demi. L'oncle Isidore, avec ses lorgnons et sa grosse voix, lui cause quelque effroi. Surtout lorsqu'il la prend sur ses genoux en chantant Barbe-Bleue. Mais elle écoute attentivement tous ses récits. Il rencontre tellement de monde dans sa pharmacie.

La petite fille ressent le changement total d'atmosphère.

A Alençon, la maison donnait sur la rue. L'enfant voyait tout ce qui s'y passait. Ouvrières et clientes animaient les pièces exiguës. Aux Buissonnets règne le silence. Le jardin, beaucoup plus grand, la ravit avec ses fleurs, ses bosquets et bientôt des poules, des canards, une volière. Mais où est la vie que mettait l'active maman ?

Ici, elle découvre une tout autre existence, parfaitement réglée. Après ce grand deuil, la famille se resserre. Peu de visites, on ne connaît personne. Le papa, coupé de ses amis, peut céder à son goût de la solitude. Du Belvédère, il fait sa retraite préférée : il lit, il écrit, il médite. Il jardine – par devoir –, s'occupe de la basse-cour, du bois pour le feu. Il n'a pas cinquante-cinq ans et se trouve à la retraite, n'ayant qu'à gérer ses biens qui s'élèvent à environ 140 000 F. Sa barbe blanche le vieillit. Pour ses filles, il est déjà « le Patriarche ».

Marie, dix-sept ans, prend en main le gouvernement de la maison, aidée par Pauline, seize ans, qui s'occupe de l'éducation des deux petites, spécialement de Thérèse. Léonie, quatorze ans, devient pensionnaire chez les bénédictines de l'Abbaye, à l'ouest de la ville. Céline y sera demi-pensionnaire.

Privée de sa compagne de jeux, Thérèse passe donc de longues journées avec des adultes dans cette maison qui lui paraît très vaste. On engage une bonne, Victoire Pasquer. Pendant sept ans, elle partagera la vie des Martin. D'autres lui succéderont.

Dans ce monde nouveau, une profonde transformation s'opère en Thérèse. *A partir de la mort de Maman, mon heureux caractère changea complètement ; moi si vive, si expansive, je devins timide et douce, sensible à l'excès. Un regard suffisait pour me faire fondre en larmes, il fallait que personne ne s'occupât de moi pour que je sois contente, je ne pouvais pas souffrir la compagnie de personnes étrangères et ne retrouvais ma gaieté que dans l'intimité de la famille.* Avec le recul des années, elle considérera que l'installation aux Buissonnets inaugure *la seconde période de (son) existence, la plus douloureuse des trois :* celle-ci *s'étend depuis l'âge de quatre ans et demi jusqu'à celui de ma quatorzième année, époque où je retrouvai mon caractère d'enfant tout en entrant dans le sérieux de la vie.*

De cinq à huit ans

Dans ce milieu très féminin, la petite Thérèse ne rencontre d'autres hommes que son père et son oncle.

Elle se souviendra d'une journée type de ces trois premières années. Réveil et lever par Pauline, sa « maman », prière, toilette, petit déjeuner (soupe). Dans la matinée, leçons d'écriture par Marie, leçons de lecture, de catéchisme par Pauline, qui se terminent par une visite à son père dans les hauteurs du Belvédère. L'élève studieuse possède une bonne mémoire. Elle aime l'Histoire Sainte, mais grammaire et orthographe font souvent couler ses larmes. L'après-midi, si le temps n'est pas trop pluvieux (Lisieux vit souvent dans l'humidité), promenade avec papa au jardin de l'Etoile, visite d'une église, achat d'un cadeau d'un ou deux sous. A la belle saison, parties de pêche dans la verte campagne environnante, du côté de Roques ou d'Hermival.

Les Lexoviens du quartier ont vite remarqué la promenade quotidienne de ce « beau vieillard » et de cette petite blonde, toute bouclée. Elle l'appelle son « Roi », lui sa « Reine », son « petit loup gris », « l'orpheline de la Bérésina », son « Bouquet », son « hanneton blond »... Ils rentrent pour qu'elle puisse faire ses devoirs. Après le souper, autour de la flambée dans la cheminée, on se réunit pour la veillée. Le papa chante *le Breton exilé, le Chant des anges,* récite du Victor Hugo, du Lamartine, lit quelques pages de *l'Année liturgique* de Dom Guéranger, parue récemment. Thérèse et Céline jouent avec les minuscules jouets que fabrique pour elles l'ex-horloger. Après la prière, embrassades, coucher tôt dans la grande chambre non chauffée. Un dernier baiser à Pauline... c'est la peur dans les ténèbres lorsque sont éteintes les lampes à huile.

La salle à manger des Buissonnets.

Dimanches et fêtes rompent heureusement ce rythme austère et mettent un peu de fantaisie. Ce jour-là, grasse matinée, petit déjeuner au lit (avec du chocolat au lait). Marie habille Thérèse, provoque ses cris en la frisant et l'on part pour la messe à la cathédrale Saint-Pierre que l'on préfère à la paroisse Saint-Jacques, car on y retrouve les Guérin. De son banc des marguillers, l'oncle Isidore sourit à sa nièce. Quelques mois après son arrivée, elle comprend pour la première fois le sermon de l'abbé Ducellier, bon orateur malgré son timbre voilé : il a parlé de la Passion de Jésus.

Le repas qui suit chez les Guérin est une joie. Que de choses on apprend au cœur de la ville ! Il arrive à Thérèse de rester chez eux, tantôt avec Marie, tantôt avec Céline.

Papa vient les chercher le dimanche soir. A partir de 1878, le cercle de famille va s'élargir aux Fournet et aux Maudelonde, parents des Guérin.

Cette belle journée s'écoule trop vite. Dès le lundi, il faut se remettre à l'étude. Pauline prend très (trop?) au sérieux son rôle de mère. Elle ne passe rien à sa sœur. C'est son père qui implore qu'on ne supprime pas la promenade de l'après-midi quand les leçons du matin ont laissé à désirer. Jamais un compliment pour l'élève qu'il ne faut pas pousser à la vanité.

Le jardin des Buissonnets a toute sa faveur et, plus largement la nature. Dans les prés fleuris à Saint-Martin-de-la-Lieue ou à Ouilly-le-Vicomte, elle s'occupe peu de sa petite canne à pêche. Elle se tait, regarde, cueille des fleurs. *Mes pensées étaient bien profondes et sans savoir ce que c'était de méditer, mon âme se plongeait dans une réelle oraison... () la terre me semblait un lieu d'exil et je rêvais le Ciel.* Ce ciel où se trouvent sa maman et ses quatre petits frères et sœurs. La pensée de la mort la révolte... surtout celle de la mort possible de son père. Elle préférerait mourir avec lui. *Je ne puis dire ce que j'aimais Papa, tout en lui me causait de l'admiration.* Lui *fait tout ce qu'elle veut.* Il lui parle, lui confie ses pensées. Pour savoir comment prier, elle n'a qu'à le regarder à l'église ou chez eux, le soir.

Pendant des années, le 1er janvier et le 25 août (fête de saint Louis), elle lui récite des poésies écrites par Pauline. Immuable cérémonial : dans sa plus belle robe, bien frisée, la petite Reine dit son compliment dans le Belvédère où les «cinq diamants ont rejoint le Roi chéri».

Premier été aux Buissonnets. M. Martin, amateur de voyages, décide de faire visiter Paris à ses deux aînées. Pendant qu'elles découvrent le Palais de l'Industrie de l'Exposition universelle, le château de Versailles, assistent au spectacle du cirque Bidel, Thérèse prend pension chez sa tante du 17 juin au 2 juillet. «Elle ne s'ennuie pas du tout, elle n'est pas difficile à garder, s'amuse avec des riens. Elle se montre même tout à fait gaie.» Son rire gagne Mme Guérin. Celle-ci guide sa main pour compléter cette lettre à Pauline.

Les Guérin ayant loué une villa à Trouville (la vogue des stations de mer n'a que vingt ans), les grandes sœurs y vont à tour de rôle, se baignent – les pieds – avec leurs cousines, pêchent à l'équille. Le jeudi 8 août 1878, jour mémorable pour Thérèse : son père va chercher Marie. Il emmène la benjamine qui fait en chemin de fer les 30 km de Lisieux à Trouville. *Jamais je n'oublierai l'impression que me fit la mer.* Elle n'oubliera pas non plus que, ce même jour, elle attira les regards et les compliments d'un couple qui la trouve « gentille ». *C'était la première fois que j'entendais dire que j'étais gentille, cela me fit bien plaisir ; car je ne le croyais pas.* A la maison on lui disait plutôt le contraire.

Seul événement de la sixième année parvenu jusqu'à nous : une colère contre Victoire, la bonne qui s'amuse à impatienter Mˡˡᵉ Thérèse. En une autre occasion, la taquine se voit traitée d'humiliante façon : *Victoire, vous êtes une mioche !* Habituellement douce et effacée, la petite Martin garde, au fond, son tempérament et sa dignité. Ce qui ne l'empêche pas, un jour, de tomber dans un seau d'eau et d'y rester coincée et, une autre fois, de se retrouver, couverte de cendres, dans la cheminée heureusement éteinte.

La communion de Céline (13 mai 1880)

Sa première confession à l'abbé Ducellier, à la cathédrale, date de cette année. Agenouillée dans le confessionnal, elle est si petite que le prêtre, ayant ouvert le volet, ne la voit pas. Elle doit parler debout. Préparée soigneusement par Pauline, elle s'était demandé si elle ne devait pas dire au vicaire qu'elle l'aimait de tout son cœur, puisqu'il représente le bon Dieu. *Depuis je retournais me confesser à*

Ci-contre, à l'Abbaye en 1880 ; à partir du bas, de g. à dr., au deuxième rang, la première est Marie Guérin, la troisième Céline Martin ; au cinquième rang, la troisième est Léonie Martin.

toutes les grandes fêtes et c'était une vraie fête pour moi chaque fois que j'y allais. Elle ignore alors crainte et scrupules.

Autres fêtes, les processions du Saint-Sacrement au passage duquel elle effeuille des roses. L'année de ses sept ans est marquée par la communion de Céline, le jeudi 13 mai. La petite écoute tout ce que dit Pauline à sa sœur. Elle a le cœur gros lorsqu'on la renvoie : elle est trop petite. Mais la joie de Céline devient la sienne. *Il me semblait que c'était moi qui allais faire ma première communion. Je crois que j'ai reçu de grandes grâces ce jour-là et je le considère comme un des plus beaux de ma vie.* Elle décide alors qu'il faut commencer dès maintenant une nouvelle vie. Ce n'est pas trop de trois années pour se préparer à sa propre communion. Au Noël suivant, elle voudrait bien aller communier en se faufilant parmi les grandes personnes. *Je suis si petite, personne ne me verrait.* Marie le lui interdit.

« Vision prophétique »

En ces années encore heureuses, un incident inquiétant frappe vivement la fillette. Un jour d'été (en 1879 ou 1880 ?), en début d'après-midi, Marie et Pauline entendent leur petite sœur appeler : *Papa ! Papa !* Or celui-ci est à Alençon. Il aime y retourner de temps à autre, pour retrouver ses amis Boul, Romet, Leriche, Tifenne... De sa fenêtre, Thérèse dit avoir vu *un homme vêtu absolument comme Papa,* courbé, la tête couverte d'une espèce de tablier, traverser le fond du jardin et disparaître derrière une haie. Victoire aurait-elle fait une farce ? La bonne proteste : elle n'a pas quitté sa cuisine. On fouille les bosquets avec prudence. Rien. Le mystère demeure. Ses sœurs essaient de rassurer l'enfant. *N'y plus penser n'était pas en mon pouvoir.* Il faudra quatorze ans pour que les sœurs Martin, carmélites, comprennent le sens de cet événement mystérieux.

Au total, ses trois premières années aux Buissonnets laisseront à Thérèse un souvenir positif. La chaude atmosphère familiale, très féminine, très maternelle *(le cœur si tendre de papa avait joint à l'amour qu'il possédait déjà un amour vraiment maternel),* comble son intense besoin d'affection. *Je continuais à être entourée de la tendresse la plus délicate.*

Cette période encore heureuse allait prendre fin.

A L'ÉCOLE CHEZ LES BÉNÉDICTINES
3 octobre 1881-mars 1886

> *« Les cinq années que je passai à l'école furent les plus tristes de ma vie. »*

Le 3 octobre 1881, Thérèse, huit ans et demi, prend à son tour le chemin du pensionnat des bénédictines d'où Léonie vient de sortir. Elle entre en 4e, classe verte (couleur de la ceinture de l'uniforme). Le trajet, de 1 km 500 environ, se fait à pied avec Céline, les cousines Jeanne et Marie accompagnées de Marcelline, la bonne des Guérin. On arrive vers 8 heures. Le soir, le père, ou l'oncle, vient chercher la petite troupe.

J'ai souvent entendu dire que le temps passé au pensionnat est le meilleur et le plus doux de la vie, il n'en fut pas ainsi pour moi, les cinq années que j'y passai furent les plus tristes de ma vie; si je n'avais pas eu avec moi ma Céline chérie, je n'aurais pas pu y rester un seul mois sans tomber malade.

Les leçons de Marie et de Pauline ont porté leurs fruits. A part en orthographe et en arithmétique, Thérèse se retrouve en tête de sa classe. Mais la vie collective, soudain découverte, la blesse. Des élèves en retard – l'une a treize ans – la jalousent, la persécutent. Thérèse pleure, sans oser se plaindre. Les jeux bruyants des récréations l'effrayent. Elle n'aime pas courir, ne sait pas jouer à la poupée. Elle préfère raconter des histoires (elle a un don pour cela), enterrer les oiseaux morts ou s'occuper des petites de la classe maternelle. En cas d'attaque par les grandes, Céline, « l'Intrépide », arrive pour défendre sa sœur. Une ancienne maîtresse décrit ainsi la petite Martin : « Obéissante, d'une fidélité minutieuse aux plus petits points du règlement, s'alarmant même d'une apparence de faute jusqu'à donner parfois l'impression du scrupule. Habituellement calme et paisible, recueillie (trop pour son âge, trouvait-on généralement), elle paraissait quelquefois songeuse ; il se peignait sur ses traits comme un peu de tristesse. »

Quel soulagement de rentrer le soir aux Buissonnets ! Explosion de joie en retrouvant son père, ses sœurs, son univers familier, sa pie apprivoisée qui la suit partout dans le jardin. *Alors mon cœur s'épanouissait.* Dimanches et jeudis deviennent les jours importants. Elle retrouve alors le calme. Avec « Loulou » – sa cousine Marie –, elle invente un nouveau jeu : vivre en solitaires au fond du jardin. Silence, oraisons, rituels variés, déguisements auprès des petits autels installés à la buanderie. Un jour, elle a d'ailleurs confié à sa maman Pauline qu'elle voudrait être solitaire et partir *avec elle* dans un désert lointain. L'adolescente a répondu dans un sourire : « Je t'attendrai. » Thérèse l'a crue.

En revanche, les réunions « mondaines » avec les Guérin et leurs cousines Maudelonde, les interminables après-midi du jeudi où il faut danser des quadrilles, l'ennuient à mourir. Elle reconnaît ne pas savoir jouer comme les autres enfants.

Ce qu'elle aime, c'est la lecture. *Dire le nombre de livres qui me sont passés dans les mains ne me serait pas possible.* Les récits chevaleresques l'enthousiasment. Elle admire surtout l'héroïne Jeanne d'Arc (non encore canonisée). Elle pense alors qu'elle aussi, elle est née pour la gloire. Non point une gloire spectaculaire comme celle de la Lorraine, mais une gloire cachée : *devenir une grande sainte.*

Céline et Thérèse, à huit ans (1881).

Pendant des heures aussi, elle contemple des images. Certaines la fascinent. Entre autres, celle où l'on voit Jésus « prisonnier » derrière les grilles d'un tabernacle.

Qu'il est dur de reprendre le chemin de l'école! Les seuls instants heureux qu'elle y trouve sont ces dix minutes avant la fin de la récréation où l'on peut aller prier à la chapelle.

La perte de sa seconde mère (15 octobre 1882)

Ce que Thérèse ignore, c'est que sa seconde maman, la « Perle fine » du père, vingt ans, vient de décider, au cours d'une messe dans l'église Saint-Jacques, de devenir carmélite. Inspiration subite, car Pauline songeait depuis long-temps à la Visitation du Mans. Le jour même, elle s'en ouvre à Marie et à son père. Celui-ci consent. Visite au carmel, rue de Livarot, où la prieure, Mère Marie de Gonzague, approuve la décision. Surprise... car Pauline avait d'abord pensé entrer au carmel de Caen. Mais celui de Lisieux a de la place pour elle. A leur tour, les Guérin sont informés. Tout le monde connaît donc la nouvelle... sauf la petite sœur.

Au cours de l'été 1882, Pauline et Marie parlant de ce prochain départ, Thérèse l'apprend fortuitement. *C'était comme si un glaive s'était enfoncé dans mon cœur. Je ne savais pas ce qu'était le Carmel, mais je comprenais que Pauline allait me quitter pour entrer dans un couvent, je comprenais qu'elle ne m'attendrait pas et que j'allais perdre ma seconde Mère!... Ah! comment pourrais-je dire l'angoisse de mon cœur?... En un instant je compris ce qu'était la vie; jusqu'alors je ne l'avais pas vue si triste, mais elle m'apparut dans toute sa réalité, je vis qu'elle n'était qu'une souffrance et qu'une séparation continuelle. Je versai des larmes bien amères...*

Dans l'ardeur de sa jeune vocation, Pauline ne saisit pas qu'elle a profondément blessé sa sœur. Bien plus tard, elle regrettera amèrement son attitude: «Ah! si j'avais su la

44

faire tant souffrir, comme je m'y serais prise autrement, comme je lui aurais tout confié!»

Il lui reste à essayer de consoler Thérèse en lui expliquant ce qu'est la vie carmélitaine. A travers ses larmes, l'enfant écoute de tout son être. *Je sentis que le Carmel était le* désert *où le Bon Dieu voulait que j'aille aussi me cacher... Je le sentis avec tant de force qu'il n'y eut pas le moindre doute dans mon cœur.*

Ecrivant ces lignes treize ans après l'événement, Thérèse prévient l'objection évidente. *Ce n'était pas un rêve d'enfant qui se laisse entraîner, mais la* certitude *d'un appel Divin ; je voulais aller au Carmel non pour* Pauline [rejoindre sa mère perdue] *mais pour* Jésus seul... *Je pensais* beaucoup *de choses que les paroles ne peuvent rendre, mais qui laissèrent une grande paix dans mon âme.*

Le lendemain, la petite confie son secret à Pauline. Un dimanche, au parloir du carmel, la candidate de neuf ans manœuvre pour rester seule un instant avec Mère Marie de Gonzague. Celle-ci *croit à sa vocation,* mais objecte qu'elle n'accepte pas de postulante au-dessous de seize ans. Thérèse attendra. Désormais, elle sait ce qu'elle veut faire de sa vie.

Durant les quelques semaines précédant le départ de Pauline, Thérèse la dévore de baisers, la bourre de gâteaux, la couvre de cadeaux. A mesure que l'échéance approche, son cœur se serre.

Jour de larmes que le lundi 2 octobre 1882, malgré un soleil éclatant. Tandis que Louis Martin accompagne Pauline au carmel où l'accueillent son directeur, l'abbé Ducellier, et le supérieur, M. Delatroëtte, curé de Saint-Jacques, toute la famille, conduite par les Guérin, va à la messe. Les fidèles s'étonnent de voir toutes ces jeunes filles en pleurs. Comble de malheur, après cette pénible cérémonie, il faut rentrer à l'école pour une nouvelle année. Défaite, la jeune Martin reprend le chemin de l'Abbaye. A-t-elle remarqué que se prépare activement le troisième centenaire de la mort de Thérèse d'Avila, fondatrice du carmel réformé, sa patronne ?

Sautant une division, elle « monte » en 3ᵉ, classe violette, qui prépare à la première communion. L'instruction religieuse y prend donc une place importante. Le jeudi et le dimanche, à la chapelle, l'aumônier, M. Domin, quarante ans, donne des enseignements. De plus, trois fois par semaine, une maîtresse est chargée des futures premières communiantes. Thérèse excelle en instruction religieuse. Dans ses malheurs, la perspective de sa communion, tant attendue, apporte un rayon de lumière. Hélas, un règlement récent de l'évêché l'exclut de la préparation : elle est née deux jours trop tard. M. Guérin n'hésite pas à aller à Bayeux solliciter une dispense de l'évêque. Refus aimable mais ferme. On ne peut faire d'exception, même pour la nièce d'un pharmacien honorablement connu à Lisieux. Torrents de larmes : c'en est trop pour la petite fille sensible.

Le supplice des parloirs

Même revoir sa Pauline au parloir chaque jeudi – privilège accordé aux Martin par la prieure – lui devient un supplice. En ce lieu austère avec ses doubles grilles et ses rideaux (bien que la postulante soit visible pour sa famille), la demi-heure mesurée par un sablier s'écoule trop vite. Marie, les dames Guérin parlent, parlent. Thérèse n'a droit qu'à deux ou trois petites minutes, à la fin. Pauline, devenue sœur Agnès de Jésus, tout occupée à la conversation néglige sa sœur, ne remarque pas son nouveau petit jupon. La petite fait la lippe et quitte le parloir en sanglotant. *Ah ! ce que j'ai souffert à ce* parloir *du Carmel !* () *J'avoue que les souffrances qui avaient précédé l'entrée de Pauline ne furent rien en comparaison de celles qui suivirent.*

Lisant plus tard ces lignes, Pauline dira une fois encore : « Ah ! si j'avais su... » L'enfant se désespère : *Je me disais au fond de mon cœur : "Pauline est perdue pour moi !!!"* Ce choc réveille celui de la mort de sa mère, resté souterrain. A dix ans, elle a déjà perdu deux mamans.

Symptômes inquiétants

Vers le mois de décembre, l'élève de la classe violette, qui a bien commencé l'année scolaire, est prise de maux de tête continuels, de douleurs au côté, au cœur. Couverte de boutons, elle a perdu l'appétit, elle dort mal. Au parloir, sœur Agnès de Jésus s'inquiète de «la mine toujours si pâlotte» de son benjamin. Même son caractère est perturbé. Cette fois Thérèse n'a pas choisi Marie comme troisième maman. L'aînée en joue le rôle, sans doute avec quelque rudesse. La petite lui «répond» toujours quand elle lui dit de faire quelque chose. De «petites fâcheries avec Céline» apparaissent.

La carmélite est prodigue de petits billets où se mêlent réprimandes affectueuses et bons conseils. Mère Marie de Gonzague renchérit, sans soupçonner qu'elle attise le mal. Elle met le doigt sur la plaie secrète : «J'ai appris que ma petite fille Thérèse de l'Enfant-Jésus [8] ne dormait pas beaucoup et qu'elle était souffrante ; je viens dire à mon ange d'enfant qu'il ne faut pas qu'elle pense toute la journée à mon Agnès de Jésus, cela fatiguerait notre petit cœur et pourrait nuire à notre santé !»

«Une si étrange maladie» (25 mars-13 mai 1883)

La prieure a vu juste. Sans se plaindre, l'enfant qui vient d'avoir dix ans, continue sa vie habituelle. Avec Céline, les rôles se sont inversés : celle-ci est devenue un malin petit lutin de quatorze ans, Thérèse n'est plus qu'une *petite fille bien douce, pleureuse à l'excès.* D'où quelques chamailleries qui viennent jusqu'à l'oreille de sœur Agnès. Elle conseille à l'aînée de céder.

Pour les vacances de Pâques 1883, Louis Martin a décidé de passer la Semaine sainte à Paris avec Marie et

8. Thérèse avait choisi ce nom. Sans le savoir, Mère Marie de Gonzague le lui donna de son côté.

Léonie. Thérèse et Céline prendront pension chez les Guérin. Leur fille Marie avait eu, un jour, un cruel mot d'enfant. Thérèse ayant appelé « maman » sa tante, sa cousine réagit vivement : « Ma maman n'est pas ta maman. Toi, tu n'en as plus. »

Le 25 mars, au soir de Pâques, Isidore Guérin n'est guère plus heureux dans la conversation au cours du dîner. Il évoque le souvenir de sa sœur, la vie à Alençon. Thérèse s'effondre en larmes. Vite, on la couche pendant que l'oncle et ses filles vont au Cercle catholique. Elle est prise d'un fort tremblement, elle a froid, s'agite beaucoup. A son retour, le pharmacien se montre très préoccupé en voyant sa nièce dans cet état. Le lendemain, il fait appel au docteur Notta. Diagnostic imprécis mais pessimiste : « Maladie très grave dont jamais aucune enfant n'a été atteinte. » Il prescrit une hydrothérapie. Un télégramme rappelle « les Parisiens » qui rentrent en hâte. A leur arrivée, Aimée, la cuisinière, leur présente un visage si bouleversé, qu'ils croient, pendant quelques instants, que Thérèse est morte. Intransportable, elle est soignée par sa tante et sa sœur Marie.

La bonne, Marcelline Husé, est témoin d'un « tremblement nerveux auquel succèdent des crises de frayeur et d'hallucinations qui se répètent plusieurs fois par jour. Dans les intervalles, la malade est d'une grande faiblesse et on ne peut la laisser seule. Après la crise, elle garde le souvenir lucide de ce qui s'est passé. » Jeanne Guérin a aussi témoigné : « A la période la plus intense, il y a eu aussi plusieurs crises motrices pendant lesquelles elle réalisait des mouvements rotatoires de tout le corps dont elle eut été absolument incapable en état de santé. » *La maladie devint si grave que je ne devais pas en guérir suivant les calculs humains.*

La consternation est générale. D'autant plus que Thérèse ne cesse de répéter qu'elle veut assister à la prise d'habit de Pauline fixée au 6 avril. On évite de parler de la carmélite devant elle.

Contre toute attente, après une crise plus violente, le matin de ce vendredi 6, la malade se lève, «guérie» et se rend au carmel avec toute la famille. On ne la laisse pas assister à la cérémonie, mais au parloir extérieur, elle peut ensuite s'asseoir sur les genoux de sa mère retrouvée, la combler de caresses. Toute la journée, elle se montre pleine de joie et d'entrain. L'entourage croit rêver. Elle revient aux Buissonnets en voiture. Malgré ses dénégations – *je suis parfaitement guérie* –, on la fait coucher.

Dès le lendemain, c'est la rechute, plus grave encore. *Je disais et je faisais des choses que je ne pensais pas, presque toujours je paraissais en délire, disant des paroles qui n'avaient pas de sens et cependant je suis* sûre *de n'avoir pas été* privée *un* seul instant *de* l'usage de ma raison... *Je paraissais souvent évanouie, ne faisant pas le plus léger mouvement, alors je me serais laissé faire tout ce qu'on aurait voulu, même tuer, pourtant j'entendais tout ce qui se disait autour de moi.*

Marie, très souvent auprès d'elle, la soignant et la *consolant avec la tendresse d'une Mère,* est témoin de ses hallucinations. Le docteur Notta demeure évasif, très inquiet : «Ce n'est pas de l'hystérie...» Est-ce la chorée de Sydenham, vulgairement appelée la danse de saint Guy ? M. Martin se demande si sa *pauvre petite fille qui ressemble à une idiote* va mourir ou demeurer toute sa vie dans cet état.

Toute la famille prie en union avec le carmel. Neuvaine de messes dites à Notre-Dame-des-Victoires, le sanctuaire parisien très aimé des Martin et des Guérin. On implore un miracle. Dans la chambre de Marie – où est installée Thérèse – on a mis la statue de la Vierge qui a toujours suivi la famille.

Seuls moments de rémission : ceux où Thérèse reçoit une lettre de Pauline. Ces lettres, elle les lit, les relit, les apprend par cœur. L'oncle pharmacien se fâche lorsqu'il voit une des poupées de sa nièce habillée en carmélite. Mieux vaudrait faire oublier le carmel à cette enfant !

Situation sans issue...

«Toi qui vins me sourire au matin de ma vie...»
(13 mai 1883)

Le jour de la Pentecôte, pendant la neuvaine à Notre-Dame-des-Victoires, tandis que Léonie garde Thérèse, la malade ne cesse, comme d'habitude, d'appeler *Mama... Mama...* Marie, au jardin, finit par monter. Sa sœur ne la reconnaît pas et continue ses plaintes. Vains efforts pour la convaincre. Alors Marie, Léonie et Céline s'agenouillent aux pieds du lit et se tournent vers la statue. Thérèse raconte : *Ne trouvant aucun secours sur la terre, la pauvre petite Thérèse s'était aussi tournée vers sa Mère du Ciel, elle la priait de tout son cœur d'avoir enfin pitié d'elle... Tout à coup la Sainte Vierge me parut* belle, *si belle que jamais je n'avais rien vu de si beau, son visage respirait une bonté et une tendresse ineffables, mais ce qui me pénétra jusqu'au fond de l'âme ce fut le* ravissant sourire de la Sainte Vierge. *Alors toutes mes peines s'évanouirent, deux grosses larmes jaillirent de mes paupières et coulèrent silencieusement sur mes joues, mais c'étaient des larmes d'une joie sans mélange... Ah ! pensai-je, la Sainte Vierge m'a souri, que je suis heureuse... mais jamais je ne le dirai à personne, car alors mon* bonheur disparaîtrait.

Les trois sœurs sont témoins de la scène et de la détente de la malade. Dès le lendemain, l'enfant reprend sa vie ordinaire. Dans le mois qui suit, au jardin, Léonie la contrarie deux fois. Elle tombe et reste étendue quelques minutes, dans un état de rigidité des membres et du tronc. Mais sans délire ni mouvement violent. Aucun trouble de cet ordre ne réapparaîtra désormais.

Mais Thérèse reste psychologiquement fragile et l'entourage demeure très marqué par cette dramatique maladie. Le médecin, ayant mis la famille en garde contre toute émotion violente nuisible à l'enfant, chacun s'ingénie à la choyer davantage. «Attention à une rechute ! Ne la contrarions pas !», tel est le mot d'ordre inexprimé. Cela ne va pas aider Thérèse à grandir.

Douze ans plus tard, Thérèse donnera son interprétation de sa maladie : *elle venait certainement du démon, furieux de l'entrée de Pauline au Carmel, il voulut se venger sur moi du tort que notre famille devait lui faire dans l'avenir.* Elle ajoute : *Mon âme était LOIN d'être mûrie.*

Fin mai, elle peut enfin retourner au parloir du carmel, très jolie, tout en noir, portant le deuil de sa grand-mère Martin, qui est morte pendant sa maladie (8 avril).

«Deux peines d'âme»

La guérison elle-même va être pour la petite fille source d'un double martyr intérieur.

Elle s'était promis de garder le secret du sourire de la Vierge. Mais sa sœur Marie l'a fait parler et en informe les carmélites. On crie au miracle. Au parloir, la communauté contemple la petite miraculée et la presse de questions : «Comment était la Sainte Vierge ? De quelles couleurs étaient ses vêtements ? comme à Lourdes ? Y avait-il de la lumière ?...» L'enfant se trouble. Sa joie va se changer en angoisse, en humiliation. Elle pense avoir trahi. Elle ne peut plus se regarder *sans un sentiment de profonde horreur.*

Sa culpabilité s'augmente d'un autre doute qui va la harceler pendant cinq années. Etant donné les symptômes de son étrange maladie, n'a-t-elle pas simulé ? Elle se figure avoir menti. Elle a beau en parler à Marie, à l'abbé Ducellier, son confesseur, rien ne la tranquillise. *Ah ! ce que j'ai souffert, je ne pourrai le dire qu'au Ciel !*

«Première entrée dans le monde» : Alençon (20 août-3 septembre 1883)

Par prudence, on ne laisse pas la convalescente reprendre le chemin de l'école. Premières grandes vacances hors du monde clos de Lisieux. Pour fêter son rétablissement, elle va faire son «entrée dans le monde».

Pour la première fois, elle revient à Alençon sur les lieux de son enfance. Le pèlerinage sur la tombe de sa mère se passe sans incident. Elle ne retrouve pas la grisaille de la rue Saint-Blaise. Introduite dans le cercle des amis de son père, la bonne bourgeoisie d'Alençon, elle va *de château en château :* celui des Romet à Saint-Denis-sur-Sarthon ; celui de Mme Monnier à Grogny (elle y fait du cheval en amazone) ; celui des Rabinel – manoir de Lanchal – à Semallé où elle retrouve avec joie la famille de Rose Taillé. *Tout était fête autour de moi, j'étais fêtée, choyée, admirée.* Partout les amis s'exclament : « On avait vu partir un bébé, on retrouve une jolie jeune fille ! » Son père n'en est pas peu fier. « C'est un beau brin de fille, je te l'assure, ma petite Reine », écrit-il à son ami Nogrix.

A dix ans et demi, avec ses longs cheveux blonds, ses yeux pers, elle ne laisse pas indifférent. A mots couverts, on évoque sa grave maladie. Mais elle paraît bien remise, gaie, très à l'aise dans ce monde nouveau. *J'avoue que cette vie avait des charmes pour moi... A dix ans, le cœur se laisse facilement éblouir.* Elle pressent qu'elle pourrait suivre cette route facile, celle des jeunes filles de son entourage alençonnais. Elle pense à Pauline, dans son petit carmel pauvre. Elle commentera ces vacances : *Peut-être Jésus a-t-il voulu me montrer le monde avant la* première *visite qu'Il voulait me faire afin que je choisisse plus* librement *la vie que je devais lui promettre de suivre.*

Le 22 août, elle rencontre le P. Almire Pichon, ce jésuite originaire de l'Orne que Marie a choisi comme directeur de conscience et qu'elle porte aux nues. Le Père constate la bonne mine de la jeune Thérèse. Sur la suggestion de M. Martin, elle l'embrasse pour le remercier de ses prières durant sa maladie.

Octobre 1883 : nouvelle rentrée à l'Abbaye, dans la même classe violette, mais en seconde division. C'est enfin l'année de la première communion. Elle entre à fond dans la préparation, toujours première au catéchisme. L'abbé Domin apprécie son « petit docteur », mais celui-ci a beaucoup de mal à admettre certains points de son enseignement. Elle s'indigne que les petits enfants morts sans baptême puissent être privés du ciel!

Du côté du carmel, la préparation n'est pas moins intense. De février à mai 1884, une lettre de Pauline arrive chaque semaine aux Buissonnets. La carmélite a composé un petit livre indiquant les sacrifices quotidiens à faire pour Jésus, les prières à lui offrir. Marie, à la maison, complète à sa manière. Elle lui fait méditer un feuillet sur «le renoncement» bien au-dessus de son âge. La petite prend tout au pied de la lettre. *Tous les jours, je tâche de faire le plus de pratiques que je peux, et je fais mon possible pour ne laisser échapper aucune occasion,* écrit-elle à Agnès.

Du 1er mars au 7 mai, elle totalise 1 949 sacrifices, soit une moyenne de 28 par jour.Elle répète 2 773 fois les invocations suggérées par sa sœur, soit 40 quotidiennement.

De son côté, la carmélite se prépare à sa profession. Les deux cérémonies sont fixées au 8 mai. Pour Thérèse, période *sans nuages.*

«Le premier baiser de Jésus à mon âme» (8 mai 1884)

> «*Lorsqu'en mon jeune cœur s'alluma cette flamme
> Qui se nomme l'amour, tu vins la réclamer...*»

Toujours fragile, l'élève Thérèse est exemptée de l'obligation de devenir pensionnaire durant le mois précédant «le plus beau jour de sa vie». Elle ne fera que la retraite de trois jours, du 4 au 8 mai, avec beaucoup de précautions et de privilèges. Au moindre mal de tête, à la moindre toux, on la conduit à l'infirmerie. Céline a même la permission de venir la voir chaque jour.

Sur un petit carnet, la retraitante prend succinctement en note les instructions de l'abbé Domin. Les titres sont éloquents: l'enfer, la mort, la communion sacrilège, le jugement dernier. Les histoires qui illustrent ces chapitres effrayent Thérèse. Qui sait, menace le prédicateur, si quelque retraitante ne mourra pas avant jeudi? De fait, l'abbé ne peut continuer ses enseignements terrorisants : Mère Saint-Exupère, la prieure de l'Abbaye, meurt subitement !

Arrive enfin ce jour préparé depuis quatre ans. Oubliée la comptabilité proposée par Pauline, envolées les craintes éveillées par M. l'aumônier ! Le vocabulaire thérésien qui décrit la première rencontre avec Jésus appartient à un tout autre registre. *Ah ! qu'il fut doux le premier baiser de Jésus à mon âme !... Ce fut un baiser d'amour, je me sentais aimée, et je disais aussi : "Je vous aime, je me donne à vous pour toujours." Il n'y eut pas de demandes, pas de luttes, de sacrifices ; depuis longtemps, Jésus et la pauvre petite Thérèse s'étaient* regardés *et s'étaient compris... Ce jour-là ce n'était plus un* regard, *mais une* fusion, *ils n'étaient plus* deux, *Thérèse avait disparu, comme la goutte d'eau qui se perd au sein de l'océan. Jésus restait seul, Il était le maître, le Roi.*

Elle ne redoute plus les séparations : recevant Jésus, elle est unie à sa mère au ciel et à Pauline au carmel. Ses compagnes se méprennent sur l'abondance de ses larmes pendant la messe. Larmes de joie et non de peine. Sœur Henriette se souvient : « Au goûter de deux heures, une petite me dit : "Si vous saviez, ma Sœur, ce que Thérèse a demandé au bon Dieu pendant son action de grâces... de mourir, ma Sœur. Comme on aurait peur !" Mais Thérèse les regardait comme avec pitié, sans rien dire. Moi, prenant la parole, je leur dis : "Vous n'avez pas compris ; Thérèse, bien sûr, a demandé, comme sa sainte patronne, à mourir d'amour." Alors elle s'approcha de moi et me regardant dans les yeux : *"Vous, ma Sœur, vous comprenez... mais elles..."* »

Cette profondeur qui échappe à son entourage vient sans doute de cette habitude qu'elle avait prise de *faire oraison sans le savoir.* Là, elle était instruite en secret, bien mieux que par M. Domin. Plusieurs fois, elle avait interrogé une de ses maîtresses : *Marguerite, je voudrais bien que vous m'appreniez à faire la méditation ?* La trouvant « tellement pieuse », Marie ne lui avait pas permis de faire une demi-heure d'oraison comme elle le lui demandait.

54

Même pas un quart d'heure. Mais qui aurait pu interdire à Thérèse de se retirer dans un espace vide entre son lit et le mur, et là, cachée par un rideau, de penser *au bon Dieu, à la vie... à* l'Eternité...?

La profondeur de cette première communion ne l'empêche pas d'être sur terre. Elle apprécie la fête de famille, la belle montre et les cadeaux nombreux, entre autres cette «robe de lainage blanc crème garnie de velours grenat et un chapeau de paille de même teinte garni d'une grande plume grenat».

Première au catéchisme, orpheline de mère, la consécration à la Vierge, faite au nom de ses cinq compagnes, pendant les vêpres, lui revenait de droit. Mais parmi celles-ci se trouvaient les deux nièces de l'abbé Domin. Les religieuses de l'Abbaye voulaient faire plaisir à leur aumônier en confiant cet honneur à l'une d'elles. Thérèse ne l'entendit pas ainsi. Il fallut que M\ème Guérin et Marie fassent une démarche auprès de Mère Saint-Placide, puis que toute la famille aille chez M. l'aumônier pour plaider le droit de la benjamine. Il fut enfin reconnu.

Mystique, réaliste, Thérèse est normande. Elle notait sans transition dans un de ses carnets: *Prêté 20 francs à Céline. Oh! Jésus vous seul et c'est assez.*

Une grande faim eucharistique se développe chez la petite communiante. *Il n'y avait que Jésus qui pût me contenter.* La communion dépendait alors des permissions des confesseurs. Celui de Thérèse sera assez large puisque sa pénitente notera toutes ses communions du 8 mai 1884 au 28 août 1885: vingt-deux au total.

Seconde visite de Jésus : Ascension, 22 mai 1884

Sa seconde communion, le jour de l'Ascension, n'est pas moins importante que la première. Contre toute espérance, l'abbé Domin, lui a permis de communier au bout de quinze jours à peine. De ses yeux coulent encore des larmes d'*ineffable douceur.* Une phrase de saint Paul s'impose à son esprit : «Ce n'est plus moi qui vis, c'est Jésus qui vit en moi.» Le lendemain, elle reçoit *une des plus grandes grâces de sa vie.* Plus tard, après une autre communion, une parole que lui a dite sa sœur Marie revient à sa mémoire. La considérant toujours comme un bébé, la jeune fille de vingt-quatre ans lui avait prédit que Dieu lui épargnerait la voie de la souffrance. Il est difficile de se tromper aussi radicalement. C'est l'inverse qui va se réaliser.

Ce jour-là, Thérèse sent naître en son cœur *un grand désir de la souffrance* et l'assurance qu'un grand nombre de croix l'attend. Dans ses communions, elle va répéter une prière de *l'Imitation de Jésus-Christ* (son livre de chevet) : *O Jésus!* douceur *ineffable, changez pour moi en* amertume *toutes les consolations de la terre!* Elle répète ces mots sans bien les comprendre, *comme une enfant qui redit les paroles qu'une personne amie lui inspire.* () *Jusqu'ici j'avais souffert sans* aimer *la souffrance, depuis ce jour je sentis pour elle un véritable amour.*

Pendant un an, durant ces nombreuses grâces eucharistiques, les deux peines d'âme nées de sa maladie disparaissent entièrement.

«Il faut que l'Esprit-Saint soit la vie de ton cœur» (14 juin 1884)

Trois semaines plus tard, elle se replonge avec joie dans deux jours de retraite à l'Abbaye : Mgr Hugonin va la confirmer, Léonie étant sa marraine. Ce *sacrement d'Amour* l'émerveille. L'Esprit-Saint lui donne *la force de souffrir.*

Le 26 de ce même mois de juin, elle accueille avec joie l'*animal à poils* qu'elle avait demandé à son père : un bel épagneul blanc, Tom, qui ne va plus la quitter, gardien des Buissonnets et compagnon de ses promenades.

Splendide été 1884. Depuis mai, Thérèse tousse beaucoup. Elle a attrapé la coqueluche. En août, on l'envoie en vacances dans la maison de la grand-mère Fournet [9] à

9. Mère de Mme Guérin.

Saint-Ouen-le-Pin (10 km à l'ouest de Lisieux). Sa joie est grande de retrouver la campagne normande, ses rivières, ses prés. A la ferme voisine, elle boit chaque jour un bol de lait chaud. Elle dessine, joue avec le chien Biribi, se promène dans le bois du Theil, pousse ses promenades jusqu'au château de Guizot, l'ancien ministre de Louis-Philippe, enterré dans le cimetière du village. Mme Guérin écrit à son mari : « La figure de Thérèse est toujours rayonnante de bonheur. »

Après ces excellentes vacances, elle entre en seconde classe (classe orange), en octobre 1884. Sa maîtresse se nomme Mère Saint-Léon. Fini le temps recueilli de la première communion. Toujours la plus jeune, elle souffre de la dissipation des filles qui se moquent du règlement. Ce qu'elle aime : le catéchisme où elle domine toujours, « le style », l'histoire. Arithmétique et orthographe restent ses points faibles. Si elle n'obtient pas l'insigne vermeil, récompense de la première, elle fond en larmes. « Impossible de la consoler. » Elle a aussi tendance à souffler à ses compagnes qui restent muettes durant les interrogations. Mère Saint-Léon n'aura guère plus à dire sur cette élève douce et sensible lorsqu'elle rassemblera ses souvenirs.

Les vacances de Pâques lui permettent de retrouver la mer à Deauville, du 3 au 10 mai 1885, au « chalet des Roses », prêté à M. Guérin. Elle a douze ans et demi. Marie, restée aux Buissonnets, l'appelle encore « son gros bébé ». Sans doute, elle l'est encore, car voyant Marie Guérin câlinée par sa mère, elle essaie à son tour de se faire cajoler en pleurnichant. Mais elle en est pour ses frais. Elle se souviendra de la leçon et se déclarera guérie *pour la vie, du désir d'attirer l'attention.* Ses maux de tête n'étaient sans doute provoqués que par l'air iodé de la mer.

« La terrible maladie des scrupules »
(mai 1885 - novembre 1886)

Retour à Lisieux pour préparer ce qu'on appelle alors « la deuxième communion » ou le renouvellement. Nouvelle retraite avec l'abbé Domin. Thérèse reprend le petit carnet de l'an passé. Les instructions n'ont pas changé de tonalité. Ainsi la seconde : *Ce que nous a dit M. l'abbé était très effrayant, il nous a parlé du péché mortel...* La troisième porte sur la mort. Cette fois, aucun décès ne viendra interrompre ces enseignements si différents de ce que Thérèse vit dans ses communions [10].

C'en est trop pour elle, si fragile. Ses peines d'âme se réveillent brusquement. Elle sombre dans *la terrible maladie des scrupules. Il faut avoir passé par ce martyre pour le bien comprendre : dire ce que j'ai souffert pendant un an et demi, me serait impossible...*

Seul recours : Marie, la dernière mère qui reste aux Buissonnets. Car, comment, au parloir du carmel, confier à Pauline toutes ses misères ? Surtout, comme c'est possible, si certains scrupules portent sur la chasteté [11]. Pauline est une carmélite, donc une sainte. Elle est devenue tellement lointaine que sa sœur la considère comme *morte* pour elle.

A Marie, celle qui est devenue son *seul oracle, indispensable,* Thérèse confie chaque jour ses peines en pleurant, pendant les séances de coiffure (pour faire plaisir à son père, Marie la frise tous les jours). La benjamine s'oblige à tout dire, y compris les pensées les plus *extravagantes.* Actions et pensées les plus simples deviennent pour elle sujet de troubles. Fait étonnant, ses confesseurs (l'abbé Domin, puis après la sortie de l'école, l'abbé Lepelletier), ignorèrent tout de sa *vilaine maladie.* Elle obéit aveuglément à sa sœur qui lui dit ce qu'il faut accuser en confession.

Les grandes vacances font heureusement diversion. En juillet, retour à Saint-Ouen-le-Pin. Elle cache bien ses souffrances intimes. « Thérèse est franchement heureuse, constate la tante Elisa. Jamais je ne l'ai vue aussi gaie. » Suit ce croquis champêtre : « Hier, elle et Marie [sa fille]

10. Elle reprend ses trois résolutions de l'an passé : « 1. Je ne me découragerai pas. 2. Je dirai tous les jours un Souvenez-vous à la Sainte Vierge. 3. Je tâcherai d'humilier mon orgeul » *(sic).*
11. Sujet tabou à l'époque. Silence qui favorisait les scrupules. Marie, Céline, Léonie, Marie Guérin connurent des crises sur ce point.

sont arrivées toutes parées de petits bouquets, Marie avait des fleurs de centaurée et Thérèse des myosotis. () Elles avaient leur tablier breton ; à toutes les pointes des petits bouquets très bien faits, puis sur la tête, au bout de leur natte et jusque sur leurs chaussures. L'une était Rosette, l'autre, Bluette. »

Ensuite, séjour à Trouville, villa Rose, rue Charlemagne. Quinze jours au bord de la mer avec Céline ! Quelle joie ! Sur la plage, avec ses rubans bleu ciel dans les cheveux, Thérèse est très jolie. Mais se croyant trop coquette, elle s'en accuse en confession.

Pendant ce temps, Louis Martin a entrepris un grand voyage en Europe Centrale jusqu'aux Balkans, via Munich, Vienne, en compagnie de l'abbé Charles Marie, vicaire à Saint-Jacques. A Constantinople, ils renoncent à atteindre Jérusalem. Le retour se fait par Athènes, Naples, Rome, Milan. Du 22 août à la mi-octobre, les filles Martin trouvent le temps bien long. Tom, dans sa niche, pleure son maître.

La villa Rose à Trouville, dessin de Thérèse (mai 1885)

Toute la famille se presse à la gare pour accueillir le grand voyageur qui va meubler les veillées d'hiver du récit des merveilles qu'il a contemplées. *J'aime les longues soirées qui nous rassemblent en famille auprès du foyer pétillant,* écrit sa plus jeune fille, dans un devoir de style du 3 décembre 1885.

Elle est rentrée à l'école le lundi 5 octobre. Un cercle d'angoisse se referme sur elle. Cette fois, ce qu'elle avait redouté arrive ; elle est seule à l'Abbaye. Céline a terminé ses études [12]. Marie Guérin, souvent souffrante, ne retourne plus à l'école. «L'intrépide», devenue présidente des Enfants de Marie, ne sera plus là pour accompagner et défendre sa sœur au besoin. Thérèse est d'autant plus tendue que l'année commence par une retraite. M. Domin ne donne heureusement qu'une seule instruction. Mais d'après les notes de la retraitante, le prédicateur remplaçant insiste aussi sur le péché, la mort, l'enfer, le jugement dernier.

La bonne élève est plus que jamais portée aux larmes. «Je me souviens très bien, note Mère Saint-Léon, que la physionomie de l'enfant exprimait une mélancolie qui me surprenait.» Pour sortir de sa solitude, elle tente en vain de se lier avec des compagnes de son âge, avec une maîtresse. *Mon amour n'était pas compris.*

Le 2 février 1886, elle est reçue comme aspirante dans l'association des Enfants de Marie. Mais des maux de tête continuels l'obligent à de fréquentes absences. Début mars, M. Martin se résout à retirer sa fille de l'Abbaye. Elle n'ira donc pas, comme Céline, au terme d'une scolarité normale qui aurait dû comporter encore deux années de cours supérieur.

Chez Madame Papinau (mars 1886)

Une nouvelle existence commence pour l'élève de treize ans et demi : elle passe au régime des leçons particulières

12. *Si je n'avais pas eu avec moi ma Céline chérie, je n'aurais pas pu y rester un seul mois sans tomber malade...* C'est ce qui arriva effectivement.

plusieurs fois par semaine. Mme Papinau, cinquante ans, habite place Saint-Pierre, près des Guérin. Trois ou quatre fois par semaine, elle accueille Thérèse chez elle. *Bien bonne personne, très instruite,* raconte l'élève, *mais ayant un peu des allures de vieille fille,* vivant avec sa mère et son chat. Dans le salon *meublé à l'ancienne,* Mlle Martin découvre un monde bien différent de celui de l'Abbaye. Souvent des visites interrompent les leçons. Petits potins lexoviens. On questionne : « Qui est cette jeune fille si jolie ? Quels beaux cheveux ! » Le nez dans son livre, la jeune personne entend tout et rougit de plaisir.

Désormais beaucoup plus libre de son temps, l'adolescente aménage selon ses goûts une mansarde du second étage des Buissonnets. *Un vrai bazar :* une grande volière pleine, des plantes, un aquarium avec poissons rouges, des statues de saints, des boîtes variées, des paniers, des poupées, des livres... Au mur, un portrait de Pauline. Là, elle passe des heures, étudie, dévore les livres qu'elle aime tant, médite, prie.

En juin, nouveau séjour à Trouville, chalet des Lilas. Il sera bref. Seule (c'est-à-dire sans personne des Buissonnets), elle s'y ennuie et tombe malade. Inquiétude de sa tante qui la rapatrie à Lisieux. A peine arrivée, elle est guérie. *Ce n'était que la nostalgie des Buissonnets,* reconnaît-elle.

Le départ de Marie :
la perte de la troisième mère (15 octobre 1886)

Cette grande fragilité affective ne va pas résister à une nouvelle séparation. Son seul appui, son unique confidente va la quitter. En août, Thérèse apprend qu'à son tour, Marie va entrer au carmel de Lisieux. Le P. Pichon lui a donné son autorisation. C'en est trop ! *En apprenant le départ de Marie, ma chambre perdit pour moi tout charme.*

La benjamine aurait pu haïr ce carmel qui lui arrache

successivement tous ses appuis, ces parloirs où elle souffre tant. Et pourtant elle songe toujours à y entrer elle-même, non pour retrouver Pauline et Marie, mais parce que Jésus l'y appelle.

Pour l'instant, elle revit ce qu'elle a connu lors du départ de Pauline : elle ne veut plus quitter Marie, frappe sans cesse à sa porte, l'embrasse à chaque instant. M. Martin lui-même cache sa peine. Il avait espéré que sa préférée, « le Diamant », ne le quitterait jamais. L'étonnement n'est pas moins grand dans la famille du pharmacien. Personne ne s'attendait à voir l'indépendante « bohémienne » (autre nom que lui donne son père), prendre le chemin du couvent.

Pour Thérèse, les leçons reprennent chez Mme Papinau en octobre. Un voyage à Alençon n'apporte cette fois que *tristesse et amertume.* Sur la tombe de sa mère, Thérèse pleure parce qu'elle a oublié un bouquet de bleuets. Ses larmes fréquentes la font juger *faible de caractère* par les amis de sa famille. Les Guérin partagent ce point de vue. Place Saint-Pierre, elle passe pour *une petite ignorante, bonne et douce, ayant un jugement droit, mais incapable et maladroite.*

Comble de malheur ! Léonie, retrouvant les clarisses de la rue de la Demi-lune (où sa mère allait souvent) a convaincu l'abbesse de l'admettre en clôture sur-le-champ ! Chose faite le 7 octobre. Colère de Marie que son père essaie de calmer. L'embarras est général au retour à Lisieux. L'oncle Isidore estime que Léonie ne tardera pas à revenir aux Buissonnets.

Huit jours plus tard, en la fête de sainte Thérèse d'Avila, Marie rejoint sœur Agnès de Jésus au carmel. Elle va y devenir sœur Marie du Sacré-Cœur.

Pour la petite dernière, le bilan de ces semaines est très sombre. La chaude atmosphère des Buissonnets, indispensable à sa vie, est en train de disparaître. Autour du père, il ne reste plus qu'elle et Céline. Celle-ci, dix-sept ans et demi, est promue maîtresse de la maison. Après ce 15 octobre 1886, Thérèse touche le fond.

Seconde guérison (fin octobre 1886)

A qui désormais confier les scrupules qui l'obsèdent ? Elle se fait des peines de tout. La crise intérieure atteint son paroxysme. Va-t-elle rechuter ? Elle obéit, cette fois encore, à un réflexe vital : ne trouvant plus personne sur la terre, elle se tourne vers le ciel. Abandonnée par tous, la petite dernière se souvient brusquement de ses petits frères et sœurs morts avant sa naissance. *Je leur parlai avec une simplicité d'enfant, leur faisant remarquer qu'étant la dernière de la famille, j'avais toujours été la plus aimée, la plus comblée des tendresses de mes sœurs. () Leur départ pour le Ciel ne me paraissait pas une raison de m'oublier, au contraire, se trouvant à même de puiser dans les trésors Divins, ils devaient y prendre pour moi la* Paix *et me montrer ainsi qu'au Ciel on sait encore aimer.*

Du creux de sa détresse, telle est la prière spontanée de Thérèse. Enfant perdue, elle se tourne vers des enfants. *La réponse ne se fit pas attendre, bientôt la paix vint inonder mon âme de ses flots délicieux et je compris que si j'étais aimée sur la terre, je l'étais aussi dans le Ciel... () Depuis ce moment, ma dévotion grandit pour mes petits frères et sœurs.*

Elle n'oubliera jamais cette expérience ¬de guérison. Mais si ses scrupules ont disparu soudainement, son hypersensibilité demeure. Aux parloirs du jeudi, elle pleure encore. Marie le lui reproche. D'ailleurs, elle pleure à propos de tout, puis *pleure d'avoir pleuré.* Tous les raisonnements sont inutiles. *J'étais vraiment insupportable par ma trop grande sensibilité.*

Elle va pourtant avoir quatorze ans. Elle a beaucoup grandi et on lui fait pratiquer des exercices aux anneaux pour qu'elle ne devienne pas bossue. Mais elle ne se montre pas très active. C'est Céline qui fait leur chambre commune. Thérèse ne participe guère au ménage. Parfois, elle *essaye* de faire le lit et rentre, le soir, quelques pots de fleurs du jardin. Si Céline ne la remercie pas, elle pleurniche.

J'étais encore une enfant qui ne paraissait avoir d'autre

volonté que celle des autres. Elle *tourne dans un cercle étroit ne sachant comment en sortir,* emprisonnée *dans les langes de l'enfance.*

Et c'est cette adolescente qui rêve toujours d'entrer dans la rude vie du carmel! Car elle y pense, tout en avouant qu'elle ne sait pas comment elle pourra y vivre *virilement,* selon les vigoureuses exhortations de la Madre espagnole à ses carmélites. Comment pourrait-elle, si faible, si émotive, devenir une digne fille de sainte Thérèse qui voulait des postulantes fortes et résolues? Pour la changer, il faudrait un miracle.

La preuve que la vie religieuse n'est pas facile: le 1er décembre, couverte d'eczéma, cachant ses cheveux coupés courts sous une mantille, Léonie, vingt-trois ans, réapparaît à la maison. Sept semaines du régime de vie des clarisses d'Alençon ont eu raison de sa bonne volonté. Ses deux sœurs font tout pour l'aider à surmonter son échec et son humiliation.

Les rites familiaux continuent. Mais en cette fin d'année 1886, le cœur n'y est guère. Le soir de Noël, Louis Martin et ses trois filles descendent vers la cathédrale Saint-Pierre pour la messe de minuit.

«Ma complète conversion»: la nuit de Noel 1886

«Un bébé...» C'est ainsi que Céline considère alors sa sœur. La preuve: cette habitude des cadeaux déposés dans les souliers devant la cheminée! A quatorze ans, Thérèse va s'y prêter une fois encore. Tandis qu'elle monte l'étroit escalier, elle entend son père, fatigué, dire à Céline: «Heureusement que c'est la dernière année.» Voyant les larmes de Thérèse, sa sœur comprend que le réveillon est gâché. Elle lui conseille de ne pas redescendre tout de suite.

Mais c'est alors que tout change brusquement. En un instant, Thérèse se reprend, essuie ses yeux, redescend et, joyeuse, défait les paquets. Céline n'en revient pas!

Dans l'escalier, une métamorphose totale vient de s'opérer en sa sœur. Une force nouvelle, inconnue, l'investit subitement. Elle n'est *plus la même. Jésus a changé son cœur.* La nuit qu'elle vivait se transforme en *torrents de lumière.* Le récit que nous avons de cette *conversion* date de 1895. Neuf ans après, sœur Thérèse de l'Enfant-Jésus peut juger de la solidité de sa soudaine transformation. Pour elle, le doute n'est pas possible : c'est un *petit miracle. En un instant, l'ouvrage que je n'avais pu faire en dix ans, Jésus le fit, se contentant de ma bonne volonté.* Dans ce 25 décembre 1886, elle voit une étape capitale de sa vie qui inaugure la troisième période de son existence, *la plus belle de toutes.* Après ces neuf années douloureuses (1881-1886 plus particulièrement), Thérèse a *retrouvé la force d'âme qu'elle avait perdue* lors de la mort de sa mère et, dit-elle, c'était *pour toujours qu'elle devait la conserver !*

Un admirable échange vient d'avoir lieu entre l'Enfant de la crèche entré dans la faiblesse humaine et la petite Thérèse devenue forte. Grâce eucharistique : *J'avais eu le bonheur,* en cette nuit, *de recevoir le Dieu fort et puissant.*

Brusquement, elle est délivrée des défauts et des imperfections de l'enfance. Cette grâce la fait grandir, mûrir. La source de ses larmes est tarie. Guérie, son hypersensibilité. La voici armée pour vivre, enfin. *Depuis cette nuit bénie, je ne fus vaincue en aucun combat, mais au contraire je marchai de victoires en victoires et commençai, pour ainsi dire,* une course de géant [13].

Cette nuit [14], une autre Thérèse Martin vient de naître. *Jésus me transforma de telle sorte que je ne me reconnaissais plus moi-même.* Ou plutôt, il vient de la rendre à elle-même, de la faire sortir d'un mauvais rêve de plusieurs années, dont son étrange maladie et sa crise de scrupules obsédants ont été les moments les plus dramatiques. Sa

13. Psaume 18,5.
14. Ce même 25 décembre, un jeune homme athée se convertissait durant l'office de vêpres à Notre-Dame de Paris. Paul Claudel sut plus tard cette coïncidence de date. Ce fut aussi « le premier Noël chrétien » du vicomte Charles de Foucauld, en route vers la conversion définitive.

véritable nature n'est pas la pleurnicherie, le flou du rêve, les velléités d'une volonté faible. A Alençon, elle n'était pas ainsi. Thérèse est devenue ce qu'elle est. Après le sourire de la Vierge, l'intercession de ses petits frères et sœurs, l'Enfant de Noël – le Dieu fort – vient de la libérer définitivement. Evénement décisif, fondateur. Désormais, elle saura, pour toujours, que Dieu l'a sauvée du naufrage, elle, Thérèse. Expérience irréversible. La voici maintenant *armée pour la guerre.*

« LA TROISIÈME PÉRIODE DE MA VIE, LA PLUS BELLE DE TOUTES »

> *« Nous jouissions ensemble de la vie la plus douce que des jeunes filles puissent rêver. Notre vie était sur la terre l'Idéal du bonheur. »*

La belle année 1887

Si cette profonde transformation n'est pas immédiatement perceptible pour l'entourage – Céline exceptée –, le développement physique de Thérèse va être évident pour tous. Le 2 janvier, elle a atteint ses quatorze ans. « Mon bébé si grandi... », soupire Marie derrière ses grilles. La cousine Jeanne parle maintenant de « la grande Thérèse [15] ». Sur la plage de Trouville, en juin, on la nomme « la grande anglaise », avec ses nattes blondes.

Cette année 1887 la voit se développer sur tous les plans : l'épanouissement est total. Formation physiologique et développement affectif vont de pair. *J'étais à l'âge le plus dangereux pour les jeunes filles.* Son désir d'aimer

15. Thérèse était la plus grande des sœurs Martin avec 1,62 m. Pauline, la plus petite des cinq, ne dépassait pas 1,54 m.

et d'être aimée demeure vif. Son sentiment maternel s'exerce à l'égard de deux orphelines accueillies aux Buissonnets; elles n'ont pas six ans. Leur candeur, leur confiance envers «la grande demoiselle», l'émerveillent.

Son développement intellectuel n'est pas moindre. *Dégagé de ses scrupules, de sa sensibilité excessive, mon esprit se développa. J'avais toujours aimé le grand, le beau, mais à cette époque je fus prise d'un désir extrême de savoir.* Le niveau des leçons de Mme Papinau reste modeste. Dans sa mansarde, Thérèse accumule les livres de sciences et d'histoire. Tout l'intéresse. Mais les conseils anti-intellectualistes de *l'Imitation de Jésus-Christ* (son guide) l'empêchent de céder au vertige de la connaissance. Elle se tient bien en main.

Dans ses devoirs de style, assez conformistes, la jeune fille glisse quelques confidences sur ses goûts. Elle revient souvent sur les joies que donne la nature. *Le tumulte des villes* ne lui convient pas. *Si mes rêves se réalisent, un jour j'irai habiter à la campagne. Quand je pense à mon projet, je suis transportée en esprit dans une charmante maisonnette bien ensoleillée, toutes mes chambres ont vue sur la mer.* Elle s'y voit, vivant seule, ayant une vache, un âne, des agneaux, des poulets, une volière. Sa petite maison serait proche d'une église où elle entendrait la messe chaque matin. Puis, montée sur son âne, elle irait visiter les quelques pauvres habitants, leur apportant *des provisions et des médicaments.* Une vie solitaire, en somme, faite de prière et de charité dans une belle nature normande.

De janvier à mai, Céline, élève de Mlle Godard, lui apprend le dessin. Thérèse s'exerce : natures mortes, bustes, paysages champêtres. Ensemble, elles modèlent de la barbotine [16]. Mais la plus jeune aurait bien aimé prendre aussi des leçons de Mlle Godard. Quand on lui a fait remarquer qu'elle n'était pas aussi douée que sa sœur, elle s'est tue.

Deux fois par semaine, elle se rend, par devoir, aux réunions qu'on lui a imposées pour être inscrite à l'associa-

16. Terre à modeler utilisée pour les poteries en faïence.

tion des Enfants de Marie (elle y sera enfin reçue le 31 mai). A l'Abbaye, elle ne connaît plus les élèves. Son seul refuge : la tribune de la chapelle où elle passe de longs moments devant le Saint-Sacrement. Là demeure son *unique ami.* Le niveau de ces réunions ne correspond guère aux questions qu'elle se pose à son âge. Une fois n'est pas coutume : en mai, elle ose demander à son père de lui prêter un livre récent emprunté au carmel : *Fin du monde présent et mystères de la vie future,* neuf conférences de l'abbé Arminjon, chanoine de Chambéry, ex-professeur d'Ecriture Sainte (1881).

Dans ces 280 pages – surtout dans la 7e conférence, « De la béatitude éternelle et de la vision surnaturelle de Dieu » –, l'adolescente découvre une synthèse de la révélation et de la tradition autrement ample que les leçons de M. Domin. *Toutes les grandes vérités de la religion, les mystères de l'éternité plongeaient mon âme dans un bonheur qui n'était pas de la terre.* Elle copie les pages qui la touchent le plus, spécialement celles sur « le parfait amour ». Cette lecture fut *une des plus grandes grâces de sa vie.*

Toutes ces découvertes, elle les partage désormais avec Céline, sa nouvelle confidente. Son changement soudain les a rapprochées. *C'était pour ainsi dire la même âme qui nous faisait vivre ; depuis des mois, nous jouissions ensemble de la vie la plus douce que des jeunes filles puissent rêver ; tout, autour de nous, répondait à nos goûts, la liberté la plus grande nous était donnée, enfin je disais que notre vie était sur la terre l'*Idéal *du* bonheur...

Durant cet été, elles se retrouvent le soir au Belvédère. Conversations des deux adolescentes, sous la lune. *Il me semble que nous recevions des grâces d'un ordre aussi élevé que celles accordées aux grands saints.* Elle cite Augustin et Monique dialoguant à Ostie. *Le doute n'était plus possible, déjà la Foi et l'Espérance n'étaient plus nécessaires,* l'amour *nous faisait trouver sur la terre Celui que nous cherchions.*

Thérèse semble même devancer son aînée. Toutes ses puissances de femme s'éveillent ; le contexte romantique

68

de son âge et de son époque n'y sont pas étrangers. Des grâces eucharistiques continuent à la transformer intérieurement. L'abbé Lepelletier lui a permis de communier quatre fois par semaine et même cinq, quand il y a des fêtes. Permission exceptionnelle qui la fait pleurer de joie et dont elle profite avec son ardeur juvénile. *Je sentais en mon cœur des élans inconnus jusqu'alors, parfois j'avais de véritables transports d'amour. Un soir, ne sachant comment dire à Jésus que je l'aimais et combien je désirais qu'Il soit partout aimé et glorifié, je pensais avec douleur qu'il ne pouvait jamais recevoir de l'enfer un seul acte d'amour ; alors je dis au Bon Dieu que pour lui faire plaisir je consentirais bien à m'y voir plongée, afin qu'il soit* aimé *éternellement dans ce lieu de blasphème... Quand on aime, on éprouve le désir de dire mille folies.*

Exaltation d'adolescente ? Non, car il ne s'agit pas seulement de sentiments. Son attitude a complètement changé. Ces grâces portent des fruits abondants. *La pratique de la vertu nous* [elle implique charitablement Céline] *devint douce et naturelle... Le renoncement me devint facile au premier instant.*

Non sans audace, elle n'éprouve pas le besoin d'une aide extérieure, comme ses sœurs qui chacune ont un directeur. Pourquoi ? Jésus agit directement en elle, sans intermédiaire. Sa voie est droite, lumineuse. *Je n'étais que très peu de temps à confesse, jamais je ne disais un mot de mes sentiments intérieurs.* Elle va jusqu'à écrire : *Ah ! si des savants ayant passé leur vie dans l'étude étaient venus m'interroger, sans doute auraient-ils été étonnés de voir une enfant de quatorze ans comprendre les secrets de la perfection...*

« La soif des âmes »

Autre signe qui montre qu'elle ne s'enferme pas dans les délices de l'introspection : un petit événement fortuit va l'orienter définitivement vers les autres.

Un dimanche de juillet, à la fin de la messe, une image du Crucifié dépasse de son missel. Le sang qu'il a versé, personne ne le recueille. Thérèse décide qu'elle se tiendra désormais en esprit au pied de cette croix pour recueillir ce sang au profit des pécheurs. *La charité entra dans mon cœur.* Elle aussi sera pêcheur d'hommes. A la soif de Jésus répond la soif de Thérèse. Sa vocation au carmel se précise et s'approfondit. Elle ressent le besoin de s'oublier elle-même. L'affaire Pranzini va lui donner l'occasion de mettre en pratique ses désirs.

« Un grand criminel » :
Henri Pranzini (mars-août 1887)

Dans la nuit du 19 au 20 mars ont été assassinées, d'une manière horrible, deux femmes et une petite fille, à Paris, 17, rue Montaigne. L'une, Régine de Montille (son vrai nom est Marie Regnaud), est connue du Tout-Paris mondain pour sa vie légère ; l'autre est sa servante. L'enfant, douze ans, appartient sans doute à la première. Des bijoux ont disparu.

Ce triple crime a un retentissement énorme. Deux jours après, la police arrête à Marseille un suspect, Henri Pranzini, trente ans, né à Alexandrie. Les charges sont accablantes contre ce grand et bel homme, à la vie aventureuse. Il ne cesse de nier. Pranzini ne semble pas être un vulgaire criminel. Avec insolence, il affronte témoins et juges. Toute la presse, française et étrangère, rend compte de l'affaire de mars à juin, mentionnant les plus sordides détails. Le procès s'ouvre le 9 juillet. Le 13, Pranzini est condamné à mort.

Thérèse entend parler de lui. Elle n'a qu'un désir : sauver son âme. Alors que tous les journaux – dont *la Croix* – ne parlent que du « sinistre gredin », du « monstre », de « l'ignoble brute », la jeune fille l'adopte comme son *premier enfant*. Pour lui, elle prie, elle multiplie les sacrifices, fait dire des messes par l'intermédiaire de Céline –

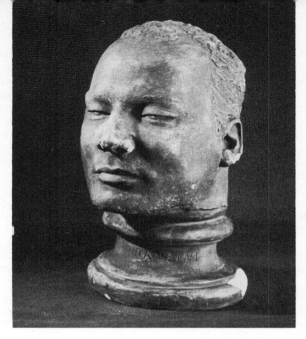

Moulage de la tête d'Henri Pranzini à l'Institut médico-légal.

sans mentionner l'intention! Sa sœur finit par lui arracher son secret et elles unissent leurs efforts. *Je sentais au fond de mon cœur la certitude que nos désirs seraient satisfaits, mais afin de me donner du courage pour continuer à prier pour les pécheurs, je dis au Bon Dieu que j'étais bien sûre qu'Il pardonnerait au pauvre malheureux Pranzini, que je le croirais même s'il ne se* confessait pas *et ne donnait* aucune marque *de* repentir, *tant j'avais de confiance en la miséricorde infinie de Jésus, mais que je lui demandais seulement "un signe" de repentir pour ma seule consolation...*

Le 31 août, à l'aube, dans la prison de la Grande Roquette, Pranzini affirme son innocence jusqu'au pied de la guillotine et refuse les services de l'abbé Faure, l'aumô-

71

nier. Cependant, in extremis, il réclame le crucifix et l'embrasse deux fois avant de mourir [17].

Le lendemain, passant outre à la défense de son père de lire les journaux, Thérèse ouvre *la Croix,* lit le récit de la mort de Pranzini et se cache pour pleurer. Elle a été *exaucée à la lettre !* Le signe demandé a été obtenu. Il est la reproduction fidèle des grâces que Jésus lui avait faites pour l'attirer à prier pour les pécheurs : Pranzini a baisé les plaies de ce Crucifié dont Thérèse voulait recueillir le sang au profit du monde.

Cette *grâce unique* va hâter sa détermination d'entrer au carmel pour prier et donner sa vie pour les pécheurs. Si le Seigneur lui a donné Pranzini comme premier enfant, c'est qu'elle en aura beaucoup d'autres.

Combats pour le carmel (mai 1887-janvier 1888)

Il n'y a plus de temps à perdre. Les dates ayant, pour elle, beaucoup d'importance elle a déjà fixé celle de son entrée : le 25 décembre 1887, jour anniversaire de sa conversion.

Mais une série d'obstacles de plus en plus importants vont se dresser devant son projet. Elle va devoir les franchir un à un. *L'appel divin était si pressant que m'eût-il fallu traverser les flammes, je l'aurais fait pour être fidèle à Jésus.* Il lui faut *conquérir la forteresse du Carmel à la pointe de l'épée.*

Convaincre son père (29 mai 1887)

Une première démarche s'imposait : obtenir l'accord de son père. Elle choisit le jour de la Pentecôte pour lui confier son secret. Va-t-il lui permettre d'entrer au couvent à quinze ans, lui qui a déjà accepté les vocations de Pauline, de Marie, alors que Léonie, après son essai malheureux chez les clarisses, vient de lui demander d'entrer

17. *La Croix* dit : « deux fois ». Thérèse écrira : « trois fois », en 1895.

Dessin de l'abbé Lepelletier, le 16 juin 1887: Céline, Thérèse et Léonie.

à la Visitation de Caen? Or, le 1er mai, il vient d'avoir une petite attaque qui a paralysé tout son côté gauche pendant quelques heures. L'intervention rapide de son beau-frère a tout remis dans l'ordre. Mais c'est à un homme fatigué, pâle, que la « petite Reine » va demander la permission de partir, elle aussi. Timide, elle a beaucoup hésité. Toute la journée elle a prié pour avoir le courage de parler.

Le soir, après les vêpres, dans le jardin des Buissonnets, elle présente sa requête. Son père lui objecte simplement sa jeunesse. Mais elle le convainc vite de la vérité et de l'urgence de sa vocation. « Son Roi » dit que Dieu lui fait « un grand honneur de lui demander ainsi ses enfants ». Puis, sur le petit mur de clôture, il cueille un saxifrage et le donne à Thérèse. Il lui explique que cette petite fleur

73

blanche symbolise toute sa vie. Elle la reçoit comme une relique et la met dans son *Imitation* qui ne la quitte jamais. Tout à la joie de ce consentement paternel, elle ne doute pas de parvenir rapidement à son but.

Arrivent les grandes vacances... les dernières, espère Thérèse. Aux yeux des Guérin, des amis, rien n'a transpiré de tous ces événements. La vie continue : promenade champêtre à Touques des filles Martin avec leur père et l'abbé Lepelletier, trente-quatre ans. Le confesseur de Thérèse et de Céline a dessiné les trois sœurs dans les champs. La plus jeune, à son habitude, cueille des fleurs, Léonie parcourt un livre, Céline peint. C'est ensuite un pèlerinage à Honfleur, puis la visite d'un transatlantique à l'Exposition maritime internationale du Havre. Enfin une semaine à Trouville, au chalet des Lilas, loué par les Guérin.

La « grande anglaise » profite pleinement de ses vacances. Avec Jeanne, elle retrouve les demoiselles Colombe. Deux fois par jour, on va sur la plage. « Hier, nous avons été aux rochers chercher de l'eau de mer, Thérèse s'est déchaussée un moment. () Elle se porte toujours bien, la grande Thérèse et s'amuse aussi, je crois. »

Du 6 au 15 octobre, le P. Pichon, le jésuite tant prisé par sœur Marie du Sacré-Cœur, prêche la retraite au carmel. Il fait une visite aux Buissonnets. Céline, à son tour, lui demande de la diriger. Léonie étant partie, le 16 juillet, pour la Visitation de Caen, Thérésita [18] se doutait bien que son entrée précoce au carmel ne ferait pas l'unanimité de la famille. Marie, qui sait ce qu'est la vie carmélitaine depuis un an, fait tout son possible pour retarder l'échéance. Pauline, au contraire, la favorise, non sans freiner l'ardeur de la postulante. Ayant appris la résolution de sa sœur, Céline en souffre beaucoup : elle va donc rester seule aux Buissonnets. Mais elle la soutient. Thérèse la voit déjà au carmel avec elle et a même choisi son nom de religion : sœur Marie de la Trinité !

---

18. Ainsi l'appelle-t-on au carmel en souvenir de la nièce de Thérèse d'Avila entrée au carmel à huit ans (comme pensionnaire).

Les résistances de l'oncle Isidore
(8-22 octobre 1887)

Tous ces projets se heurtent à un obstacle de taille : l'oncle Isidore. Le subrogé-tuteur des filles Martin oppose son veto au désir de sa nièce. Six mois après avoir parlé à son père, Thérèse, *en tremblant,* entre, le samedi 8 octobre, dans le bureau du pharmacien. Paternel mais intraitable, il oppose des arguments prudents aux pleurs de Thérèse : elle est bien trop jeune pour « cette vie de philosophe ». Toute la ville en parlerait. Pas de scandale, c'est le souci d'un notable de Lisieux. Que sa nièce – qui a sans doute la vocation – ne lui parle plus de cela avant ses dix-sept ans. Pour le faire changer d'avis il ne faudrait pas moins d'un *miracle.*

Le jour même, Thérèse écrit à sœur Agnès (qui lui avait conseillé de parler) pour lui raconter l'échec de l'entrevue. L'intimité est redevenue forte entre elles. *Prie pour ta Thérésita, tu sais comme elle t'aime, c'est toi qui es sa confidente.* Pauline revient au premier rang et prend la direction du combat de sa jeune sœur. La postulante se sent pleine de courage, certaine que Dieu ne va pas l'abandonner.

Pourtant, durant trois jours (du 19 au 22 octobre), pour la première fois, elle découvre l'aridité intérieure, le silence de Dieu. *La nuit, la nuit profonde de l'âme comme Jésus au jardin de l'agonie. Je me sentais* seule, *ne trouvant de consolation ni sur la terre, ni du côté des Cieux, le Bon Dieu paraissait m'avoir délaissée ! ! !* Expérience nouvelle et déroutante pour celle qui a connu tant de lumières depuis Noël. Elle ne comprend plus. La voyant dans cet état lamentable, au parloir du vendredi 21, sœur Agnès n'y tient plus : elle écrit à son oncle. Elle ne veut évidemment pas lui donner de conseil, mais lui exposer la situation. A son avis, il s'agit de bien « autre chose qu'une peine d'enfant ».

M. Guérin a toujours estimé sa filleule. Dès le samedi, il change d'avis. Que Thérèse entre donc au carmel !

M. Delatroëtte, l'irréductible supérieur du carmel (23 octobre 1887)

La joie de la postulante dure peu. Le dimanche soir, elle se heurte à un refus, autrement insurmontable : M. Delatroëtte, soixante-neuf ans, supérieur du carmel depuis 1870, s'oppose absolument à son entrée avant vingt-et-un ans.

Réaction immédiate de Thérèse : aller le voir pour le fléchir. Dès le lundi 24, elle part, accompagnée de son père et de Céline. L'ecclésiastique, qui vient d'être tout récemment échaudé par une affaire de ce genre dont tout Lisieux parle, ne veut pas prendre un nouveau risque. Il reste de marbre. Evidemment la décision ultime appartient à Monseigneur... Et s'il consent...

Sous la pluie, Thérèse sort en larmes. Pour la consoler, son père lui promet d'aller voir l'évêque à Bayeux. Sa fille renchérit : « Et s'il ne veut pas, j'irai demander au Pape ! » *J'étais résolue d'arriver à mes fins.* Pourquoi pas, en effet, puisque son père, malgré sa fatigue, s'est inscrit à un pèlerinage à Rome organisé par le diocèse de Coutances, en l'honneur du jubilé de Léon XIII ?

Nouveau parloir morose le mardi : M. Delatroëtte campe sur ses positions. Une véritable mobilisation générale s'organise : sœur Agnès de Jésus, Mère Marie de Gonzague, « et toutes les carmélites », y compris Mère Geneviève, la sainte fondatrice malade, auxquelles se joint l'aumônier, l'abbé Youf, implorent le ciel. « C'est une si charmante enfant, ah ! c'est moi qui la veut bien ! » dit ce bon prêtre. Mais ses pouvoirs juridiques sont nuls. Il conseille d'en parler à Mgr Hugonin au plus tôt, sans attendre le pèlerinage en Italie.

A Bayeux, chez Mgr l'évêque (31 octobre 1887)

Dès le lundi 31 octobre, Thérèse se pare de sa plus belle robe blanche et relève ses cheveux en chignon pour paraître plus âgée. Son père va la conduire à l'évêché de

Bayeux. *Pour la première fois de ma vie, je devais faire une visite sans être accompagnée par mes sœurs et cette visite était à un Evêque !*

Elle s'est souvenue des moindres détails de cette journée : la pluie torrentielle ; la visite de la cathédrale où sa robe et son chapeau blancs au milieu d'un enterrement font sensation ; le bon repas à l'hôtel en attendant l'audience ; l'accueil du vicaire général, M. Révérony, et enfin, après avoir parcouru de longs couloirs, la rencontre de Monseigneur.

La voici perdue dans un vaste fauteuil face à Sa Grandeur, expliquant timidement sa démarche avec des sanglots dans la voix. Paternel, Mgr Hugonin l'écoute, sans trancher. Il faudra qu'il rencontre M. Delatroëtte. Alors les larmes retenues coulent en abondance. L'entrevue est terminée. Dans le jardin, l'évêque s'étonne de l'empressement de ce père à donner sa fille au carmel. « Je donnerai ma réponse durant votre pèlerinage en Italie. » L'histoire des cheveux relevés amuse beaucoup Monseigneur. Après s'être informé de quelques points du protocole d'une audience papale, M. Martin évoque la possibilité d'un recours au Saint-Père.

Une fois sortie, sa fille sanglote. *Il me semblait que mon avenir était brisé pour jamais ; plus j'approchais du terme, plus je voyais mes affaires s'embrouiller. Mon âme était plongée dans l'amertume, mais aussi dans la paix, car je ne cherchais que la volonté du Bon Dieu.*

Nouveau parloir de désolation le lendemain de cet échec. Il ne reste plus qu'un espoir : le pape Léon XIII. Après la mise au point de cette démarche insolite (que lui déconseillera un peu plus tard sœur Agnès), Thérèse se sépare des carmélites. Il lui reste deux jours pour préparer avec Céline « l'événement » : le pèlerinage en Italie.

« Ah ! quel voyage que celui-là ! »
(4 novembre-2 décembre 1887)

Sous la direction de Mgr Germain, évêque de Coutances, cent quatre-vingt-dix-sept pèlerins français, dont soixante-quinze prêtres, vont fêter le jubilé sacerdotal de Léon XIII. Hommage qui ne passe pas inaperçu au moment où les spoliations anticléricales du gouvernement italien dirigé par Francesco Crispi consternent la chrétienté. La presse, française et italienne, fera un large écho à ce pèlerinage qui comporte une démarche de foi ultramontaine et une affirmation politique. La majorité des catholiques français demeure royaliste, hostile à la République, vigoureuse contre la franc-maçonnerie. Thérèse, elle, n'a qu'un objectif : combattre pour sa vocation, parler au pape. Mais au cours du voyage, elle entendra les conversations et découvrira l'importance des problèmes politiques mêlés à la religion. A Rome, au sortir de la gare, la police italienne arrêtera de jeunes typographes qui manifestent en criant : « A bas Léon XIII ! A bas la monarchie ! »

Pour sa personnalité en plein épanouissement, ce voyage arrive à point. Mais à Lisieux, les langues vont bon train. On suggère que Louis Martin fait voyager sa benjamine pour lui faire oublier le couvent.

Les merveilles de Paris (4-7 novembre 1887)

Bien que le premier rendez-vous des pèlerins soit fixé dans la crypte de la basilique de Montmartre [19] le dimanche 6 novembre à 9 heures, les trois Martin partent dès le vendredi 4 à 3 heures du matin. Ils veulent visiter Paris.

Deux jours ne suffisent pas à en épuiser les merveilles : les Champs-Elysées et leur guignol, les Tuileries, l'arc-de-triomphe de l'Etoile, la Bastille, le Palais-Royal, le Louvre, les magasins du Printemps et leurs ascenseurs, les Invalides, etc. Les demoiselles Martin sont rompues. Les voitures à chevaux, les tramways les affolent quelque peu : dans chaque rue, elles risquent d'être écrasées.

---

19. Sous Mac-Mahon, l'Assemblée nationale avait voté, le 24 juillet 1873, la construction de « l'église du vœu national » dédiée au Sacré-Cœur. Les travaux avaient commencé en 1875.

Pour Thérèse, toutes les *belles choses* vues à Paris *ne font pas le bonheur.* Dans son souvenir, la capitale restera surtout le lieu d'une grâce particulièrement importante. M. Martin a choisi de descendre à l'hôtel du Bouloi, proche de l'église Notre-Dame-des-Victoires, sanctuaire cher à la famille, plus encore depuis le 13 mai 1883. Au cours de la messe du 4 novembre, Thérèse est entièrement délivrée de ses doutes concernant le sourire de la Vierge. Depuis quatre ans, elle portait cette souffrance intime. Là, aux pieds de Notre-Dame, elle retrouve son bonheur, en plénitude. *C'était vraiment elle qui m'avait souri et m'avait guérie.* Marie est vraiment sa Maman. Qu'elle entre vite au carmel, ordre marial. Elle confie sa pureté à la Vierge, car – on le lui a dit – elle se doute que ce voyage comportera quelques épreuves pour sa vocation. Elle ne se trompait pas.

Le lendemain, à Montmartre, rassemblement des pèlerins : première messe commune, organisation des groupes. Les deux sœurs Martin, quinze et dix-huit ans, vives et belles dans leurs toilettes claires, ne passent pas inaperçues : elles sont les benjamines du pèlerinage.

Le prix de celui-ci (660 F en première classe, 565 en seconde) a opéré une sévère sélection. Un quart des pèlerins appartient à la noblesse. Thérèse, autrefois si timide, s'étonne de se trouver parfaitement à l'aise dans « le monde ».

L'agence Lubin a bien organisé le voyage : les nuits en train sont évitées, on descend dans les meilleurs hôtels. Tout ce luxe étonnera beaucoup les jeunes Martin habituées à la simplicité des Buissonnets.

En Italie (8-28 novembre 1887)

Le train spécial part de la gare de l'Est, le lundi 7 novembre à 6 h 35, sous la pluie. Le lendemain, les voyageurs découvrent les montagnes suisses. Thérèse court d'un côté à l'autre de son wagon, le souffle coupé devant les sommets enneigés, les lacs, les cascades, les ponts sur les à-pics. La future carmélite, bien loin de fermer les yeux sur les merveilles de la nature, va en profiter pleinement.

Après la douane, voici enfin l'Italie! Le soir même, bain de foule à Milan tout illuminée. Après la messe de 7 h au tombeau de saint Charles, dans la cathédrale aux six mille statues, Thérèse et Céline gravissent les quatre cent quatre-vingt-quatre marches du dôme. Le jeudi 10, dans le soleil, le trio Martin passe sous le Pont des soupirs, mais Thérèse trouve Venise *triste*. Court passage à Padoue avant d'atteindre Bologne.

Cette ville, la jeune fille ne l'oubliera pas. Son train spécial est attendu par une foule d'Italiens, dont beaucoup d'étudiants. La descente des dames est saluée par des sifflets, des lazzi. Deux belles jeunes filles sont particulièrement remarquées. «Nous nous trouvions ensemble sur le quai de la gare, a noté Céline, attendant Papa pour prendre notre voiture. Thérèse était très jolie et bien souvent nous entendions des murmures admiratifs des personnes qui passaient à ses côtés. Tout à coup un étudiant se précipite sur elle et la prend dans ses bras en lui disant je ne sais quelle flatterie. Il l'emportait déjà.» *Mais,* dira Thérèse, *je lui lançai un tel regard qu'il eut peur, lâcha prise et s'enfuit honteux.*

Jamais Thérèse n'a approché de si près les jeunes gens et les hommes. Tout au long du voyage, elle a pu se rendre compte, en de multiples occasions, qu'elle ne les laissait pas indifférents, surtout en Italie. Mais dans le pèlerinage même, elle apprend beaucoup sur ce sujet. «On y brassait des mariages», a noté encore Céline.

Après un pèlerinage à Lorette, le soir du dimanche 13, le but est enfin atteint: «Roma! Roma!» Logés à l'hôtel du Sud, les Martin vont y séjourner dix jours. Les visites commencent immédiatement. Au Colisée, les deux intrépides n'ont que faire des barrières qui interdisent de pénétrer dans l'arène. Malgré les rappels de leur père, la plus jeune veut absolument baiser le sable où le sang des martyrs a coulé. Elle entraîne son aînée. A genoux, elle demande la grâce d'être martyre pour Jésus. *Je sentis au fond de l'âme que ma prière était exaucée.*

Les journées sont trop courtes pour tout voir, tout admirer. Les plus fortes impressions lui sont procurées par la campagne romaine, les catacombes, l'église Sainte-Cécile (cette jeune sainte devient dès lors son amie), celle de Sainte-Agnès-hors-les-murs...

J'étais vraiment par trop audacieuse. Bien que se sachant observée et écoutée par le vicaire général, M. Révérony, qui fera son rapport à Monseigneur au retour, la postulante ne se contraint pas. Elle s'affirme pleinement elle-même, avide de tout voir, de tout toucher pour accumuler des reliques. Pas une tour ou un dôme qu'elle ne gravisse, pas un cachot où elle n'entre. Dans le couvent des carmes, Santa Maria della Vittoria, elle se retrouve en clôture. Un vieux religieux essaie en vain de lui indiquer la sortie. *Je ne puis comprendre pourquoi les femmes sont si facilement excommuniées en Italie, à chaque instant on nous disait : "N'entrez pas ici... N'entrez pas là, vous seriez excommuniées...!" Ah! pauvres femmes, comme elles sont méprisées!*

Cette fougue juvénile des deux sœurs Martin n'a pas l'heur de plaire à certains ecclésiastiques. Lorsque le soir, assises par terre dans leur chambre d'hôtel, elles commentent à haute voix, tard dans la nuit, les événements de la journée, le P. Vauquelin frappe à la cloison pour faire taire les deux bavardes.

« Les prêtres, des hommes faibles et fragiles »

La future carmélite est en train de faire une découverte décisive : les prêtres ne sont ni des anges, ni des dieux. Simplement des hommes. Jusqu'ici elle ne les avait rencontrés que dans l'exercice de leurs fonctions sacerdotales. Aux Buissonnets, on ne recevait pas habituellement des prêtres à table.

La voici, pendant un mois, en compagnie de soixante-quinze ecclésiastiques, dans le train, dans les hôtels, à table. Elle entend leurs conversations – pas toujours édifiantes, après un bon repas –, constate leurs travers. Dans tous les sanctuaires, elle rencontre des prêtres italiens. L'abbé Leconte, vingt-neuf ans, vicaire à Saint-Pierre, ne lâche pas les sœurs Martin, au point que sa «complaisance affectueuse» (Céline) fait quelque peu «jaser» les mauvaises langues. On en trouve même dans les pèlerinages...

Thérèse tirera les conclusions de cette précieuse expérience. *J'ai compris ma vocation en Italie.* Prier et donner sa vie pour les pécheurs comme Pranzini, elle le comprenait. Mais le carmel prie spécialement pour les prêtres. Cela lui semblait étonnant car leurs âmes lui paraissaient *plus pures que le cristal!* Mais un mois dans l'intimité de nombreux prêtres lui a enseigné qu'ils sont *des hommes faibles et fragiles.* Car si *les plus saints ont un extrême besoin de prières, que faut-il dire de ceux qui sont tièdes?*

Ce n'était pas aller chercher trop loin une si utile connaissance...

«Le fiasco» du dimanche 20 novembre 1887

Le but du voyage n'est pas oublié. L'audience papale tant attendue se trouve fixée au dimanche 20. *Ce jour, je le désirais et redoutais en même temps, c'était de lui que ma vocation dépendait.* Car Mgr Hugonin n'a envoyé aucune réponse.

L'intense correspondance échangée entre Lisieux et les pèlerins n'en fait pas mystère: le carmel, les Guérin savent que Thérèse veut parler au pape. Sœur Agnès a encore changé d'avis. Le 10, elle écrit à sa sœur comment s'y prendre. Marie Guérin de son côté l'informe qu'à Lisieux on prie pour elle «à en casser les prie-Dieu».

Le samedi 19, Thérèse répond: *C'est demain, Dimanche, que je parlerai au Pape.*

Ce matin-là, il pleut à verse sur Rome. Mauvais présage, car Thérèse a remarqué que dans toutes les circonstances

82

graves de sa vie, la nature était à l'image de son âme. Les jours de larmes, le ciel pleure avec elle, les jours de joie, le soleil brille. A 7 h 30, les pèlerins, auxquels se sont joints ceux du diocèse de Nantes, occupent la chapelle pontificale. Léon XIII entre, vieillard de soixante-dix-sept ans, au masque sévère, très pâle, émacié. Il bénit l'assemblée, célèbre la messe d'une manière impressionnante avant d'assister, à genoux, à une messe d'action de grâces. Ensuite, les pèlerins entrent un à un dans la salle d'audience. Chaque évêque présente son diocèse. Après le passage des fidèles de Coutances, M. Révérony (en l'absence de Mgr Hugonin) offre au pape un rochet de dentelle représentant huit mille journées de travail. Puis commence le défilé des diocésains de Bayeux : les dames, le clergé, les hommes. Léon XIII a d'abord un mot aimable pour chacun. Mais le temps presse. Le vicaire général défend de parler au Saint-Père, trop fatigué. La consigne court le long de la file des dames. Céline se trouve la dernière. Devant elle, sa sœur sent son courage faiblir. «Parle!» lui souffle l'Intrépide.

Comme tout le monde, Thérèse Martin agenouillée, baise la mule du pape, mais, au lieu d'embrasser sa main, elle lui dit en pleurant : *Très Saint-Père, j'ai une grande grâce à vous demander.* Les yeux noirs et profonds la scrutent. Elle répète sa supplique. Le pape se tourne vers l'abbé Révérony : «Je ne comprends pas très bien.» Mécontent, le vicaire général veut couper court : «Très Saint-Père, c'est une enfant qui désire entrer au Carmel à quinze ans, mais les supérieurs examinent la question en ce moment. – Eh bien, mon enfant, dit le Pape, faites ce que les supérieurs vous diront. – *Oh! Très Saint-Père, si vous disiez oui, tout le monde voudrait bien.* – Allons... Allons... Vous entrerez si le Bon Dieu le veut!»
    Les mains jointes sur les genoux de Léon XIII, Thérèse veut obtenir une parole décisive. Deux gardes-nobles, après avoir vainement tenté de la faire lever, la soulèvent de force et la portent jusqu'à la sortie. A son tour Céline, très émue, s'agenouille. Elle demande au pape une béné-

Léon XIII (souvenir du jubilé de 1887, qui fut l'occasion du pèlerinage à Rome auquel Thérèse participa).

diction pour le carmel de Lisieux. M. Révérony, furieux, se contient : « Il est déjà béni, le carmel. »

Louis Martin, dans le groupe des hommes, n'a rien vu de la scène. Quand il passe devant Léon XIII, le vicaire général le présente comme le père de trois religieuses. Il ne dit pas qu'il l'est aussi des deux jeunes filles qui viennent de créer un incident. Le pape bénit le « Patriarche » et pose la main sur sa tête.

Le père retrouve sa Reine en larmes. Il essaie de la consoler. Non, c'est fini, ce grand voyage n'a servi à rien. Pourquoi avoir franchi tant d'obstacles, l'oncle, M. Delatroëtte, Monseigneur, si c'est pour buter sur l'ultime espérance, le Souverain Pontife ? Le soir même, un courrier part pour Lisieux, informant les carmélites de ce que Céline, vingt ans plus tard, appellera un « fiasco », une « humiliation quasi honteuse ». Sa sœur donne sa version des faits et commente : *Le bon Pape est si vieux qu'on dirait qu'il est mort. () Il ne peut dire presque rien, c'est M. Révérony qui parle () O Pauline, je ne puis te dire ce que j'ai ressenti, j'étais comme anéantie, je me sentais abandonnée et puis je suis si loin, si loin... Je pleurerais bien en écrivant cette lettre, j'ai le cœur bien gros. Cependant le Bon Dieu ne peut pas me donner des épreuves qui sont au-dessus de mes forces. Il m'a donné le courage de supporter cette épreuve, oh ! elle est bien grande... Mais Pauline, je suis la petite Balle de l'Enfant-Jésus, s'il veut briser son jouet il est bien libre, oui je veux bien tout ce qu'il veut.*

Le voyage continue. Tandis que M. Martin reste à Rome, ses deux filles vont visiter Pompéi et Naples. Tout le pèlerinage connaît maintenant le secret de Thérèse. *L'Univers,* le journal de Louis Veuillot, a relaté l'incident de l'audience. Mais, dès le mercredi 23, luit un rayon d'espoir : profitant de son séjour romain, M. Martin a été voir le frère Siméon, directeur des frères des Ecoles chrétiennes, qu'il a connu deux ans auparavant, lors de son voyage européen. Il lui raconte les événements de dimanche. Le vieux frère de soixante-treize ans s'émerveille d'une telle vocation. Surprise! Arrive M. Révérony, fort aimable. M. Martin en profite pour plaider la cause de sa fille.

Le 24 novembre au matin, adieux à Rome. A Assise, Thérèse qui a perdu la boucle de sa ceinture, se trouve en retard. Tous les fiacres sont partis! Reste une seule voiture: celle de M. Révérony. Aimablement, il prend avec lui l'égarée qui se fait toute petite au milieu de tous ces beaux messieurs.

Le retour passe par Pise, Gênes. A Nice, le vicaire général promet à la jeune fille d'appuyer sa demande d'entrer au carmel. Un espoir demeure donc...

Avec la montée à Notre-Dame-de-la-Garde à Marseille et la messe d'action de grâces à la basilique de Fourvière, le grand périple s'achève à Paris, le 2 décembre, à 1 h du matin, gare de Lyon. Cette fois, les Martin ont hâte de rejoindre Lisieux. A peine arrivés, on passe rapidement au parloir. Que de choses à raconter!

Dans vingt-trois jours, c'est Noël, premier anniversaire de la grande grâce de conversion. Comment espérer encore être carmélite, après « l'échec » de Rome? Il n'y a pas de temps à perdre.

Combats diplomatiques
(3 décembre 1887-1er janvier 1888)

Dès le samedi 3 décembre, au parloir, il s'agit moins de raconter d'innombrables souvenirs que de mettre au point une stratégie. L'abbé Lepelletier, alerté par l'article de *l'Univers,* était venu aux nouvelles: ainsi sa jeune pénitente voulait entrer au carmel cette année? Sans se formaliser de son silence, il admire sa détermination. En revanche, la situation reste très tendue avec le supérieur. Il ne veut pas être manœuvré par les carmélites; il redoute leurs menées diplomatiques souterraines. Le 8 décembre, devant toute la communauté, il réplique vertement à Mère Geneviève qui lui demandait l'entrée de Thérèse pour

Noël : « Encore me parler de cette entrée ! Ne croirait-on pas à toutes ces instances que le salut de la communauté dépend de l'entrée de cette enfant ? Il n'y a pas de péril en la demeure. Qu'elle reste chez son père jusqu'à sa majorité. () Je demande qu'on ne me parle plus de cette affaire. »

Le 10, après un parloir très pénible avec M. Delatroëtte, d'où Mère Marie de Gonzague sort en larmes, M. Guérin monte en ligne. Sa rencontre avec le supérieur échoue à son tour. Thérèse fait un brouillon de lettre pour Mgr Hugonin, revu et corrigé par l'oncle. Dix jours avant la date fatidique, la lettre est postée, ainsi qu'une autre à M. Révérony, pour lui rappeler sa promesse de Nice. Humainement, tout a été fait. Il ne reste plus qu'à attendre.

Tous les jours, après la messe où elle prie avec ferveur, la postulante accompagnée de son père, va guetter une réponse à la poste. Rien...

Et voici Noël 1887... Larmes à la messe de minuit... Mais Thérèse découvre que l'épreuve doit faire grandir sa foi et son abandon. On n'impose pas de date à Dieu. Pourtant, malgré son amertume, elle est contente d'étrenner une jolie toque d'étamine bleu-marine, ornée d'une colombe blanche.

Enfin !... le premier janvier, veille de ses quinze ans, une lettre de Mère Marie de Gonzague transmet la réponse de Mgr Hugonin : c'est oui ! Il a écrit le 28 décembre à la prieure : qu'elle prenne elle-même sa décision.

La joie va-t-elle exploser enfin ? Non, car le dernier obstacle surgit... du carmel. L'entrée de la jeune postulante ne se fera qu'après la rigueur du carême, en avril. *Je ne pus retenir mes larmes à la pensée d'un si long délai...* Quant à M. Martin, il se fâche contre Pauline, si versatile. Car c'est elle qui a influencé la prieure pour retarder l'entrée de sa petite sœur.

Je veux bien croire que je dus paraître déraisonnable en n'acceptant pas joyeusement mes trois mois d'exil, mais je crois aussi que sans le paraître, cette épreuve fut très grande et me fit beaucoup grandir dans l'abandon et dans les autres vertus. Après ce long combat qui a mobilisé tant de forces diverses, ce répit va lui permettre de faire le point et de se préparer paisiblement à cet acte insolite, non prévu par la réformatrice du carmel, la grande Teresa de Jesús : entrer en clôture à quinze ans et trois mois, dans un monastère où vivent déjà deux de ses sœurs.

Bilan d'un voyage et d'une vie
(1er janvier-9 avril 1888)

A toutes ces émotions s'ajoute le retour à la maison de Léonie qui n'a pu supporter la vie des visitandines de Caen. Après ce second essai, son moral et sa santé sont atteints. La benjamine s'ingénie à lui faciliter la réadaptation.

La vie reprend aux Buissonnets, paisible. Thérèse retrouve le chemin des leçons particulières chez Mme Papinau. Elle pense à son voyage qui lui a *plus appris que de longues années d'études.* Elle qui s'intéressait tant à l'histoire, à tout ce qui est beau, elle a contemplé les merveilles de l'art, elle a saisi quelque chose de l'histoire des peuples, de l'histoire de l'Eglise. Certes, elle n'a guère été initiée à une solide culture – avec humour, elle imitera au carmel les bévues des guides italiens –, mais elle a fait ample provision d'impressions profondes. Pour la première – et dernière – fois, elle est sortie de sa Normandie natale, elle a vu les splendeurs de la nature : montagnes de Suisse et d'Italie, campagnes romaine et ombrienne, Riviera et Côte-d'Azur... Elle a vu Paris, Milan, Venise, Bologne, Rome, Naples, Florence, Gênes, Nice, Marseille, Lyon... Elle a multiplié les découvertes, rencontré d'autres milieux sociaux. *Quelle intéressante étude que celle du monde quand on est près de le quitter.* Le « grand monde », celui des titres et des particules ne l'a pas du tout éblouie. *J'ai compris que la vraie grandeur se trouve dans l'âme et pas dans le nom.*

La découverte de soi n'est pas moins importante. Elle se

croyait timide et empruntée. Elle a pu vérifier la profondeur de sa transformation, très à l'aise au milieu des gens, gaie, heureuse de vivre, pleine d'un humour partagé avec Céline. Elle a pris conscience de sa féminité, de sa beauté. La voie d'un brillant mariage pouvait s'ouvrir toute grande devant elle. *Facilement mon cœur se laisserait prendre à l'affection.* Maintenant, elle peut choisir *librement* de se faire *prisonnière par amour* derrière les grilles du carmel, *ce désert où le bon Dieu voulait qu'elle aille aussi se cacher.*

Ces vingt-neuf jours ont été déterminants et lui ont suffi pour confirmer sa décision. Elle le reconnaît : il y avait de quoi *ébranler une vocation peu affermie.* Sa sœur Agnès avait raison qui écrivait : « Elle n'a que quinze ans, mais je crois que l'impression de ce voyage durera toute sa vie, car *son âme est vieille déjà.* » Elle a tellement changé en un an !

Pour meubler l'attente, son père, toujours prêt à partir, lui propose LE pèlerinage par excellence : « Petite Reine, veux-tu aller à Jérusalem ? » Elle a grande envie d'aller voir les lieux où son Bien-Aimé a vécu. Mais il faudrait retarder son entrée au carmel. Elle refuse. Il est plus urgent de retrouver Jésus là où il l'attend.

D'abord tentée de vivre facilement avant d'affronter l'austère vie carmélitaine, elle se reprend vite. Elle comprend *le prix du temps.* Elle se prépare à son entrée par la pratique de petits *riens :* briser sa volonté, retenir une parole de réplique, rendre de petits services sans les faire valoir, etc. Fin mars – ce mois lui laissera le souvenir d'un des plus beaux de sa vie –, elle apprend enfin la date fixée pour son départ : le lundi 9 avril, en la fête de l'Annonciation.

Ce même jour, Céline, dix-neuf ans, va être demandée en mariage.

Une jeune élève de Mme Papinau a gardé de Thérèse Martin ce souvenir précis, quelques jours avant son adieu « au monde » : « Ce jour-là, Thérèse attendait son père qui était entré un instant à l'épicerie Bouline, dans la Grande-Rue, non loin de la place Thiers. Je la vois encore au bord du trottoir, tournant d'un geste machinal la pointe de son parapluie dans la rainure de l'un des caniveaux. Elle portait une robe verte garnie de bordures d'astrakan et de brandebourgs, elle avait les cheveux attachés avec un ruban bleu ciel. Sa vision m'est restée très présente. »

L'entrée du carmel de Lisieux, rue de Livarot (en 1890).

AU CARMEL (1888-1897)

« Ce n'est pas pour vivre avec mes sœurs que je suis venue au Carmel, c'est uniquement pour répondre à l'appel de Jésus. »

POSTULANTE
9 avril 1888-10 janvier 1889

Ce qu'ont vécu Pauline à vingt ans et Marie à vingt-six, Thérèse, quinze ans, le vit à son tour : la préparation du trousseau, l'abandon de sa chambre, le dernier tour du jardin avec Tom bondissant autour d'elle. L'ultime repas dans la salle à manger, le dimanche 8 avril, avec les Guérin au complet. Adieu les Buissonnets où elle vient de passer plus de dix ans! Il faut quitter Léonie, Céline... papa surtout.

Le lendemain matin, tous se retrouvent pour la messe de 7 heures, dans la chapelle du carmel, rue de Livarot : seule Thérèse ne pleure pas. Mais son cœur cogne avec violence. *Ah! quel moment que celui-là! Il faut y avoir passé pour savoir ce qu'il est...*

Face à la porte de bois aux deux serrures et aux deux verrous, la jeune fille s'agenouille devant son père. Il prend la même attitude pour la bénir en pleurant. La porte s'ouvre lentement : toute la communauté – les grands voi-

92

les noirs baissés – est rassemblée. M. Delatroëtte ne s'est pas résigné à l'entrée de Mlle Martin. Son mot d'accueil arrête net les sanglots de la famille et glace toute l'assemblée : «Eh bien! mes Révérendes Mères, vous pouvez chanter un Te Deum! Comme délégué de Monseigneur l'Evêque, je vous présente cette enfant de quinze ans dont vous avez voulu l'entrée. Je souhaite qu'elle ne trompe pas vos espérances, mais je vous rappelle que s'il en est autrement, vous en porterez seules la responsabilité.»

Thérèse franchit le seuil. La lourde porte se referme. Mère Marie de Gonzague la conduit au chœur avant de lui montrer sa cellule au premier étage : une pièce de 2,10 m sur 3,70 m, un lit à couverture brune, un petit banc, une lampe à essence, un sablier. Sur le mur blanc, une croix de bois nue. Par la fenêtre, on voit un toit d'ardoise et le ciel.

A la postulante, tout semble ravissant dans sa visite du couvent. *Avec quelle joie profonde je répétais ces paroles: "C'est pour toujours, toujours que je suis ici!"*

Le lendemain, son père écrit à ses amis Nogrix : «Ma Petite Reine est entrée hier au Carmel. Dieu seul peut exiger un tel sacrifice ; mais il m'aide si puissamment qu'au milieu de mes larmes, mon cœur surabonde de joie.»

Le carmel de Lisieux en 1888

«Petit et pauvre», ainsi Marie avait-elle décrit le monastère en y entrant. Le cloître de briques rouges, le réfectoire, le jardin avec «l'allée» des marronniers... Oui, il est bien petit et pauvre, ce monastère dont on va bientôt célébrer les cinquante ans d'existence.

La communauté de vingt-six religieuses (moyenne d'âge : quarante-sept ans) qui accueille Thérèse Martin, ne lui est pas inconnue. Depuis six ans, elle la fréquente. Autre chose est d'y vivre. Mais Dieu lui a fait *la grâce de n'avoir AUCUNE illusion en entrant au Carmel.*

La vie carmélitaine a été réformée au XVIe siècle par

sainte Thérèse d'Avila, patronne de la postulante. Cette femme exceptionnelle, à la fois mystique et pratique, a fondé de petits « déserts » où des religieuses cloîtrées cherchent Dieu par la prière personnelle (deux heures d'oraison quotidienne) et communautaire, tout en travaillant

Le préau du carmel, aile sud. A la fenêtre ouverte, on devine
Mère Marie de Gonzague et Mère Agnès de Jésus debout.

dans un climat de fraternité et de joie. La fondatrice espagnole, pleine de bon sens et de réalisme, a construit une vie équilibrée où l'amour doit primer sur tout, y compris les exercices de mortification qui ne sont que des moyens.

Trois siècles plus tard, certains carmels avaient plus ou

moins dérivé vers des pratiques ascétiques envahissantes, parfois vers un moralisme étroit. Le carmel de Lisieux n'avait pas échappé à ces glissements que l'ambiance générale du christianisme français, marqué de jansénisme, avait favorisé. L'esprit de pénitence et de mortification, chez les meilleures, risquait de l'emporter sur le dynamisme de l'amour. La crainte d'un Dieu justicier effrayait plus d'une carmélite.

Le cœur de la jeune postulante se porte spontanément vers Mère Marie de Gonzague, cinquante-quatre ans, née Marie-Adèle-Rosalie Davy de Virville. La prieure a manifesté tant d'intérêt pour sa Thérésita et a tant bataillé pour son entrée! Sa distinction, sa haute taille, la séduction qu'elle exerce naturellement, ses bonnes relations avec les Martin, son jugement apprécié par des prêtres de Lisieux, tout attire vers elle la nouvelle sœur. Celle-ci aime aussi déjà la vieille Mère Geneviève de Sainte-Thérèse, une des fondatrices de ce carmel (en 1838), infirme depuis quatre ans, qui souffre et se tait. Beaucoup – dont le médecin de la communauté – la considèrent comme une sainte. Avec elle, les anciennes sœur Saint-Joseph de Jésus (la doyenne), sœur Fébronie de la Sainte-Enfance (la sous-prieure), la communauté compte, en outre, cinq sœurs converses – dites du voile blanc – qui ne récitent pas l'office au chœur, deux sœurs tourières, hors clôture, qui assurent les liens avec le monde extérieur.

Mais pour l'instant, la vie de Thérèse est davantage liée aux quatre sœurs du noviciat. Sœur Marie des Anges, maîtresse des novices, née Jeanne de Chaumontel, quarante-trois ans, réunit chaque jour ce petit groupe. Sœur Marie-Philomène, quarante-huit ans, «très sainte et très bornée»; sœur Marie du Sacré-Cœur qui retrouve avec joie sa filleule; sœur Marthe de Jésus, vingt-trois ans, orpheline, postulante converse depuis trois mois, «pauvre petite sœur inintelligente», selon Mère Agnès.

De cette communauté humainement assez pauvre émergent la prieure, les sœurs Martin et deux ou trois autres religieuses. A une époque où les femmes arrêtent leurs études à quinze ans, ces quelques privilégiées paraissent très « savantes » à l'ensemble qui vient du monde rural où le travail manuel, fort rude, commence très tôt.

En longue robe bleue, recouverte d'une pèlerine noire, un petit bonnet sombre enserrant son abondante chevelure blonde, la postulante est initiée aux coutumes de la vie carmélitaine. Six heures de prière au chœur, repas à 10 h et 18 h (sans jamais de viande, sauf pour les malades), suivis chaque fois d'une heure de récréation en commun. Sept heures de sommeil en hiver. En dehors du « chauffoir », aucune pièce ne possède de poêle. Cinq heures de travail manuel (confection d'hosties, d'images, couture, ménage, lessive...). Tout cet ensemble fort bien réglé se vit dans le silence et la solitude.

Les débuts (avril-juin 1888)

Pour la postulante, le travail consiste en raccommodage. Aux Buissonnets, Thérèse n'a guère manié l'aiguille. Sa maîtresse des novices la trouve lente. Le balayage d'un « dortoir »[20] et d'un escalier, un peu de jardinage pour s'aérer l'après-midi, complètent ses occupations. Elle n'étudie plus. Au noviciat, chaque jour, sœur Marie des Anges explique la Règle, les usages de la vie commune : manière de s'habiller, de manger, de se déplacer. Sœur Marie du Sacré-Cœur, désignée pour être son « Ange[21] », complète cette initiation. Comment manier les lourds bréviaires latins pour l'office choral ?

Le brutal contraste avec « la vie rêvée » des Buissonnets ne semble pas affecter la jeune nouvelle. Cette petite carmélite tant désirée polarise pourtant les regards de la communauté. Entourée de deux sœurs, Thérésita va-t-elle devenir « le joujou du carmel » ?

Le 17 mai, la prieure écrit à Mme Guérin : « Autre per-

---

20. Nom donné à un couloir sur lequel ouvrent des cellules.
21. On appelait ainsi la religieuse qui initiait une nouvelle aux coutumes du monastère.

fection que ce Loulou [22], jamais je n'aurais pu croire à un jugement aussi avancé en quinze années d'âge ! pas un mot à lui dire, tout est parfait... »

Les trois premiers mois comblent en effet Thérèse. *Ma Céline chérie, il y a des moments où je me demande si c'est bien vrai que je suis au Carmel.* Pour sa plus grande joie – elle qui aime tant les fleurs –, le printemps fait exploser le jardin. Et déjà une fête ! Le 22 mai, en présence du P. Pichon, sa sœur Marie fait sa profession. Selon la coutume, Thérèse la couronne de roses.

Le jésuite prêche aux carmélites pendant plusieurs jours. Jusqu'ici Thérèse n'a jamais eu de directeur spirituel. Elle se souvient du désir qu'elle avait manifesté au mois d'octobre précédent. *J'ai pensé puisque vous vous occupiez de mes sœurs* (Marie et Céline) *que vous voudriez bien prendre aussi la dernière.* « Le directeur de la famille Martin » accepte.

Une libération (28 mai 1888)

Thérèse n'a jamais su parler de sa vie profonde. Sa rencontre avec son nouveau conseiller, le 28 mai, est voilée de larmes à cause de cette difficulté. Elle fait une confession générale. La veille, l'ayant vue prier au chœur, le jésuite l'avait prise pour une enfant sans problèmes. Maintenant, il lui déclare : « En présence du Bon Dieu, de la Sainte Vierge et de tous les Saints, je déclare que jamais vous n'avez commis un seul péché mortel. » Cette formule solennelle s'explique sans doute parce qu'il veut rassurer un être porté aux scrupules. Lui-même ayant souffert de cette maladie, en a été délivré. Ancienne victime des ravages du jansénisme ambiant, pourvoyeur de scrupuleux, il prêche un Dieu d'amour. Il ajoute : « Remerciez le Bon Dieu de ce qu'il a fait pour vous, car s'il vous abandonnait,

22. Surnom donné à Thérèse par sa cousine Marie Guérin que Mère Marie de Gonzague elle-même applique à Thérèse.

au lieu d'être un petit ange, vous deviendriez un petit démon. » Thérèse commente : *Ah ! je n'avais pas de peine à le croire.* Le confesseur conclut : « Mon enfant, que Notre Seigneur soit toujours votre Supérieur et votre Maître des novices. »

Ce jour-là, Thérèse se trouve, en outre, définitivement délivrée de la peine d'âme qui la torturait depuis cinq ans. Non, elle n'a pas simulé sa maladie. Depuis ce jour, elle est *parfaitement tranquille* à ce sujet.

Après cette heureuse libération intérieure, qu'importent les sévérités que la prieure manifeste (– *à son insu* – dira plus tard Thérèse) envers la postulante. Celle-ci découvre une Marie de Gonzague tout autre qu'aux parloirs où elle était si aimable. Elle la voit peu, mais à chaque rencontre la prieure l'humilie d'une manière ou d'une autre. Thérésita baise la terre bien souvent [23]. Souffrante, d'humeur changeante, Mère Marie de Gonzague veut-elle « casser » cette jeune fille dont elle a pu percevoir les tendances à l'orgueil ? Ou compenser ce que la présence de ses deux sœurs pourrait lui procurer de facilités ? Thérèse, qui se sent spontanément portée vers elle, se cramponne parfois à la rampe d'escalier lorsqu'elle passe devant la cellule de sa prieure, pour ne pas frapper, lui demander une permission, *trouver quelques gouttes de joie.*

Les entretiens avec sa maîtresse des novices lui sont plutôt une torture : elle ne sait que dire. Sœur Marie des Anges ne cesse de parler et de la questionner. Un jour, ne sachant plus que faire, la postulante se jette à son cou et l'embrasse !

Elle découvre aussi que la vie communautaire avec vingt-six femmes cloîtrées comporte de nombreuses difficultés. Que de différences entre les tempéraments, les origines sociales, les manières de se comporter dans la vie courante ! *Sans doute, au Carmel, on ne rencontre pas d'ennemis, mais enfin il y a des sympathies, on se sent attirée par telle sœur au lieu que telle autre vous ferait faire*

23. Geste d'humilité alors en usage.

La communauté en récréation dans l'allée des marronniers, le 20 avril 1895. Thérèse est debout à gauche.

un long détour pour éviter de la rencontrer... Après neuf années de vie commune, elle constatera avec lucidité : *Les manques de jugement, d'éducation, la susceptibilité de certains caractères, toutes (ces) choses ne rendent pas la vie très agréable. Je sais bien que ces infirmités morales sont chroniques, il n'y a pas d'espoir de guérison.* Plus tard, trois sœurs quitteront la communauté, dont une pour entrer dans une maison de santé.

Quelques premières *piqûres d'épingle* atteignent sa vive sensibilité. Sœur Saint-Vincent-de-Paul, converse à l'esprit acéré, n'épargne guère la nouvelle qu'elle surnommera « la grande biquette ». Thérèse, qui entend parfois les critiques de cette ancienne redoutée, se contente de lui sourire. Cette sœur, très bonne brodeuse, ne se privera pas de dire à la prieure que cette jeune postulante n'a pas d'aptitude aux travaux manuels et ne sera jamais utile à la communauté. Par ailleurs, les sœurs Agnès de Jésus et Marie du Sacré-Cœur veulent trop s'occuper de l'éternelle petite dernière... comme aux Buissonnets. Cela provoque quelques tiraillements. Un jour, Marie reçoit de sa filleule une réponse qui la mortifie quelque peu : *Je vous remercie. () Je serais heureuse de rester avec vous, mais il vaut mieux que je m'en prive, car nous ne sommes plus chez nous.* De son côté, sœur Agnès prend la résolution (qu'elle ne tiendra pas) de ne plus s'occuper du « petit roseau ». « C'est bien assez de nous occuper de nous-mêmes. () Allons droit notre chemin... Sans cela nous trouverons tant d'occasions de trouble, que ce sera à n'y pas tenir. »

Situation difficile pour celle qui, venant au carmel *pour Jésus,* y retrouve ses deux mères empressées. Elle mesure le danger d'étouffement qui la menace si elle veut trouver sa propre liberté et ne pas toujours suivre ses aînées.

La fugue du père (23-27 juin 1888)

Dans ce ciel encore serein de l'été 1888 va éclater un coup de tonnerre !

Le 29 avril, Céline a eu dix-neuf ans. Elle a été fêtée au parloir. La demande en mariage dont elle a été l'objet l'a troublée. Non sans lutte, elle a pris sa décision. Le 15 juin, à son tour, elle informe son père de son désir d'entrer au carmel.

Déjà ébranlé par le récent sacrifice de sa petite dernière, Louis Martin entrevoit le départ de sa cinquième fille dans la vie contemplative et la solitude de sa vieillesse. L'été dernier, Pauline ne lui écrivait-elle pas : « Je ne te souhaite rien sur la terre que de nous voir toutes cinq dans la maison du Seigneur ! En cela je crois te faire plaisir puisque tu ne désires toi-même rien de plus. »

Depuis le voyage en Italie, M. Martin a beaucoup vieilli. « Ce pauvre petit Père, écrit Céline à Thérèse, il me semble maintenant si vieux, si usé. Si tu le voyais s'agenouiller tous les matins à la Table de communion, il s'appuie, s'aide comme il peut, c'est à faire pleurer. J'ai le cœur déchiré, je me figure qu'il mourra bientôt. » Une très vieille piqûre d'insecte derrière l'oreille gauche, datant d'Alençon et jamais complètement guérie, se développe alors. Cet épithélioma, large comme la paume de la main, le fait souffrir. Beaucoup plus graves sont l'artério-sclérose, les crises d'urémie qui vont provoquer des étourdissements, des pertes de mémoire, des sautes d'humeur, des désirs de fugue.

Le matin du 23 juin, panique aux Buissonnets : Léonie et Céline, aidées de la bonne, cherchent partout leur père. Il a disparu. Les Guérin, prévenus, ne l'ont pas vu à la pharmacie. Nuit d'angoisse. Le 24, arrive un télégramme du Havre. Louis Martin demande de l'argent. On prévient enfin le carmel. Le 25, Céline, accompagnée de son oncle Isidore et d'Ernest Maudelonde, part au Havre chercher son père, sans avoir son adresse.

Le lendemain, nouvelle émotion pour Léonie restée seule. La maison Prévost, qui jouxte les Buissonnets, est détruite par le feu. Les pompiers éteignent la toiture de la maison des Martin, heureusement peu endommagée.

Après quatre jours de mortelle inquiétude, M. Martin est retrouvé au bureau de poste du Havre. Il est redevenu lucide, mais il est poursuivi par une idée fixe : « se retirer dans une solitude pour y vivre en ermite », projet qui n'est pas fait pour rassurer les siens.

Ces événements traumatisent toute la famille. Rien ne pouvait atteindre davantage la plus jeune des sœurs Martin, touchée au plus profond de son amour filial. Au moment où son père aurait besoin d'elle, elle est « prisonnière ». Comment éviter les questions indiscrètes de certaines sœurs, les paroles maladroites, les échos des papotages de Lisieux ? Si M. Martin est devenu « fou », n'est-ce pas dû au départ de toutes ses filles en religion, surtout de la plus jeune, qu'il aimait tant ?

La force ne manque pas à la postulante dans ces débuts si difficiles. Ses lettres à son père se veulent particulièrement souriantes, légères, évoquant avec bonne humeur les bons moments du voyage en Italie, leur complicité malicieuse. Mais à Céline, elle écrit dans une tout autre tonalité. A ces graves soucis, s'ajoutent les premières aridités dans la prière. Jusqu'ici, l'oraison était sa joie. Très vite, elle entre dans une grande sécheresse. *La vie souvent est pesante, quelle amertume... mais quelle douceur. Oui la vie coûte, il est pénible de commencer une journée de labeur. () si encore on sentait Jésus, oh! on ferait bien tout pour lui, mais non il paraît à mille lieues. () Jésus se cache.* Mais la combattante, *armée pour la guerre,* se révèle. Ses luttes intérieures ne paraissent pas au-dehors.

Dans une lettre à Marie Guérin, qui passe ses premières vacances dans la splendide propriété de la Musse (près d'Evreux) dont son père vient d'hériter [24], l'adolescente plaisante. Elle étonne sa maîtresse des novices. Un soir de juin où celle-ci est allée dans sa cellule pour lui adresser quelques paroles d'encouragement, elle a trouvé Thérèse en longue chemise de nuit, ses cheveux dénoués. Elle a reçu cette réponse : *Je souffre beaucoup, mais je sens que je puis encore supporter de plus grandes épreuves.*

Retardée à la prise d'habit (octobre 1888-janvier 1889)

Le 12 août, après un bref séjour à Alençon avec Céline et Léonie, le patriarche connaît une nouvelle alerte de santé. La situation de famille demeure instable. Thérèse devrait normalement prendre l'habit après six mois de postulat, donc en octobre. De fait, le chapitre, avec l'autorisation de Mgr Hugonin, vote son admission. M. Delatroëtte, toujours réservé, l'en avise par une lettre assez sèche. Reste à trouver une date. Déjà, M. Martin, toujours généreux envers le carmel, envoie du point d'Alençon pour orner la toilette de cérémonie de sa Reine.

24. Propriété de 43 ha. où les Guérin passeront désormais toutes leurs vacances.

Le départ du P. Pichon pour le Canada ne facilite pas ces projets. Céline, sur qui repose désormais l'organisation de la maison, et qui doit veiller sur la santé de son père (Léonie ne songeant qu'à rentrer à la Visitation), pleure son directeur. Thérèse lui écrit : *Jésus nous reste !* Désormais, elle va envoyer une lettre par mois au Canada pour exposer son évolution intérieure au jésuite qu'elle ne reverra plus [25].

Le 30 octobre, Céline entraîne son père et Léonie au Havre pour faire ses adieux à son directeur qui embarque pour le Nouveau monde. A Honfleur, M. Martin fait une grave rechute. Terrible voyage. Le malade sanglote. Il cite un poème : « La mort seule a pour moi d'invincibles attraits. » Au Havre, pas de Père Pichon. On le rejoint enfin à Paris. L'état mental de M. Martin l'impressionne. « Le vénérable vieillard redevenu enfant ne tardera sans doute pas à prendre son essor vers les Cieux » (lettre à Marie).

Dans ces conditions, la prise d'habit devra être retardée. Monseigneur ne sera libre qu'en janvier. « Il sera dit que le cher Agnelet [autre surnom de Thérésita] subira à chaque pas la contradiction », constate le jésuite.

L'état du malade s'améliore en décembre. Le curé de la cathédrale ayant lancé une souscription pour l'achat d'un autel central, M. Martin verse intégralement les 10 000 F nécessaires [26]. Son beau-frère (qui vient de vendre sa pharmacie) trouve cette largesse démesurée. Thérèse, elle, approuve la générosité de son père. Tant pis s'il vient de perdre 50 000 F sur les actions du canal de Panama, lors du scandale financier qui va secouer la jeune République française.

Enfin on fixe la date de la vêture : mercredi 9 janvier 1889. Neuf mois jour pour jour après son entrée au

---

25. En huit ans, le P. Pichon a dû recevoir environ une cinquantaine de lettres de sa dirigée. Il n'en a conservé aucune.

26. Il va donner la même somme pour la dot de Thérèse en 1890 (CG, 555).

carmel, en la fête de l'Annonciation. Toujours à l'affût des coïncidences de dates, la postulante est ravie.

Douloureuse retraite (5-9 janvier 1889)

Elle fête ses seize ans le 2 janvier. Le soir du 5, elle entre en retraite. Quatorze billets échangés avec ses sœurs disent les difficultés, les «tristesses» de ces jours de solitude. L'aridité qu'elle a connue depuis quelques mois s'accentue durant les trois ou quatre heures d'oraison quotidienne. *Rien auprès de Jésus, sécheresse!... Sommeil!...* [Elle manque de sommeil malgré l'adoucissement des heures de lever dont elle bénéficie.]... *privée de toute consolation... dans les ténèbres. () Jésus ne fait pas de frais pour me tenir conversation!*

Marquée à vif par les retraites du P. Domin, elle aura toujours des craintes dans les retraites tant privées que prêchées. Mais «la petite balle», comme l'appelle sœur Agnès, reste dans la paix au-delà de ces troubles. Son amour la pousse à l'action virile. *Puisque Jésus veut dormir pourquoi l'en empêcherais-je, je suis trop heureuse qu'il ne se gêne pas avec moi... () Je voudrais tant l'aimer!... L'aimer plus qu'il n'a jamais été aimé. () C'est incroyable comme mon cœur me paraît grand. () Je voudrais convertir tous les pécheurs de la terre et sauver toutes les âmes du purgatoire.*

Au plan affectif, elle soutient un rude combat. Elle remercie *celui qui sera bientôt* (son) *fiancé* de ne la laisser s'attacher à *AUCUNE chose créée.* Il sait bien que *s'il me donnait seulement une ombre de bonheur, je m'y attacherais avec toute l'énergie, la force de mon cœur.*

Au milieu de sa retraite, elle apprend qu'un décès fait retarder la cérémonie au 10. Qu'importe la date! Jésus est le Maître.

Les *coups d'épingle des créatures* lui font plus de mal. Elle sourit à sœur Saint-Vincent-de-Paul qui manque rarement une occasion de lui faire une réflexion désagréable.

Celles qui m'entourent sont bien bonnes, mais il y a un je ne sais quoi qui me repousse!

Quant à la santé du père, l'anxiété demeure. Pourra-t-il supporter le choc affectif de la cérémonie? Personne n'ose en parler. Vingt-cinq ans après, Mère Agnès de Jésus se souviendra de ses propres appréhensions. « Ce pauvre petit père était menacé d'une crise à chaque instant, j'avais peur d'un incident quelconque pendant la Cérémonie. J'en tremble encore quand j'y pense et je me rappelle que la veille dans la soirée, je suppliais le bon Dieu qu'il ne crie pas dans la chapelle. »

Revenant plus tard sur les neuf premiers mois de sa vie carmélitaine, sœur Thérèse de l'Enfant-Jésus constate que les premiers pas de *la petite fiancée de seize ans* ont rencontré *plus d'épines que de roses*. Régime alimentaire nouveau, manque de sommeil, froid, mais surtout humiliations, affectivité réprimée, souffrances de la vie commune... tout cela ne serait rien sans la maladie de son père. Le langage symbolique proposé par son entourage: agnelet, jouet de Jésus, petite balle, petit roseau, atome..., elle le reprend docilement. Pour elle, il est invitation à la vie cachée, à la petitesse, à l'abandon, au silence. Mais au cœur, elle porte du feu.

Cette prise d'habit, elle la vit comme un don total d'elle-même à son Amour: Jésus. Peu importe qu'il dorme! Elle juge les jours difficiles qu'elle vient de vivre: *Je crois que le travail de Jésus pendant cette retraite a été de me détacher de tout ce qui n'est pas lui...*

Ainsi s'achevait son postulat. En entrant au carmel, *la souffrance m'a tendu les bras et je m'y suis jetée avec amour...* Après une telle entrée en matière, toute autre adolescente aurait pu s'effondrer.

La prise d'habit (10 janvier 1889)

Dans sa robe de velours blanc à longue traîne, ses cheveux étalés sur ses épaules, sous une couronne de lys offerte par sa tante, Thérèse Martin descend la nef de la chapelle du carmel au bras de son père. Mgr Hugonin fait l'allocution, se trompe dans le cérémonial : au lieu du *Veni Creator,* il entonne le *Te Deum* (est-ce l'accomplissement de la prophétie de M. Delatroëtte, faite neuf mois auparavant ?). Celle qui va entrer au noviciat est radieuse. Quant à son père, *jamais il n'avait été plus beau, plus* digne... *Il fit l'admiration de tout le monde.*

Rentrant en clôture, Thérèse découvre avec ravissement que la nature s'est mise à l'unisson : la neige recouvre le jardin. Elle l'aime tellement qu'elle l'avait demandée. Or, la température de ce matin-là ne laissait pas présager une telle surprise. La petite fiancée y voit une délicatesse de son Bien-Aimé qui comble ses plus menus désirs. *La neige de ma prise d'habit parut un petit miracle, toute la ville s'en étonna.*

Elle porte désormais avec joie l'habit du carmel : bure et scapulaire bruns, guimpe et voile blancs, ceinture de cuir avec rosaire, « chausses » de laine [27], sandales de corde. Après la fête, la vie quotidienne reprend.

Mais, petit changement très significatif dans sa correspondance : désormais Thérèse va souvent signer ses lettres « sœur Thérèse de l'Enfant Jésus *de la Sainte Face* ». Depuis le 26 avril 1885, elle était inscrite à l'archiconfrérie de la Sainte-Face de Tours, dévotion développée par sœur Marie de Saint-Pierre et M. Dupont. Dans le chœur du carmel de Lisieux, une lampe brillait jour et nuit devant une reproduction de la Sainte-Face. Mais il a fallu les souffrances de ces neuf mois pour qu'elle découvre que l'Enfant Jésus dont elle a pris le nom, a commencé, dès la crèche, une vie d'oblation qui le conduira au calvaire. Depuis le 25 décembre 1886, elle sait que Noël n'est pas mièvrerie mais mystère de Force. En choisissant, à l'aube de sa vie religieuse, de compléter ainsi son nom, elle

---

27. En été, ces « chausses » (sortes de bas) étaient de toile. « Jamais sœur Thérèse ne se plaignait, rapporte sœur Marie de Jésus. Un jour, on lui demanda si les chausses qu'elle portait n'étaient pas trop courtes, elle répondit simplement : *Je crois que oui* » (1907).

s'engage vraiment à la suite de Jésus. Le P. Pichon, du Canada, confirme son choix : « Ce qui fait le prestige de votre profession, c'est le cachet de la croix. () Jésus vous a donné son Enfance et sa Passion. Que vous êtes fortunée ! Quelle dot incomparable ! »

NOVICE
10 janvier 1889-24 septembre 1890

> *« Il s'est humilié de telle sorte que son visage était caché et que personne ne le reconnaissait... et moi aussi je veux cacher mon visage. »*

A la novice, on attribue un nouvel emploi : préparer l'eau et la « bière [28] » au réfectoire, le pain dans le réduit Saint-Alexis sous l'escalier où de grosses araignées la terrorisent. Elle prend désormais son tour des services communautaires : sonner les diverses cloches, lire pendant les repas, entonner les versets au chœur. Comme sœur Agnès de Jésus est aussi réfectorière, grande est la tentation de se parler pour les deux sœurs. La novice y résiste fermement. Toujours sa crainte de faire revivre l'ambiance familiale dans sa vie conventuelle.

Le 13 février, Mère Marie de Gonzague est réélue prieure pour trois ans. Sœur Marie-Philomène quitte le noviciat. Y demeurent avec sœur Thérèse, sœur Marthe et sœur Marie du Sacré-Cœur.

Deux photographies de janvier 1889 [29] montrent la novice un peu engoncée dans sa vaste bure neuve, les joues

---

28. Boisson de houblon préparée au monastère.
29. Prises par l'abbé Gombault, entré en clôture pour des travaux. Petite faveur pour M. Martin, que sœur Agnès demande de garder secrète (VTL 5 et 6).

Le réfectoire du carmel.

rebondies, souriante auprès de la croix du «préau». Le régime alimentaire carmélitain, riche en féculents, l'a fait grossir (elle ne jeûnera qu'à partir de vingt et un ans). En fait, elle souffre quotidiennement de l'estomac. Comme sœur Marie des Anges lui a ordonné de la prévenir quand elle est malade, sœur Thérèse frappe donc chaque jour chez elle. L'autre, ayant oublié sa consigne, se plaint des malaises perpétuels de sa novice! Entre elles, le dialogue reste difficile.

«La grande épreuve» du père humilié: le 12 février 1889

Douze jours à peine après le *triomphe* du père lors de la belle cérémonie, son état de santé inquiète beaucoup Céline. Il s'alite. Soudain éclate le drame.

Crise subite : « Dans son imagination, le malade voit des choses épouvantables, des carnages, des batailles, il entend le canon et le tambour. » Il se saisit de son révolver – pour nous défendre, dit Céline – et ne veut plus s'en séparer. Appelé, Isidore Guérin craint pour la vie de ses nièces et de Maria Cosseron, la servante. Aidé de son ami Auguste Benoît, il désarme son beau-frère. Le médecin décide l'internement immédiat à l'asile du Bon Sauveur, à Caen.

Sous le prétexte d'une promenade, on emmène le malade, redevenu calme. Il neige. Bref passage par le parloir du carmel où Pauline seule le voit. Il lui offre quelques petits poissons qu'il a mis dans son mouchoir. Combien de fois avait-il apporté le produit de sa pêche aux tourières !

A Caen, Louis Martin est confié à sœur Costard qui dirige toute une section de l'asile. Il y restera interné pendant trois ans. Une semaine plus tard, Léonie et Céline prennent pension chez les sœurs de Saint-Vincent-de-Paul, proches du Bon Sauveur et, du 19 février au 5 mai, y vont quotidiennement demander des nouvelles. Elles ne peuvent voir leur père qu'une fois par semaine. Une intense correspondance relie Caen à Lisieux.

Telle est la réalité, encore inimaginable quelques jours auparavant : le « Patriarche » vénéré vit parmi « les fous ». *Je ne savais pas que le 12 Février, un mois après ma prise d'habit, notre Père chéri boirait à la plus amère, la plus humiliante de toutes les coupes. Ah ! ce jour-là je n'ai pas dit pouvoir souffrir encore davantage !!! Les paroles ne peuvent exprimer nos angoisses...*

La famille Martin est dispersée. Les conversations apitoyées – ou malveillantes – vont bon train à Lisieux, parfois maladroitement répercutées en clôture. Dans cette tourmente, chacune des filles essaie de tenir bon et soutient les autres. Quel sens peut avoir une telle épreuve ?

Le malade, redevenu paisible entre deux crises, étonne le corps médical par sa gentillesse, sa docilité. Qui dira sa souffrance, son humiliation ? car il a de longs moments de lucidité. A un médecin, il déclare : « J'avais toujours été habitué à commander et je me vois réduit à obéir, c'est dur. Mais je sais pourquoi le bon Dieu m'a donné cette épreuve : je n'avais jamais eu d'humiliation dans ma vie, il m'en fallait une. » A quoi l'interlocuteur répond : « Eh bien ! celle-là peut compter ! »

Séparée de Céline et ne la voyant plus [30] pendant quinze mois, sœur Thérèse de l'Enfant-Jésus s'enfonce dans le silence, scrute la Parole de Dieu que lui prodiguent la liturgie et ses lectures. Le courage de l'adolescente étonne, même si, parfois, elle ne peut cacher ses larmes. Toute la période de son noviciat va être marquée par cette grande épreuve qui l'atteint au cœur de son cœur.

En avril, les Guérin achètent une maison à Lisieux, 19 rue de la Chaussée. En attendant de l'occuper, ils logent aux Buissonnets où Léonie et Céline sont rentrées, leur séjour à Caen étant devenu inutile. En juillet, tous s'installent dans la nouvelle demeure.

Le 18 juin, *la passion* de M. Martin atteint un sommet : on lui fait signer un acte de renonciation à la gestion de ses biens. Son beau-frère craignait qu'il ne se ruine par des largesses inconsidérées. Ce jour-là, le malade est parfaitement lucide. Il sanglote : « Ah ! ce sont mes enfants qui m'abandonnent ! »

« Tu m'as cachée pour toujours en ta Face »

Dans cette longue période de tension intérieure (le graphisme de ses lettres la montre parfois au bord de la rupture), une grâce subite va illuminer sœur Thérèse pendant toute une semaine, début juillet. Dans une petite grotte artificielle, au fond du jardin – ermitage dédié à sainte Madeleine – elle vit une expérience nouvelle. *Il y avait comme un voile jeté pour moi sur toutes les choses de la terre... J'étais entièrement cachée sous le voile de la Sainte Vierge. () Chargée du réfectoire (), je faisais les choses*

30. Au sens strict, car des travaux de la maison du tour ont supprimé le lieu des parloirs habituels.

comme ne les faisant pas, c'était comme si on m'avait prêté un corps. Je suis restée ainsi pendant une semaine entière.

Faveur très exceptionnelle, car elle expérimente habituellement les difficultés de l'oraison où le sommeil (dont elle manque) la terrasse souvent. Aux confidences de sœur Agnès, en service avec elle au réfectoire, – quand elles ont la permission de parler – sœur Thérèse ne répond pas. Elle écoute. Un jour, elle dira à sa sœur, évoquant cette période : *Vous en étiez venue à ne plus me connaître.*

La crainte du péché l'éprouve encore, et parfois des accès de scrupule. Une réponse du P. Pichon en témoigne : «Je vous défends au nom de Dieu de mettre en question votre état de grâce. Le démon en rit à gorge déployée. Je proteste contre cette vilaine défiance. Croyez obstinément que Dieu vous aime.»

C'est pourtant la même Thérèse qui écrit deux lettres «de direction» à sa cousine Marie Guérin, elle-même dévorée de scrupules. Lors d'un voyage à Paris avec Léonie et Céline, elle visite l'Exposition internationale [31] et des musées où des «nudités» la troublent. Elle cesse de communier. La jeune novice, évoquant sa propre expérience lui écrit fermement : *J'ai tout compris... () ta pauvre petite Thérèse devine tout, elle t'assure que tu peux aller sans crainte recevoir ton seul ami véritable... Elle aussi a passé par le martyre du scrupule mais Jésus lui a fait la grâce de communier quand même. () Ton cœur est fait pour aimer Jésus, pour l'aimer passionnément, prie bien afin que les plus belles années de ta vie ne se passent pas en craintes chimériques. () Communie souvent, bien souvent... Voilà le seul remède si tu veux guérir* [32].

Alors que son père vit au loin, dans la nuit de son épreuve, elle s'enfonce dans sa vocation désertique. Elle

---

31. Organisée pour le centenaire de la Révolution française (CG, 486-488).
32. En 1910, Pie X, le pape de la communion fréquente, lira cette lettre et en sera enthousiasmé (CG, 488).

veut « disparaître pour aimer ». *Etre ce grain de sable caché, obscur, oublié, compté pour rien, foulé aux pieds. Quel bonheur d'être si bien cachée que personne ne pense à vous ! d'être inconnue même aux personnes qui vivent avec vous.*

A qui pense-t-elle ? Les « combats » de la vie commune continuent. Souvent la jeune Thérèse doit mettre *son amour-propre sous ses pieds.* Elle finira par conquérir l'amitié de la vieille sœur Saint-Pierre (rendue très difficile par ses nombreuses infirmités), en l'accompagnant tous les soirs au réfectoire et en terminant ce minutieux service, au rituel compliqué, par son plus lumineux sourire. Déjà, elle sait que son amour doit s'investir dans les plus petites choses. La pauvreté l'attire particulièrement. Elle choisit les objets les plus laids et malcommodes. *Je m'appliquais surtout à pratiquer les petites vertus, n'ayant pas la facilité d'en pratiquer de grandes.*

Alors que les liens avec sœur Agnès (avec qui elle vit) se distendent, ceux qui l'unissent à Céline « dans le monde » vont paradoxalement s'intensifier. Parloirs et correspondance se font écho · la souffrance acceptée pour Jésus demeure le thème favori de ces échanges. Souffrir pauvrement, petitement, sans courage senti. Les deux sœurs évoquent la brièveté de la vie, la joie du ciel, la réunion définitive de toute la famille dispersée. *La vie passera bien vite, au Ciel, cela nous sera bien égal de voir que toutes les reliques des Buissonnets auront été transportées ici et là ! Qu'importe la terre ?*

La fin des Buissonnets (Noël 1889)

Elle doit renoncer à tout. Tout ce qui a fait sa jeunesse encore si proche disparaît. Sa famille ? éclatée. Les Buissonnets ? abandonnés.

En octobre, les voisins regardent partir une lamentable expédition : les meubles sont dispersés. Le carmel hérite de quelques-uns. Une charrette à bras pénètre par la porte des ouvriers dans le jardin des carmélites. Le fidèle Tom a

112

suivi. En trombe, il franchit la clôture où plusieurs sœurs, grand voile baissé, attendent le convoi. D'instinct, l'épagneul blanc s'est jeté sur sa jeune maîtresse pour lécher ses larmes.

Désormais l'oraison des carmélites se fera au son du tic-tac de l'horloge des Buissonnets. Le bail de la maison est résilié à Noël, troisième anniversaire de la conversion de Thérèse. Lors d'une dernière visite au jardin, Céline a cueilli une feuille de lierre pour sa sœur. Une page est définitivement tournée dans la vie de la novice qui va avoir dix-sept ans. Il ne lui reste vraiment que Jésus. Elle ne s'apitoie pas sur ses souffrances. Elle les offre pour *sauver les âmes. Soyons apôtres, sauvons surtout les âmes des prêtres () hélas combien de mauvais prêtres, de prêtres qui ne sont pas assez saints. () Prions, souffrons pour eux.* Sa correspondance de novice reprend sans cesse ces exhortations. A la voir, souriante sous son voile blanc, qui imaginerait ce que vit en profondeur cette adolescente ?

Retardée à la profession (janvier-septembre 1890)

Ses cris d'amour pour Jésus – qu'elle confie habituellement à Céline – expriment son désir de se consacrer totalement à lui, le plus tôt possible. Début 1889, elle a fait un vœu privé de chasteté.

A l'ordinaire, le noviciat précédant la profession durait une année. Sœur Thérèse peut espérer s'engager définitivement à partir du 11 janvier 1890. Obstacle, encore : Mère Marie de Gonzague, avec l'accord de sœur Agnès, lui demande de renoncer à cette joie. On ne peut rien reprocher à la novice, mais on pressent que M. Delatroëtte mettrait obstacle à la demande. Le supérieur n'a pas désarmé : Thérèse est trop jeune pour un engagement définitif. La maladie de son père ne serait-elle pas, en outre, une raison qu'on n'ose mentionner ?

La novice éprouve une profonde déception : attendre, attendre, tel est son lot. Mais à l'oraison, elle comprendra que son *désir si vif de faire profession était mélangé d'un grand amour-propre.* A son Bien-Aimé, elle se rend : *J'attendrai autant que vous le voudrez...* Elle ne doit pas perdre ce temps, mais se préparer à ses noces avec ardeur. Comment ? En s'abandonnant à la volonté de Jésus.

Oui, je désire être oubliée, et non seulement des créatures mais aussi de moi-même, *je voudrais tellement être réduite au néant que je n'ai aucun désir... La gloire de mon Jésus voilà tout ; pour la mienne je la lui abandonne, et s'il semble m'oublier, eh bien, il est libre puisque je ne suis plus à moi, mais à lui... Il se lassera plus vite de me faire attendre que moi de l'attendre !*

Lorsqu'un jésuite, le P. Blino, est venu prêcher au carmel, elle lui a confié son espérance de toujours : devenir une grande sainte et aimer Dieu autant que Thérèse d'Avila. Le prédicateur est choqué par ces propos, venant d'une aussi jeune sœur. Il y trouve des traces d'orgueil et de présomption. « Modérez vos désirs téméraires. – *Pourquoi, mon Père, puisque Notre-Seigneur a dit : "Soyez parfaits comme votre Père céleste est parfait."* » Cet argument scripturaire ne convainc pas le jésuite. Il fera pourtant l'éloge de cette novice au carmel de la rue de Messine, à Paris.

Quant à elle, les objections du P. Blino ne la font pas changer d'avis. A Céline, qui revient d'un pèlerinage à Tours [33] et à Lourdes, elle confie : *Penses-tu que Ste Thérèse ait reçu plus de grâces que toi ?... pour moi je ne te dirai pas de viser à sa sainteté séraphique, mais bien d'être parfaite comme ton Père céleste est parfait !... Ah ! Céline nos désirs infinis ne sont donc ni des rêves ni des chimères puisque Jésus nous a lui-même fait ce commandement !*

A dix-sept ans, elle ne s'en laisse pas conter. Toujours à la même, elle ose dire ce qu'elle pense : *Tu sais, moi, je ne vois pas le Sacré-Cœur comme tout le monde* [sa sœur a été

---

33. A l'oratoire de la Sainte-Face de M. Dupont, « le saint homme de Tours ».

à Paray-le-Monial], *je pense que le cœur de mon époux est à moi seule comme le mien est à lui seul et je lui parle alors dans la solitude de ce délicieux cœur à cœur en attendant de le contempler un jour face à face !*

Deux influences importantes l'aident beaucoup durant ce long noviciat : deux lectures qui l'éclairent et enracinent son expérience dans l'humus de la Parole de Dieu et de la tradition carmélitaine.

«Sans beauté, ni éclat»

Depuis des mois, sœur Thérèse contemple la Face de Jésus aux yeux baissés (car *si l'on voyait ses yeux on mourrait de joie*). Le visage de son Bien-Aimé la fascine. Les textes liturgiques entendus durant ce carême cristallisent en elle une nouvelle intuition. Lus, relus, médités, ils n'apparaissent dans sa correspondance qu'en juillet. La novice envoie à Céline une feuille sur laquelle elle a copié des textes qui en *disent bien long à son âme*. Avec un instinct biblique très sûr (elle n'a reçu aucune formation en ce domaine) [34], ces passages du prophète Isaïe (chapitre 53), lui sont une clé de lecture de la vie de Jésus, «le Serviteur souffrant». *Ces paroles d'Isaïe ont fait tout le fond de ma dévotion à la Sainte Face, ou, pour mieux dire, le fond de toute ma piété.* En même temps, ils l'éclairent sur le sens de la terrible épreuve de son père, exilé, solitaire. Lui aussi est le juste qui souffre, interné à Caen : *Papa ! ah ! Céline, je ne puis te dire tout ce que je pense... () Comment dire des choses qui sont dans les abîmes les plus intimes de l'âme ! () Jésus nous a envoyé la croix la mieux choisie qu'il a pu inventer dans son amour immense... comment nous plaindre quand lui-même a été considéré comme un homme frappé de Dieu et humilié.*

Depuis toujours, son père avait été pour elle une image du Père qui est aux cieux. Elle découvre maintenant que

---

34. Les novices n'avaient pas le droit de disposer de la Bible intégrale.

le Fils humilié, méprisé, méconnaissable, est aussi image de son Père. La souffrance la renvoie à l'anéantissement du Fils, au mystère de la croix. L'Amour a été jusqu'à ces extrémités insondables... *Maintenant nous sommes orphelines, mais nous pouvons dire avec amour "Notre Père qui êtes aux Cieux". Oui, il nous reste encore l'unique tout de nos âmes!* Cette purification de son cœur lui fait franchir un seuil décisif.

«Notre Père saint Jean de la Croix»

Sur ce même feuillet, Thérèse cite, pour la première fois, un passage de saint Jean de la Croix. *Ah! que de lumières n'ai-je pas puisées dans les œuvres de Notre Père Saint Jean de la Croix! A l'âge de dix-sept et dix-huit ans [1890-1891], je n'avais pas d'autre nourriture spirituelle. () Je suppliais le bon Dieu d'opérer en moi ce qu'il dit.*

Lecture quelque peu insolite, au carmel de Lisieux, pour une si jeune novice. Mère Cœur de Jésus s'étonne de tel ou tel commentaire que fait sœur Thérèse en récréation sur l'œuvre du carme espagnol. Même étonnement de sœur Marie des Anges pendant les moments de direction spirituelle. On ne lisait guère alors saint Jean de la Croix dans les carmels français. Mais le troisième anniversaire de sa mort (1591-1891) allait favoriser sa diffusion [35].

«Le Docteur de l'Amour» comble les aspirations les plus profondes du cœur ardent de la novice. *Ma chère petite Marie, pour moi je ne connais pas d'autre moyen pour arriver à la perfection que l'amour. Aimer, comme notre cœur est bien fait pour cela!... Parfois, je cherche un autre mot pour exprimer l'amour, mais sur la terre d'exil les paroles sont impuissantes à rendre toutes les vibrations de l'âme, aussi il faut s'en tenir à ce mot unique: Aimer!* La crainte de Dieu qu'elle constate chez certaines sœurs la paralyse. *Je suis d'une nature telle que la crainte me fait*

---

35. Les carmélites de Paris publient alors une seconde édition de ses œuvres.

reculer; avec l'amour *non seulement j'avance mais je vole...*

Après huit mois de prolongation de ses «fiançailles», M. Delatroëtte écrit enfin à la novice que, malgré ses réticences, il ne s'opposera pas à ce qu'elle écrive sa demande de profession à Monseigneur. La communauté, trois fois consultée selon l'usage, approuve cette démarche. Début août, Mgr Hugonin envoie son accord.

La profession d'une carmélite se fait alors en deux cérémonies : la première, à l'intérieur, salle du chapitre (fixée au lundi 8 septembre); la seconde, en présence des fidèles, dite «prise du voile noir» (fixée au mercredi 24 septembre).

Sœur Thérèse de l'Enfant-Jésus de la Sainte-Face touche enfin au but : bientôt, à dix-sept ans et demi, elle sera définitivement carmélite.

«Une retraite de grande aridité» (28 août-7 septembre 1890)

Cet engagement irrévocable doit être préparé par une retraite de dix jours qui commence le jeudi 28 août. Une fois encore, ce temps de solitude n'apporte à la retraitante aucune consolation. *L'aridité la plus absolue et presque l'abandon furent mon partage.* Elle compare son *voyage de noces* à une entrée dans un *souterrain où il ne fait ni chaud ni froid (), où je ne vois rien qu'une clarté à demi voilée, la clarté que répandent autour d'eux les yeux baissés de la face de mon Fiancé, qui ne dit rien et moi je ne lui dis rien non plus sinon que je l'aime plus que moi...*

Le soir du dimanche 7 septembre, faisant son chemin de croix privé après l'office de matines, une panique la saisit : un doute terrible sur sa vocation, une angoisse qu'elle n'a jamais connue jusqu'ici. «Je n'ai pas la vocation ! Je veux tromper tout le monde !»

Alors que toute la communauté est en prière au chœur jusqu'à minuit, en la veille de cette profession, elle fait sortir sa maîtresse de noviciat pour lui confier ses craintes. Sœur Marie des Anges la rassure. Mais sœur Thérèse veut la confirmation de sa prieure. A son tour, celle-ci sort de la chapelle et se contente de rire de sa novice.

Le lendemain matin, *un fleuve de paix* inonde celle qui, prosternée sur le sol, entourée de sa communauté, vient de prononcer ses vœux définitifs. Sur son cœur, elle porte un billet de vingt-trois lignes qui explique sa démarche. Elle s'offre totalement à Jésus (qu'elle tutoie), le prie pour que lui soit épargnée la plus petite des fautes volontaires. Elle demande *le martyre du cœur ou du corps, ou plutôt tous les deux.* Et *qu'aujourd'hui,* beaucoup d'âmes soient sauvées !

Une graphologue qualifie ce billet de « pathétique ». « On mesure l'étendue de son impressionnabilité, de sa faiblesse, de ses craintes, de ses bouleversements de sensibilité, de son manque de confiance en ses propres forces, de son anxiété, de son angoisse. » Mais aussi « une décision de fer, une volonté de lutte, une énergie farouche : effroi d'une enfant et décision d'un guerrier. »

Le 2 septembre, la jeune carmélite sort dans la chapelle extérieure. (Céline en profite pour embrasser « ses joues très tendres et si fraîches ».) Elle doit répondre aux questions de l'examen canonique. « Pourquoi êtes-vous venue au carmel ? – *Je suis venue pour sauver les âmes et surtout afin de prier pour les prêtres.* » Le but de toute sa vie demeure, inflexible.

Mère Marie de Gonzague lui a suggéré de demander en ce jour la guérison de son père. Mais la professe prie ainsi : *Mon Dieu, je vous en supplie, que ce soit votre volonté que papa guérisse !* Son père, elle ne cesse d'y penser. Début septembre, elle a reçu une bénédiction de Léon XIII – sollicitée par le frère Siméon de Rome – pour elle et pour « le saint vieillard bien éprouvé par la souffrance ».

En prévision de la cérémonie publique, Thérèse et Céline ont conçu un fol espoir : faire venir M. Martin de Caen. Au parloir du mardi 23, elles mettent au point leur complot. Mais l'oncle Guérin s'y oppose formellement.

118

Un jour « tout entier voilé de larmes » : prise de voile le 24 septembre 1890

La jeune fiancée avait rédigé, mi-plaisante, mi-sérieuse, un faire-part de ses noces, s'inspirant de celui de sa cousine Jeanne Guérin qui allait épouser, le 1er octobre, le docteur Francis La Néele. *Le Dieu tout-puissant, créateur du Ciel et de la terre, souverain dominateur du monde et la très glorieuse Vierge Marie Reine et princesse de la cour céleste, s'abaissent à vous faire part du mariage de leur fils Jésus, Roi des Rois et Seigneur des Seigneurs avec Mademoiselle Thérèse Martin...* etc.

Mais le jour du mariage est *tout entier voilé de larmes.* Thérèse pleure l'absence de son père. Juste avant d'entrer à l'avant-chœur, sa sœur Agnès la rabroue : « Je ne vous comprends pas de pleurer ! Comment pouviez-vous espérer d'avoir notre pauvre père à votre cérémonie ? S'il était là, nous serions exposées à de bien plus grandes peines que celle de son absence. » Oui, pour s'engager à la suite de Jésus Thérèse sera seule : son père interné, son père spirituel au Canada, l'évêque retenu à Bayeux par la maladie. *Tout fut tristesse et amertume... Cependant la* paix, *toujours la* paix, *se trouvait au fond du calice...* Ce qui ne l'empêche pas de pleurer encore avec Céline au parloir de l'après-midi. *Laissée à ses propres forces,* la carmélite de dix-sept ans et demi se sent encore *bien faible.*

Le portrait que trace d'elle Mère Marie de Gonzague au lendemain de la profession, montre que la prieure, en dépit de ses instabilités de caractère, voyait juste. Dans une lettre à la prieure du carmel de Tours, elle parle d'une « enfant qu'(elle) a immolée hier, cette Ange d'enfant a dix-sept ans et demi, et la raison de trente ans, la perfection religieuse d'une vieille novice consommée dans l'âme et la possession d'elle-même, c'est une parfaite religieuse, hier pas un œil n'est resté sec à la vue de sa grande et entière immolation. »

Le 24, dans l'assistance, une jeune fille de vingt ans s'est trouvée intérieurement confirmée dans sa vocation : ce jour-là, Marie Guérin décide qu'elle sera carmélite, comme sa jeune cousine.

A la veille d'entrer au carmel, la jeune Thérèse Martin avait écrit à sa sœur Agnès : *Je veux être une sainte... J'ai vu l'autre jour des paroles qui me plaisent beaucoup, je ne me rappelle plus le saint qui les a dites ; c'était : "Je ne suis pas parfait mais je VEUX le devenir."* L'adolescente a écrit un énorme VEUX et l'a souligné. A son père, elle avait dit le même désir : *Je tâcherai de faire ta gloire en devenant une grande sainte.*

Depuis deux ans, au carmel, elle mène ce combat pour la sainteté. La souffrance, qui ne lui a pas manqué, lui a paru un chemin privilégié pour prouver son amour à Jésus. Son *Imitation de Jésus-Christ* ne lui disait-elle pas : « L'amour peut tout faire, les choses les plus impossibles ne lui semblent pas difficiles. » Tendue de toutes ses forces – son billet de profession le montre –, inquiète de sa faiblesse, soucieuse de sa pureté intérieure [36], elle commence à pressentir que la sainteté ne se laisse pas si facilement conquérir.

L'ENFOUISSEMENT
24 septembre 1890-20 février 1893

« Le Christ est mon amour, Il est toute ma vie. »

Désormais, sœur Thérèse de l'Enfant-Jésus va s'enfoncer de plus en plus dans le désert où elle a voulu se cacher avec son Bien-Aimé, lui-même caché. Le silence se fait sur son père dont la santé reste précaire. Léonie et Céline vont

---

36. Des inquiétudes sur son état de grâces subsisteront jusqu'en fin 1892, voire début 1893 (CG, 677, notes c et e).

La communauté au lavoir (19 avril 1895). Thérèse est la quatrième à partir de la gauche.

à Caen le voir régulièrement. Rien ne laisse présager son prochain retour à Lisieux. Au carmel, on ne prononce plus son nom qu'à voix basse, comme celui d'un homme déshonoré. Tout à la joie du mariage de Jeanne et de Francis, les Guérin se manifestent moins au parloir. Année d'obscurité pour la jeune carmélite.

Bien souvent, il lui arrive de faire l'*oraison de saint Pierre* [37] ou de rester dans les ténèbres intérieures. L'abbé Youf la rabroue, mais Mère Marie de Gonzague la rassure. Qu'elle avance ainsi, sans consolations : « Vous serez ainsi vraie carmélite dans l'obscurité du désert, dans les ténèbres de la nuit. » L'hiver 1890-1891 est très rigoureux. *J'ai eu froid à en mourir*, confiera Thérèse beaucoup plus tard.

37. C'est-à-dire de dormir, comme saint Pierre au jardin de Gethsémani.

Tout son amour, elle continuera de l'investir dans les petits actes de la vie quotidienne. *J'aimais à plier les manteaux oubliés par les sœurs et leur rendre tous les petits services que je pouvais.* Elle s'essaie à *ne laisser échapper aucun petit sacrifice, aucun regard, aucune parole, de profiter de toutes les plus petites choses et de les faire par amour.*

Cet héroïsme dans la petitesse, personne ne le remarque. Sœur Thérèse ne se mêle pas des « histoires » qui agitent parfois la communauté, ne se défend pas si on l'accuse injustement, sourit aux sœurs les plus désagréables avec elle. Elle mange tout ce qu'on lui donne sans protester. Sœur Marthe ne se prive pas de lui repasser des restes dont personne ne veut. Thérèse se souviendra, entre autres, d'une *savate d'omelette, une saleté.* Sœur Saint-Raphaël, sa voisine au réfectoire, boit, sans y prendre garde, presque toute la carafe de « cidre ».

Vivre ainsi, au jour le jour, sans être « guindée », en restant souple, vraie, souriante... Ainsi vit-elle. Il est vrai que parfois, il lui faut lutter très vigoureusement pour mater la colère qui monte en elle. Car son impétuosité demeure.

Peu après ses dix-huit ans, elle change d'emploi. On la nomme aide-sacristine de sœur Saint-Stanislas, une bonne vieille qui va surnommer son adjointe « la petite sœur Ainsi-soit-il ». N'étant plus réfectorière, elle ne voit plus sa sœur Agnès. En juillet 1891, sœur Marie du Sacré-Cœur quitte le noviciat. Thérèse doit y parfaire sa formation trois ans encore, en compagnie de sœur Marthe. Elle a remarqué que celle-ci manifeste un attachement trop exclusif envers la prieure. Dans le silence et la prière, elle pense qu'elle devra un jour en parler à sa compagne. Car cet attachement *semblable à celui du chien à son maître* ne lui semble pas juste. Mais l'heure n'est pas encore venue d'intervenir.

Cette solitude accrue, elle l'a voulue, pour Jésus seul, pour lui sauver des âmes, surtout celles des prêtres. Justement, l'un d'eux fait énormément parler de lui en France.

122

Le carme « renégat »

Successivement sulpicien, novice dominicain, puis carme, le Père Hyacinthe Loyson, devenu provincial de son ordre, brillant prédicateur à Notre-Dame de Paris, a quitté l'Eglise catholique en 1869. Trois ans plus tard, il a épousé une jeune veuve américaine, protestante, dont il aura un fils. En 1879, il a fondé « l'Eglise catholique anglicane » qui rejette l'infaillibilité pontificale (proclamée au Concile du Vatican, 1870), prône l'élection des évêques par le clergé et le peuple, soutient le mariage des prêtres, demande la liturgie en français... Depuis que l'excommunication majeure a été prononcée contre lui, il parcourt la France, multipliant les conférences. En 1891, il se trouve en Normandie, à Coutances, puis à Caen. Sa présence fait grand bruit dans la presse locale. Sœur Thérèse a reçu plusieurs articles de *la Croix du Calvados,* découpés par Céline. Tandis que les journaux cléricaux appellent le P. Loyson le « moine renégat », que Léon Bloy le brocarde furieusement, sœur Thérèse de l'Enfant-Jésus écrit à Céline qu'elle prie pour son *frère*. Ce que Dieu a fait pour Pranzini l'assassin, ne peut-il le renouveler pour le prêtre révolté ? *Ne nous lassons pas de prier, la confiance fait des miracles.* Désormais, elle ne va plus cesser de prier pour lui, jusqu'à sa mort. Sa dernière communion, le 19 août 1897, sera offerte pour le P. Hyacinthe dont plus personne n'ose prononcer le nom au carmel. « Cette conversion l'a occupée toute sa vie », dira sœur Agnès.

Elle se préoccupe aussi du foyer de la cousine des Guérin, Marguerite-Marie (Maudelonde) qui a épousé un magistrat athée, René Tostain. La jeune femme subit l'influence des opinions de son mari et connaît des doutes sur sa foi. Thérèse demande à Céline de lui prêter le livre d'Arminjon qui leur a été si profitable il y a quatre ans. Toujours le même souci : *Ah ! Céline, n'oublions pas les âmes mais oublions-nous pour elles...*

L'avenir de Céline

Céline... *la moitié de son cœur...* Céline cause des soucis à sa sœur. Autour de cette jolie fille de vingt-deux ans, des mariages se nouent: quatre en cinq ans. Henri Maudelonde, avoué à Caen, raffole d'elle et le montre bien, au château de la Musse, où de brillantes réceptions ont lieu chez les Guérin. Tous les étés, Céline rejoint ses cousines dans cette belle propriété. Le 8 décembre 1889, elle a fait un vœu privé de chasteté et a dit son intention d'être religieuse. Mais elle connaît de fortes tentations. Sa santé en est même ébranlée. Elle prie instamment la Vierge du Sourire. Thérèse s'inquiète. Mais elle reste intimement persuadée que sa sœur la rejoindra au carmel, et elle fera tout pour qu'elle y parvienne. C'est là que Jésus l'appelle.

Pour sœur Marthe, sa compagne de noviciat, sœur Thérèse combat aussi. Pour lui faire plaisir et l'aider, elle retarde les dates de sa retraite annuelle afin de faire coïncider leurs deux temps de solitude. Véritable sacrifice pour la plus jeune, car sœur Marthe va réduire à rien les rares temps libres de sa compagne durant ces entretiens fraternels autorisés par la prieure.

S'oublier plus encore, ce serait partir en Indochine, au carmel de Saïgon, fondé par celui de Lisieux. Thérèse y a songé. Là, elle serait vraiment cachée, exilée, oubliée de tous.

«Sur les flots de la confiance et de l'amour» (7-15 octobre 1891)

Ces temps de retraite restent source d'inquiétude pour la jeune professe. Les prédicateurs de l'époque ne se font pas faute de terroriser les âmes scrupuleuses en insistant sur le péché, les souffrances du purgatoire, voire de l'enfer. Une phrase entendue au cours d'un sermon a fait verser bien des larmes à sœur Thérèse: «Nul ne sait s'il est digne d'amour ou de haine.» Elle connaît en ce moment *de*

124

grandes épreuves intérieures de toutes sortes, jusqu'à se demander parfois s'il y a un Ciel. Comment parvenir à la sainteté si le péché menace ainsi de toutes parts?

L'aumônier lui-même, l'abbé Youf, est un grand scrupuleux. Un jour, sœur Thérèse de Saint-Augustin, religieuse austère et très régulière, sort en larmes de son confessional et va frapper chez sa prieure : «Ma Mère, M. l'aumônier vient de me dire que j'ai déjà un pied en enfer et que si je continue, j'y mettrai bientôt le second! – Soyez tranquille, moi, j'y ai déjà les deux!» répond Mère Marie de Gonzague.

Sœur Thérèse va-t-elle aborder cette retraite de 1891 dans l'inquiétude? «Pendant tout le temps de ces exercices, dira sœur Agnès de Jésus, je la voyais pâle et défaite, elle ne pouvait plus manger ni dormir, et elle serait tombée malade si cela avait duré.»

Cette année, la retraite s'annonce plutôt mal. La prieure a retenu comme prédicateur le R.P. Bénigne de Janville, provincial des franciscains. Mais empêché à la dernière minute, il a délégué le P. Alexis Prou, franciscain de Saint-Nazaire. Ce prédicateur populaire de quarante-sept ans, est reçu plutôt froidement à Lisieux. Spécialiste des grandes foules (il prêche dans les usines), il ne semble pas fait pour aider des carmélites. Une seule va trouver un grand réconfort auprès de lui : sœur Thérèse de l'Enfant-Jésus.

La prédication chaleureuse du P. Prou sur l'abandon, sur la miséricorde, dilate son cœur. Plus encore sa direction : elle qui, d'habitude, éprouve tant de mal pour exposer sa vie profonde, après avoir dit peu de mots au franciscain, se sent *comprise d'une façon merveilleuse et même* devinée... *mon âme était comme un livre dans lequel le Père lisait mieux que moi-même... Il me lança à pleines voiles sur les flots de la* confiance *et de l'*amour *qui m'attiraient si fort mais sur lesquels je n'osais avancer... Il me dit que mes fautes ne faisaient pas de peine au Bon Dieu, que* tenant sa place, *il me disait de sa part, qu'Il était très content de moi...*

Vive lumière et joie! Jamais elle n'avait entendu dire

que les fautes pouvaient ne pas faire de peine au bon Dieu. Quant à la confiance et l'amour, ils l'attiraient tant! Mais dans l'ambiance qui l'entourait, elle n'osait pas. Après ce premier entretien si libérant, elle n'a qu'un désir: parler à nouveau avec le Père Prou. Pourquoi Mère Marie de Gonzague, outrepassant ses pouvoirs, lui interdit-elle de revoir le providentiel prédicateur? Véritable supplice pour l'aide-sacristine, d'entendre le P. Prou faire les cent pas de l'autre côté du tour, lisant son bréviaire, alors qu'elle n'aurait qu'un signe à faire pour lui parler, comme le droit l'y autorise. Mais l'obéissance lui paraît préférable à une nouvelle entrevue. Personne ne lui enlèvera la paix et l'espérance que lui a données ce prêtre de passage qu'elle ne reverra plus jamais.

Car son directeur «canadien» ne lui apporte guère d'aide. Débordé par un intense ministère, il ne répond qu'une fois à ses douze lettres annuelles. En définitive, son *directeur,* ce sera Jésus.

La mort d'une sainte (5 décembre 1891)

Durant ce rude hiver 1890-91, la mort va s'abattre sur le carmel. C'est d'abord Mère Geneviève de Sainte-Thérèse qui s'éteint à quatre-vingt-sept ans, le samedi 5 décembre 1891, après une dure agonie. La fondatrice, considérée par toutes ses sœurs comme une sainte, venait de fêter ses soixante ans de vie religieuse. Depuis 1884, elle avait connu de grandes souffrances physiques et spirituelles.

Dès son entrée, Thérèse avait été attirée par cette religieuse de quatre-vingt-trois ans, dont l'expérience, le discernement, la douceur lui seront ensuite une lumière sur sa route. Cette ancienne lui a beaucoup appris. *C'est une grâce inappréciable d'avoir connu notre sainte Mère Geneviève et de vivre avec une* Sainte, *non point inimitable mais une Sainte sanctifiée par des vertus cachées et ordinaires. Jésus vivait en elle et la faisait agir et parler. Ah! cette* sainteté-là *me paraît la plus* vraie, *la plus* sainte *et c'est celle que je désire car il ne s'y rencontre aucune illusion.*

Mère Geneviève l'a parfois soutenue dans sa nuit, en lui rappelant que « notre Dieu est le Dieu de la Paix ». Et sœur Thérèse a soigneusement noté quelques-unes de ses confidences.

Cette mort, la première à laquelle elle assiste au carmel, bien loin de l'effrayer, lui paraît *ravissante*. A la dérobée, elle recueille la dernière larme de sa vieille amie. Quelque temps après, elle rêve que Mère Geneviève, par trois fois, lui dit : « A vous, je laisse mon *cœur !* »

« La mort régnait partout » (hiver 1891-1892)

A peine Mère Geneviève est-elle enterrée que l'influenza, qui ravage alors la France, s'abat sur la communauté du carmel de Lisieux. Coup sur coup meurent la doyenne (quatre-vingt-deux ans) le jour des dix-neuf ans de Thérèse (2 janvier 1892), puis la sous-prieure (le 4), et une sœur converse qu'elle trouve morte dans sa cellule (le 7).

Toute la communauté est alitée, à l'exception de trois jeunes sœurs : Marie du Sacré-Cœur, Marthe, Thérèse de l'Enfant-Jésus. La vie commune se trouve totalement perturbée : plus de sonneries, plus d'offices, plus de réfectoire...

Sœur Thérèse qui a toujours été seconde en tout emploi, qu'on a jugée lente, manifeste sa présence d'esprit, son intelligence. Enfin libre de prendre des initiatives, elle donne toute sa mesure. Bien loin de l'abattre, cette atmosphère de panique la stimule. Elle s'active posément avec une sorte d'alacrité intérieure. Il lui faut parer à tout, ensevelir les mortes, soigner les malades [38], préparer les enterrements. Mais la force l'habite. *La mort régnant partout,* toutes les habitudes cèdent. Alors que les malades sont privées de la communion, la sacristine valide a la grande joie

---

38. Thérèse aurait voulu être infirmière. Elle ne reçut jamais cet emploi (cf. CJ 20.8.3 ; CSG, 102-103).

de pouvoir la recevoir *chaque jour.* Un de ses grands désirs est enfin réalisé!

Le supérieur, M. Delatroëtte, depuis quatre ans sur la réserve envers la benjamine, désarme enfin. L'épreuve a révélé la valeur de cette sœur de dix-neuf ans. «Elle est, dit-il désormais, une grande espérance pour cette communauté.» Il aura fallu cette tourmente pour que la «petite Ainsi-soit-il» puisse montrer sa vraie nature de femme forte.

Réduit à vingt-deux religieuses, le carmel se remet lentement de ses émotions. L'élection de la prieure devait se dérouler le 2 février. En ces circonstances exceptionnelles, les supérieurs décident de prolonger d'un an le mandat de Mère Marie de Gonzague et de son conseil.

Le retour du père (mai 1892)

Une autre grande épreuve va prendre fin. Le 10 mai, l'oncle Isidore va rechercher son beau-frère à l'asile du Bon Sauveur de Caen, après trente-neuf mois d'internement. Le 12 mai, M. Martin revoit ses filles au parloir. Le premier depuis quatre ans... le dernier. Elles le trouvent très changé, amaigri. Ce jour-là son esprit est lucide, mais il ne parle pas. Tout en pleurant, au moment de partir, il pointe son index vers le haut et arrive à prononcer: «Au Ciel!» Dernière, déchirante vision du père humilié.

Le vieillard est d'abord installé chez les Guérin, puis en juillet rue Labbey, tout près d'eux, avec Léonie et Céline. Les deux sœurs sont aidées par une bonne et un domestique bien nécessaires, car les jambes du malade ne le portent plus. Il faut le déplacer, le faire manger, ne pas le quitter. Cependant les trois carmélites le savent désormais hors du Bon Sauveur, ce lieu redoutable, entouré en permanence de l'affection familiale. Céline se consacre à son service. Elle pense toujours au carmel, mais cette mission la retient pour l'instant. Thérèse ne cesse de la soutenir, au parloir et épistolairement, comme une véritable mère. Un

Autour de M. Martin, rue Labbey, Marie Guérin, Léonie, deux domestiques encadrant Céline, Isidore Guérin, Mme Guérin, une amie et le chien de Thérèse, Tom (1892).

jour, elle lui enjoint, avec larmes de ne pas danser au mariage d'Henri Maudelonde. L'avoué s'est lassé d'attendre Céline. Celle-ci trouve sa sœur cloîtrée bien sévère et quelque peu « exagérée ». De fait, durant la réception, après avoir fait volontairement tapisserie, elle sera incapable de valser avec un jeune homme qui, rouge de confusion, quittera le bal. Thérèse est ravie de l'incident ; Céline ne doit pas donner son cœur à un mortel : Jésus l'attend.

Mais Céline sait aussi que le supérieur s'oppose formellement à l'entrée au carmel d'une quatrième sœur Martin et que le P. Pichon a des vues sur elle. Active et dynamique comme elle l'est, il la verrait très bien comme animatrice d'une fondation au Canada. Mais il ordonne à sa dirigée de ne rien dire, même pas à sa confidente Thérèse. Du château de la Musse où Céline passe ses vacances, elle écrit à sa sœur des lettres embarrassées. Son état intérieur n'est que ténèbres.

Les réponses arrivent du carmel, lumineuses. De plus en plus, Thérèse trouve sa nourriture dans la Parole de Dieu. Quoi de plus naturel pour une carmélite dont le point central de la Règle est de « méditer jour et nuit » cette Parole ? Pourtant la piété de son époque s'alimentait davantage aux livres de commentaires qu'aux sources mêmes de la Révélation. N'ayant pas de Bible à sa disposition, Thérèse demande à Céline de lui faire relier les évangiles et les épîtres de saint Paul en un seul petit volume qu'elle va porter sur son cœur. Certaines sœurs s'en étonneront, mais plusieurs l'imiteront. *C'est par-dessus tout l'Evangile qui m'entretient pendant mes oraisons, en lui, je trouve tout ce qui est nécessaire à ma pauvre petite âme. J'y découvre toujours de nouvelles lumières, des sens cachés et mystérieux...* Elle avoue que tous les autres livres la laissent dans l'aridité.

Il me semble que la parole de Jésus, c'est Lui-même... Lui Jésus, le Verbe, la Parole de Dieu ! Cette Parole, elle la lit, la relit, la médite. Dans l'Ecriture, elle cherche sa route. *Votre Parole est la lampe qui éclaire mes pas.* Les différentes traductions l'affligent. *Si j'avais été prêtre, j'aurais étudié à fond l'hébreu et le grec, afin de connaître la pensée divine telle que Dieu daigna l'exprimer en notre langage humain.*

De plus en plus, elle se rend compte qu'elle répugne au sublime des *grandes âmes.* Sa retraite privée d'octobre 1892 lui enseigne plutôt un chemin descendant. *Ecoutons ce que Jésus nous dit* [comme au Zachée de l'Evangile]: *"Hâtez-vous de descendre, il faut que je loge aujourd'hui"... () Lui le Roi des rois Il s'est humilié de telle sorte que son visage était caché et que personne ne le reconnaissait et moi aussi je veux cacher mon visage, je veux que mon Bien-Aimé seul puisse le voir.*

Combat pour la vérité

Un peu plus tard, sœur Thérèse va enfin prendre une initiative qui aurait pu lui coûter cher, mais après des mois de patience, de prière, elle est décidée à agir. Intervention qui prouve son amour de la vérité et sa force de caractère. *Mon Dieu, faites que je voie les choses telles qu'elles sont.* L'heure est venue de prévenir sœur Marthe de l'attachement excessif qui la lie à Mère Marie de Gonzague. Pour suivre le conseil évangélique: «Si ton frère a commis un péché, va lui parler seul à seul et montre-lui sa faute» (Matthieu 18,15), Thérèse prend un gros risque qu'elle confie à sœur Agnès: *« Priez pour moi. La Ste Vierge m'a inspiré d'éclairer sœur Marthe. Je vais lui dire ce que je pense d'elle.* – Mais vous risquez d'être trahie, alors Notre Mère ne pourra plus vous supporter et vous serez renvoyée dans un autre monastère. – *Je le sais bien, mais puisque je suis certaine maintenant que c'est mon devoir de parler, je ne dois pas regarder aux conséquences.* »

Le soir même, elle explique à sœur Marthe, avec beaucoup d'affection *(Je ne sais parler qu'avec mon cœur),* ce qu'est le véritable amour. Non l'attachement, mais le sacrifice de soi pour le bien de l'autre. La tendresse devient forte et désintéressée lorsque l'amour ne se recherche pas. Sœur Thérèse parle d'expérience. Cette correction fraternelle porte immédiatement ses fruits. Sœur Marthe y voit clair et n'oubliera jamais ce jour de libération intérieure. Cinq ans plus tard, Thérèse elle-même n'hésitera pas à raconter ce fait à Mère Marie de Gonzague, en implorant Jésus d'éclairer sa «Bergère» qui n'entend autour d'elle que mensonges flatteurs. Rien de plus destructeur pour une communauté que ces *poisons de louange!*

Sœur Thérèse de l'Enfant-Jésus de la Sainte-Face vient d'avoir vingt ans (2 janvier 1893). Derrière elle, cinq années de vie carmélitaine, cinq années de souffrances assumées. Lentement, elle émerge de ce long hiver, de cet enfouissement accepté, recherché avec amour pour Celui que son cœur aime. Un important événement va l'aider à entrer dans une période printanière.

VERS LA MATURITÉ.
SOUS LE PRIORAT DE MÈRE AGNÈS
20 février 1893-mars 1896

« Ce fut surtout depuis le jour béni de votre élection que je volai dans les voies de l'amour. »

«Ma sœur… ma Mère» (20 février 1893)

Avec un an de retard, vont avoir lieu les élections pour le priorat. Mère Marie de Gonzague arrive au terme de son mandat et n'est plus rééligible. Thérèse ne vote pas. Avec une joie contenue, elle apprend les résultats : sa sœur Agnès est élue prieure. Mais le secret du vote n'ayant pas été absolu, on sut vite que les voix avaient été très partagées. «Pauline», très émue, ne fait que pleurer au parloir où sa famille la félicite.

Ainsi, la mère choisie à Alençon, perdue aux Buissonnets, redevient – à trente et un ans et demi –, la «Mère» de Thérèse, au sens le plus profond. Pas un instant, la petite sœur ne songe à son avantage personnel. Intuitive, elle a immédiatement perçu que la situation des sœurs Martin en clôture n'en va devenir que plus délicate. Le soir même, elle écrit à sa nouvelle prieure : *Ma Mère chérie, Qu'il m'est doux de pouvoir vous donner ce nom ! () Aujourd'hui, le bon Dieu vous a consacrée... vous êtes véritablement ma Mère et vous le serez pendant toute l'éternité... Oh ! que ce jour est beau pour votre enfant !...*

Lucide, elle ajoute : *Maintenant vous allez pénétrer dans le sanctuaire des âmes, vous allez répandre sur elles les trésors de grâces dont Jésus vous a comblée. Sans doute vous souffrirez...*

132

Très vite, Mère Agnès va vérifier la justesse de cette pré-vision. Jeune et inexpérimentée, il ne lui est pas facile d'affirmer son autorité devant l'influence toujours présente de l'ancienne prieure. Elle va devoir déployer des prodiges de souplesse et de diplomatie. Cela ne lui est pas trop dif-ficile. Mais les heurts restent inévitables entre les deux « personnalités » de la communauté. Subissant des scènes de Mère Marie de Gonzague, Mère Agnès pleurera souvent.

Respectant la coutume de l'alternance, elle nomme la prieure sortante maîtresse des novices. Mais elle prend une initiative inattendue : elle ordonne à sœur Thérèse de l'Enfant-Jésus « d'aider » Mère Marie de Gonzague dans sa tâche. Celle-ci ne pouvait qu'être prévenue de cette colla-boration. Le « petit chien de chasse » a parfaitement cons-cience de sa situation délicate. Elle devra agir avec beau-coup de doigté pour ne pas heurter son ancienne prieure, toujours changeante et susceptible. D'autant plus que Mère Marie de Gonzague, d'abord favorable à l'élection de Mère Agnès, qu'elle espérait influencer, se rendra bientôt compte de la personnalité indépendante de celle-ci. Voici sœur Thérèse placée au carrefour d'influences contraires : entre le marteau et l'enclume.

Les deux novices dont elle doit s'occuper ne lui facilitent pas la tâche. Passe encore pour sœur Marthe qu'elle connaît bien, mais la nouvelle arrivée depuis le 22 juillet, sœur Marie-Madeleine du Saint-Sacrement, converse, au tempérament très fermé, fuira longtemps l'influence de « la doyenne du noviciat ».

Quittant le travail de la sacristie, sœur Thérèse est char-gée, en outre, de l'emploi de peinture. Elle a toujours aimé le dessin, cela ne lui déplaît donc pas, au contraire. Elle doit confectionner des images, peindre sur tissu. Elle s'essaie même à la fresque. Cet été elle peint le mur qui entoure le tabernacle de l'oratoire des malades, jouxtant la chapelle. Parmi la douzaine d'angelots qui volent autour du Saint Sacrement, un enfant sommeille auprès du taber-

Thérèse, peinte par elle-même, dormant près du tabernacle (peinture très retouchée par Céline vers 1920/1930).

nacle : Thérèse s'est représentée, dormant à l'oraison auprès de Jésus !

Tous ces changements n'affectent guère le rythme de sa vie quotidienne. Pourtant, insensiblement, sœur Thérèse sort d'une longue période d'obscurité. Au sein de la communauté, elle est appelée à s'exprimer davantage. Non seulement par la « peinture », mais aussi par la « poésie ». Son premier essai en ce domaine date du 2 février 1893. Sollicitée par sœur Thérèse de Saint-Augustin, elle compose un cantique malhabile, mais qui va inaugurer une « carrière » féconde. Trop occupée par ses nouvelles fonctions, Mère Agnès renonce à composer poèmes, cantiques et récréations de communauté, tâches qu'elle assumait jusqu'ici.

Sous le couvert d'une « poésie » religieuse faite souvent de pieux clichés, Thérèse va pouvoir livrer son cœur profond. Ses moyens restent pauvres, mais de plus en plus, elle va exprimer, dans l'obéissance, ce qui la brûle intérieurement.

Le portrait que sœur Marie des Anges envoie à la Visitation du Mans – un parmi vingt-trois autres –, la décrit justement en cette période de sa vie : « Grande et forte avec un air d'enfant, un son de voix, une expression idem, voilant en elle une sagesse, une perfection, une perspicacité de cinquante ans. Ame toujours calme et se pos-

134

sédant parfaitement elle-même en tout et avec toutes. Petite sainte n'y touche *(sic)* à laquelle on donnerait le Bon Dieu sans confession, mais dont le bonnet est plein de malice à en faire à qui en voudra. Mystique, comique, tout lui va... elle saura vous faire pleurer de dévotion et tout aussi bien vous faire pâmer de rire en nos récréations.»

Les confidences à Céline de l'été 1893

En cet été, de nouveaux changements se produisent dans la famille. M. Martin est conduit au château de la Musse : le calme, la beauté de la nature lui conviennent mieux que la ville. Mais Léonie ne veut pas l'y rejoindre. Fin juin, elle a suivi une retraite à la Visitation de Caen avec le ferme désir d'y faire une nouvelle tentative de vie religieuse. Mère Agnès et sœur Thérèse l'approuvent, mais Céline ressent douloureusement ce nouvel abandon. «Plus personne sur la terre, le vide s'est fait autour de moi et je me suis considérée un instant, dernière épave de la famille, avec un vertige navrant... Oh! la vie m'a semblé si triste, si triste!» D'autant plus que sa cousine Marie Guérin entreprend aussi des démarches pour entrer au carmel de Lisieux.

Sur le conseil de Mère Agnès, Thérèse intensifie sa correspondance avec sa sœur qui continue de s'interroger sur son avenir. Il faut l'aider. Les longues lettres reçues à la Musse expriment une intense méditation de la Parole de Dieu. Sous la plume de la carmélite, les versets d'Ecriture s'enchaînent spontanément. Thérèse soutient sa sœur en partageant avec elle son évolution la plus intime. *Je veux te dire ce qui se passe dans mon âme à moi.* Céline répond : «Ta lettre est une nourriture pour mon âme [39].»

Un seul exemple suffit pour montrer le travail de l'Esprit-Saint dans le cœur de cette jeune sœur : *O Céline !*

---

39. La prieure pouvait lire les lettres écrites et reçues par les sœurs. Durant le priorat de Mère Agnès, Thérèse s'exprime sans aucune contrainte.

Comme c'est facile de faire plaisir à Jésus, de ravir son cœur, il n'y a qu'à l'aimer sans se regarder soi-même, sans trop examiner ses défauts... Ta Thérèse ne se trouve pas dans les hauteurs en ce moment mais Jésus lui apprend à tirer profit de tout, du bien et du mal qu'elle trouve en soi. Il lui apprend à jouer à la banque de l'amour ou plutôt non, Il joue pour elle sans lui dire comment Il s'y prend car cela est son affaire et non pas celle de Thérèse. Ce qui la regarde c'est de s'abandonner, de se livrer sans rien réserver, pas même la jouissance de savoir combien la banque lui rapporte. () Les directeurs font avancer dans la perfection en faisant faire un grand nombre d'actes de vertus et ils ont raison mais mon directeur qui est Jésus ne m'apprend pas à compter mes actes ; Il m'enseigne à faire tout *par amour, à ne rien Lui refuser, à être contente quand Il me donne une occasion de lui prouver que je l'aime, mais cela se fait dans la paix,* l'abandon. *C'est Jésus qui fait tout et moi je ne fais rien.*

Pour la première fois elle parle de l'abandon. Mais quelle souplesse et quel détachement en elle ! Car, à la même époque, elle s'astreint à retrouver «le chapelet de pratiques» de son enfance pour soutenir sœur Marthe qui, elle, a besoin de ces méthodes. Thérèse avoue être prise dans des *filets qui ne lui conviennent guère,* mais la charité fraternelle passe avant tout.

Elle continue ses confidences : *Céline, le bon Dieu ne me demande plus rien... dans les commencements* [postulat, noviciat] *Il me demandait une infinité de choses. J'ai pensé quelque temps que maintenant puisque Jésus ne demandait rien il fallait aller doucement dans la paix et l'amour en faisant seulement ce qu'Il me demandait... Mais j'ai eu une lumière. Ste Thérèse dit qu'il faut entretenir l'amour.* Entretenir ce feu de l'amour c'est rechercher toutes les petites occasions pour *"faire plaisir à Jésus",* () *par exemple, un sourire, une parole aimable alors que j'aurais envie de ne rien dire ou d'avoir l'air ennuyé, etc. etc.*

Ce qui compte, c'est l'être, non le paraître, le noyau et non ce qui le recouvre. Jésus dépouille pour signifier qu'il agit lui-même. *En se voyant dans une aussi grande pauvreté, ces pauvres petites âmes ont peur, il leur semble qu'elles ne sont bonnes à rien puisqu'elles reçoivent tout des autres et ne peuvent rien donner.*

Bonne à rien... Elle sait de quoi elle parle. Elle qui travaille à l'emploi de peinture, tandis que de robustes paysannes abattent vigoureusement les gros travaux de la communauté, a connu l'humiliation d'être considérée comme inutile. « Plusieurs ne cessaient de répéter qu'elle ne faisait rien, qu'il semblait qu'elle était venue au carmel pour s'amuser » (Mère Agnès).

Novice à vie (8 septembre 1893)

Habituellement, après trois ans de profession, une carmélite quitte le noviciat. Le 8 septembre 1893, sœur Thérèse demande à y rester définitivement. Il est vrai qu'ayant déjà deux sœurs au chapitre, elle ne pourra jamais y siéger de droit, ni être élue à aucune charge importante. Toujours la plus jeune, toujours la dernière, comme aux Buissonnets, comme à Alençon ! Mère Agnès trouve bon ce sacrifice [40] qui permet à sa sœur de continuer à veiller sur les deux novices qu'elle lui a confiées.

A sœur Marie-Madeleine, elle a imposé de rencontrer Thérèse une demi-heure chaque dimanche, pendant un an. Bien souvent, au lieu d'aller au rendez-vous convenu, la novice disparaît. Thérèse la rencontre enfin : « Je vous ai cherchée... – J'étais occupée... » Parfois la fugitive se cache au grenier pour échapper à la perspicacité aimante, mais sans faiblesse, de Thérèse.

Nommée aussi seconde portière, sous les ordres de sœur

---

40. Toute sa vie, sœur Thérèse devra donc demander des permissions, avoir un horaire et des réunions particulières, en un mot rester mineure. Rester au noviciat impliquait de n'être jamais une religieuse à part entière. « La simplicité, la docilité, la dépendance et l'assujettissement, voilà les principales vertus auxquelles les novices doivent sans cesse s'appliquer » *(Point d'exaction,* 1883, p. 26).

Saint-Raphaël, sous-prieure intérimaire, douce, très lente, remplie de « manies à éprouver un ange », Thérèse doit déployer des prodiges de patience. Son désir d'être humiliée trouve un parfait exaucement dans ces offices mineurs où aucune initiative n'est requise. Son aventure intérieure reste entièrement voilée aux yeux de ses compagnes. *La peine la plus amère est celle de n'être pas comprise.*

Désormais, elle peut jeûner comme toutes ses sœurs. Elle vient d'avoir vingt et un ans (2 janvier 1894). Seule manifestation d'indépendance pour cette majorité : elle abandonne l'écriture penchée que son « institutrice » Pauline lui imposait depuis l'enfance. Désormais, elle écrira selon sa nature : en écriture droite.

En prévision de la fête de la prieure (le 21 janvier), elle prépare deux cadeaux. Un tableau, « le rêve de l'Enfant-Jésus », inspiré par plusieurs compositions « poétiques » de Mère Agnès, et surtout, sa première récréation, dont elle emprunte le sujet à l'actualité.

1894 : l'année Jeanne d'Arc en France

Toute la France parle alors de Jeanne d'Arc. Pendant vingt ans, Mgr Dupanloup, évêque d'Orléans, a combattu pour la canonisation de la Lorraine. En 1869, le pape Pie IX fait entamer la procédure de préparation. Les procès de Jeanne édités par Quicherat (1841-1849), le livre de Michelet (1841) et d'innombrables publications, poésies, pièces de théâtre, ont sensibilisé tout le pays.

Léon XIII, le 27 janvier 1894, autorise l'introduction de la cause de béatification de Jeanne d'Arc. Elle reçoit dès lors le titre de Vénérable. On peut désormais l'honorer et la prier publiquement. Le 8 mai suivant, dans toute la France, auront lieu de grandes fêtes nationales. Républicains, royalistes, catholiques, anticléricaux, tous revendiquent l'héroïne nationale. A Lisieux, Céline, sa cousine Guérin, ses amies confectionnent douze oriflammes blancs qui orneront la cathédrale Saint-Pierre dont le chœur renferme – ô paradoxe – la dépouille de Pierre Cauchon [41]. Cinq mille personnes vont se presser, cette année-là, dans l'édifice.

Depuis son enfance, Thérèse a toujours aimé Jeanne d'Arc, sa *sœur chérie*. Lisant ses exploits, elle a même reçu une grâce qui l'a marquée. *Il me semblait sentir en moi la même ardeur dont elle était animée. () Je pensai que j'étais née pour la* gloire... *Le Bon Dieu me fit comprendre que ma gloire à moi ne paraîtrait pas aux yeux mortels, qu'elle consisterait à devenir une grande* Sainte! Elle se sent en profonde affinité avec cette jeune fille intrépide, martyre à dix-neuf ans. Le martyre, elle y pense souvent, depuis qu'elle a embrassé le sable du Colisée à Rome. En septembre 1891, le Congrès des loges maçonniques a appelé à la lutte anticléricale. Va-t-on revenir au temps des persécutions? Cette même année 1894, on célèbre le centenaire du martyre des seize carmélites de Compiègne, guillotinées sous la Révolution (17 juillet 1794) [42]. Sœur Thérèse aide sœur Thérèse de Saint-Augustin à coudre des oriflammes pour le carmel de Compiègne. Elle soupire : *Quel bonheur, si nous avions le même sort, la même grâce!*

Pour sa première tentative «théâtrale», sœur Thérèse voit grand. A Jeanne d'Arc, elle va consacrer deux récréations : l'une sur sa vocation, l'autre sur son agonie, sa mort et son triomphe. Pour ce faire, elle travaille sérieusement dans un livre récent d'Henri Wallon (1877) qui contient des extraits des procès. Auteur, metteur en scène, actrice, sœur Thérèse ne ménage pas sa peine. Tout en respectant l'histoire, elle prête à son héroïne des sentiments carmélitains. Dans sa première pièce, *la Mission de Jeanne d'Arc*

41. Pierre Cauchon fut évêque de Bayeux-Lisieux (1432-1442). Son cercueil fut découvert en 1931 dans la chapelle de la cathédrale Saint-Pierre où Thérèse, adolescente, assistait à la messe en semaine.

42. Mgr de Teil, postulateur de la cause de béatification des carmélites de Compiègne, fit une conférence sur ce sujet au carmel de Lisieux en septembre 1896. Thérèse fut «transportée» par ce récit. On a retrouvé dans son bréviaire plusieurs images des martyres qui furent béatifiées le 27 mai 1906. En janvier 1909, Mgr de Teil deviendra vice-postulateur de la cause de sœur Thérèse de l'Enfant-Jésus.

ou la Bergère de Domrémy écoutant ses voix, elle souligne l'effroi de cette *enfant* attirée par la solitude, la prière, à qui l'Ange saint Michel veut confier une épée. Après une longue résistance, elle l'accepte enfin. L'ordre du messager revient comme un refrain : *Il faut partir !*

Qui doit partir ? Jeanne pour Chinon ou Thérèse pour un carmel d'Indochine ? Ou pour l'aventure, plus redoutable encore, de la sainteté sur *les flots de la confiance et de l'amour ?*

Le jour de la représentation, la communauté ne se doute pas de cette identification de l'actrice avec l'héroïne lorraine et se contente d'applaudir celle qui a pris son rôle très au sérieux.

Ce long travail stimule sœur Thérèse et l'incite à développer ce mode d'expression tout nouveau pour elle. En ce printemps 1894, sollicitée par des sœurs qui découvrent ses talents, elle se met à composer de nombreux cantiques [43]. Quatre en avril et mai. Pour les vingt-cinq ans de Céline, elle ose même écrire spontanément un poème de cent douze vers, *Sainte Cécile. La sainte de l'abandon* aidera sa sœur à vivre, dans l'indécision de son avenir, *le parfait abandon, ce doux fruit de l'amour.*

« Un mal de gorge persistant »

Depuis quelque temps, les poussières du balayage, les buées de la vaisselle ou de la lessive, font souvent tousser sœur Thérèse. Malgré quelques applications de nitrate d'argent, ses maux de gorge ne cessent pas. Elle éprouve parfois des douleurs dans la poitrine. Au cours de l'été, le mal persiste et provoque quelques inquiétudes dans sa famille. Au carmel, on voudrait que Francis La Néele puisse ausculter sa cousine. Mère Agnès n'ose pas. Le docteur de Cornière, grand ami de Mère Marie de Gonzague, reste le médecin officiel de la communauté. Malgré son

---

43. Toutes les poésies de Thérèse sont faites pour être chantées.

savoir-faire, la nouvelle prieure a du mal à prendre son autonomie : «C'est pourtant Mère Marie de Gonzague qui avait travaillé à mon élection, mais elle ne pouvait souffrir que je prenne trop d'autorité. Ce que j'ai souffert et pleuré pendant ces trois ans !»

Sa jeune sœur fera souvent les frais de cette rivalité. Francis se contente de lui donner quelques médicaments.

La mort du père (29 juillet 1894)

Pour l'instant, les véritables inquiétudes viennent d'un autre côté. La santé de M. Martin se détériore. Auguste, son domestique, s'adonnant de plus en plus à la boisson – autre souci pour Céline –, les Guérin envisagent un nouveau déménagement pour le vieillard souvent inconscient. Il revient chez eux, rue Paul-Banaston. Le dimanche 27 mai, il subit une violente attaque, son bras gauche est paralysé. Le malade reçoit l'extrême-onction. Le 5 juin, crise cardiaque. Le 4 juillet, on le transporte pourtant à la Musse. Le « patriarche » s'y éteint doucement le dimanche 29 juillet. Céline est à son chevet : «Son regard était plein de vie, de reconnaissance et de tendresse ; la flamme de l'intelligence l'illuminait. En un instant, je retrouvais mon père bien-aimé tel qu'il était cinq ans auparavant...»

L'inhumation a lieu à Lisieux le 2 août. Ainsi s'achève le *terrible martyre* du chef de famille, *sa glorieuse épreuve.*

D'abord sa dernière fille se tait. Puis, fin août, elle écrit à ses sœurs. A Céline : *Après une mort de cinq ans, quelle joie de le retrouver toujours le même, cherchant comme autrefois les moyens de nous faire plaisir.* A Léonie (de nouveau en difficulté à la Visitation de Caen) : *La mort de Papa ne me fait pas l'effet d'une mort mais d'une véritable* vie. *Je le retrouve après six ans d'absence, je le sens autour de* moi *me regardant et me protégeant.*

En ces semaines où elle médite sur la vie et la mort de son père, elle compose spontanément (pour la seconde fois) la *Prière de l'enfant d'un saint,* neuf strophes évoquant le patriarche au milieu de ses neuf enfants. Elle se réserve les quatre strophes finales :

> *Rappelle-toi que la main du Saint-Père*
> *Au Vatican sur ton front se posa*
> *Mais tu ne pus comprendre le mystère*
> *Du sceau divin qui sur toi s'imprima...*
> *Maintenant tes enfants t'adressent leur prière*
> *Ils bénissent ta Croix et ta douleur amère !*
> *Sur ton front glorieux*
> *Rayonnent dans les Cieux*
> *Neuf lys en fleur ! ! !*

En toute vérité, elle peut maintenant signer ce poème *l'orpheline de la Bérésina,* ce nom que lui donnait son père autrefois. Un jour, soudain, elle a compris le sens de la vision des Buissonnets [44]. En évoquant ce passé mystérieux avec sœur Marie du Sacré-Cœur, la lumière a jailli en chacune. *Comme la Face Adorable de Jésus qui fut voilée pendant sa Passion, ainsi la face de son fidèle serviteur devait être voilée aux jours de ses douleurs, afin de pouvoir rayonner dans la Céleste Patrie auprès de son Seigneur, le Verbe Eternel !* Il aura fallu quinze ans pour qu'elle comprenne sa vision d'enfance : *Pourquoi est-ce à moi que le Bon Dieu a donné cette lumière ? () Il proportionne les épreuves aux forces qu'Il nous donne. Jamais je n'aurais pu* (alors) *supporter même la pensée des peines amères que l'avenir me réservait...*

« Un grand désir » enfin comblé ! (14 septembre 1894)

La mort de son père libère Céline du secret qu'elle porte difficilement depuis environ deux ans. Le choix va s'imposer entre une vie active à Béthanie, au Canada, ou une vie contemplative au carmel à Lisieux. Tollé de ses trois sœurs

44. Cf. *supra,* p. 40.

lorsqu'elle leur fait part de sa perplexité. Toutes font bloc contre le projet du P. Pichon. Thérèse pleure tellement qu'elle en a des maux de tête. Elle en a « gros sur le cœur ! » et écrit une lettre de reproches à son directeur. Elle *ne lui en veut pas* mais, quant à elle, la vocation de Céline ne lui cause aucun doute : sa place est au carmel. Elle balaye les scrupules de sa sœur : qu'elle ne craigne pas de céder à l'affection fraternelle. *J'ai tant souffert pour toi que j'espère n'être pas un obstacle à ta vocation. Notre affection n'a-t-elle pas été épurée comme l'or dans le creuset ?* Céline se décide pour la voie à laquelle elle pense depuis si longtemps.

Nouveaux combats pour le carmel ! Le 8 août, Céline écrit à M. Delatroëtte : qu'il l'admette au moins comme sœur converse. La réponse est raisonnable. Il craint que « l'entrée d'une quatrième sœur ne soit opposée à l'esprit et même à la lettre de la Règle ». Mère Marie de Gonzague pèse de tout son poids en faveur de l'admission. Mais sœur Aimée de Jésus s'oppose formellement au renforcement du « clan Martin » et surtout à l'entrée d'une « artiste, inutile à la communauté ». En famille, Céline doit subir les oppositions « acharnées » de Jeanne et de Francis et se heurte aux hésitations de l'oncle Isidore.

Soudain tout s'aplanit. Le P. Pichon capitule. « Je ne doute pas. Je n'hésite plus. La volonté de Dieu me paraît manifeste. » Le chanoine Delatroëtte baisse aussi pavillon. Mgr Hugonin ratifie. L'entrée de la postulante Céline Martin est fixée au vendredi 14 septembre 1894, en la fête de l'Exaltation de la Sainte Croix. Jamais, sans doute, depuis sainte Thérèse d'Avila, un carmel n'avait accueilli quatre sœurs de la même famille. La réformatrice espagnole ne l'eût pas admis qui écrivait le 22 juillet 1579 : « Aucun monastère ne se trouve bien de réunir trois sœurs [45]. »

Reste l'opposition de sœur Aimée de Jésus. Alors, pendant une messe, Thérèse demande un signe : si son père est

---

45. *Correspondance,* DDB, trad. Marcelle Auclair, p. 562.

allé droit au ciel, que sœur Aimée admette l'entrée de Céline. Et voilà qu'au sortir de la chapelle, la sœur l'entraîne chez la prieure pour déclarer qu'elle n'a rien contre l'entrée d'une quatrième sœur Martin. Thérèse rend grâces... sa prière a été rapidement exaucée !

Ainsi est comblé au-delà de toute espérance un de ses plus grands désirs, celui qui lui semblait le plus irréalisable de tous. Une fois encore, elle vient d'expérimenter que le Père ne met des désirs au cœur de ses enfants que pour les réaliser. Elle vérifie la justesse de la parole de Jean de la Croix : « Plus Dieu veut nous donner, plus il nous fait désirer. »

Pressentiments

Mort du père, incertitudes concernant Céline, soucis du noviciat, santé qui se dégrade... tout cela contribue à former en Thérèse des impressions, des pressentiments. A Céline, elle écrit des lettres aux phrases sibyllines. *Ne crains rien, ici tu trouveras plus que partout ailleurs la Croix et le* martyre !... *Nous souffrirons ensemble, comme autrefois les chrétiens qui s'unissaient afin de se donner plus de courage à l'heure de l'épreuve...* Pourquoi ajoute-t-elle : *Et puis Jésus viendra, Il prendra l'une d'entre nous. () Si je meurs avant toi, ne crois pas que je m'éloignerai de ton âme.* Craignant d'affoler sa sœur, elle se reprend : *Mais surtout ne te fais pas de peine, je ne suis pas malade.*

Dans le même sens, qu'a-t-elle écrit au P. Pichon, pour qu'il lui réponde le 19 mars : « Ne vous hâtez pas trop d'arriver au face à face éternel », et, un peu plus tard : « Est-il vrai que vous êtes si pressée d'aller au Ciel ? () Si Jésus vient vous chercher, vous resterez ma petite fille au Ciel. » Et pourquoi cette strophe finale d'une poésie ?

> *Je volerai bientôt, pour dire tes louanges*
> *Quand le jour sans couchant sur mon âme aura lui*
> *Alors je chanterai sur la lyre des Anges*
>   *L'Eternel Aujourd'hui !...*

144

La famille reste sur le qui-vive : «Sœur Thérèse de l'Enfant-Jésus ne va pas pire, mais elle garde toujours ses heures de mal de gorge ; le matin et le soir vers 8 h 1/2 cela la prend, puis elle est un peu enrouée. Enfin nous la soignons de notre mieux» (Mère Agnès à Céline). Les résultats de ces soins ne sont guère encourageants. Quatre mois plus tard, Marie Guérin s'inquiète encore. «Que ma petite Thérèse se soigne bien, je lui ai trouvé la voix bien changée hier ; aussi je l'ai consultée à Francis *(sic)*. Il faut absolument qu'elle se soigne *énergiquement.* Pour le moment, il n'y a rien de grave, mais cela peut le devenir d'un jour à l'autre et alors il n'y aura plus de remède. () Il faut qu'elle se soigne sans relâche (), soit bien obéissante au médecin : Francis est spécialiste de ces maladies-là.» Elle ne précise pas laquelle.

Un noviciat en expansion

Ces soucis de santé n'empêchent pas sœur Thérèse d'avoir une activité de plus en plus importante au noviciat dont l'effectif a doublé. Le 16 juin est entrée Marie-Louise Castel, vingt ans, une «parisienne» très vive [46], qui a déjà passé deux ans au carmel de la rue de Messine à Paris. S'intégrer à cette nouvelle communauté ne lui est pas facile. Mère Agnès la confie à sœur Thérèse. «L'Ange» a beaucoup à faire car sœur Marie Agnès de la Sainte-Face [47] doit faire des progrès. Au bout d'un mois, Thérèse peut écrire de sa «fille» : *Je crois qu'elle* restera, *elle n'a pas été élevée comme nous, c'est bien malheureux pour elle, son éducation est cause de ses manières peu* attrayantes *mais dans le fond elle est bonne. Maintenant elle m'aime bien, mais je tâche de ne la toucher qu'avec des* gants *de soie blanche...*

46. Elle était née à Saint-Pierre-sur-Dives (Calvados), mais passa une grande partie de sa jeunesse à Paris.
47. Elle prendra le nom de Marie de la Trinité à sa profession, le 30 avril 1896.

Le noviciat le 28 avril 1895: de g. à dr., Marie de la Trinité, Marthe, Thérèse, Marie-Madeleine, Mère Marie de Gonzague, Céline.

Désormais, sœur Thérèse n'est plus la benjamine du carmel: la nouvelle novice est sa sœur cadette. Une amitié de plus en plus profonde va les rapprocher.

Le 14 septembre arrive une quatrième postulante qui compte beaucoup: Céline enfin! Les premières effusions passées – elles se retrouvent après six années de séparation –, l'aînée s'affronte à de rudes difficultés. Elle arrive avec la vigueur de ses vingt-cinq ans, son tempérament indépendant, son franc-parler. Après avoir soigné son père, dirigé une maison, refusé deux demandes en mariage, il ne lui est pas aisé de se plier à tous les détails minutieux de la vie carmélitaine. Jeune fille moderne, elle a été l'élève de Krug en peinture et s'est passionnée pour une technique récente, la photographie. Sa sœur prieure l'a autorisée à apporter en clôture son gros appareil, une chambre 13/18 objectif Darlot, avec tout le matériel de développement. Fêtes, professions, récréations resteront désormais fixées sur les plaques de verre par sœur Marie de la Sainte-Face (son premier nom de religieuse, bientôt changé pour celui de Geneviève de Sainte-Thérèse). Initiée par sa «petite» sœur à la vie conventuelle, elle découvre avec stupeur que celle-ci, en six ans, a parcouru un chemin considérable. Où est le temps où les deux sœurs échangeaient de belles effusions spirituelles dans leur correspondance? Ici, il faut baisser les yeux en marchant, se déplacer sans courir, se taire, supporter sans répondre quelque remarque désobligeante, obéir. «Jamais je n'y arriverai...» gémit la novice dont la bonne volonté ne peut vaincre un tempérament peu commode. Thérèse est là, qui la réconforte, guide ses pas, lui apprend à se supporter elle-même sans se décourager.

Les novices avancent ainsi, pas à pas. Le 20 novembre, sœur Marie-Madeleine fait profession et, le 18 décembre, sœur Marie-Agnès, la jeune «parisienne», prend l'habit. Pour chacune, la doyenne du noviciat compose des vers de circonstance où l'on perçoit la fine connaissance qu'elle a déjà acquise de ses compagnes.

La grande découverte : «Une petite voie toute nouvelle» (vers la fin 1894-début 1895)

En cette fin d'année 1894, sœur Thérèse de l'Enfant-Jésus s'interroge. Voici maintenant plus de six ans qu'elle est carmélite. Elle a beaucoup souffert, elle a beaucoup lutté, sans renier son aspiration à la sainteté. Mais lorsqu'elle se compare aux «grands saints» dont on lit la vie au réfectoire ou à l'office de matines, elle ressent profondément l'abîme qui les sépare. Paul, Augustin, Thérèse d'Avila, par leurs mortifications, leurs vertus, leurs charismes divers, sont des géants, des montagnes inaccessibles. Elle, elle n'est qu'un *grain de sable obscur*. Ne tombe-telle pas souvent dans des imperfections ? Ne dort-elle pas souvent à l'oraison ? Devant cette évidence, comment ne pas se décourager ? La sainteté, contrairement à ce qu'elle a pu croire durant son noviciat, apparaît vraiment comme *impossible*. Après cette expérience inévitable, combien d'existences consacrées se résignent à la médiocrité !... Mais sœur Thérèse, conformément à la résolution de sa première communion, ne *se décourage jamais*. Jean de la Croix lui a appris que Dieu ne saurait inspirer des désirs irréalisables. Donc, raisonne-t-elle, *je puis malgré ma petitesse aspirer à la sainteté*. Mais que faire pour se grandir à la hauteur des géants ? Ayant maintenant l'expérience de la vanité des efforts volontaristes, elle sait qu'elle ne le peut à la force des poignets. Elle doit *se supporter telle qu'elle est, avec toutes ses imperfections*. Alors ? Il faut chercher encore. N'y aurait-il pas *une petite voie bien droite, bien courte, toute nouvelle* pour parvenir à cet amour total dont le P. Prou lui a indiqué la direction ? Aucun secours du P. Pichon qui ne lui écrit plus. Pas d'aide non plus au sein du carmel où la crainte retient les sœurs d'avancer sur des chemins qu'elles estiment dangereux.

Thérèse réfléchit, prie. En cette fin du XIXe siècle, les inventions se sont multipliées : électricité, téléphone, automobiles, photographie, machines diverses... Durant son voyage en Italie, elle s'est amusée à prendre les ascenseurs : en un instant, on se trouvait au sommet des immeubles. N'y aurait-il pas un moyen semblable pour parvenir rapidement – le temps presse – à la sainteté ? Sinon, si elle meurt jeune, qu'aura été sa vie ?

Dans ses bagages, Céline avait apporté des carnets dans lesquels elle avait copié des passages de l'Ecriture tirés des Bibles qui se trouvaient chez les Guérin. Privée de l'Ancien Testament, Thérèse n'a pas tardé à les lui emprunter et en a fait l'inventaire « avec enthousiasme ». Un jour, elle tombe sur un texte du carnet de Céline : *Si quelqu'un est* tout petit *qu'il vienne à moi !* Ce verset 4 du chapitre 9 du livre des Proverbes la frappe d'une vive lumière. Ce *tout-petit,* c'est elle. Pas d'hésitation. *Alors je suis venue!* Devinant qu'elle est en train de trouver la solution du problème vital qui la hante, elle se demande ce que Dieu va faire au tout-petit qui vient vers lui avec confiance. Un passage d'Isaïe lui répond: *Comme une mère caresse son enfant, ainsi je vous consolerai, je vous porterai sur mon sein et je vous balancerai sur mes genoux! (66,13-12).*

Lumière! Lumière! Thérèse est transportée de joie. Le voilà l'ascenseur qu'elle cherchait! Ce sont les bras de Jésus qui la porteront au sommet de la sainteté. Elle tire les conséquences de cette vérité merveilleuse: pour être portée dans les bras de Dieu, il faut non seulement rester petite, mais le devenir de plus en plus! Le renversement est total, conformément au paradoxe évangélique. Alors de son cœur jaillit une profonde action de grâces: *O mon Dieu, vous avez dépassé mon attente et moi je veux chanter vos miséricordes.*

Ces deux paroles bibliques arrivent à point pour lui faire franchir une étape irréversible. Elle jubile dans la certitude. Oui, le P. Prou avait raison. Il faut avancer avec hardiesse, comme Pierre sur le lac de Tibériade, *sur les flots de la* confiance *et de* l'amour. La petitesse de Thérèse, ses impuissances deviennent la raison même de sa joie car elles sont le lieu où s'exerce l'Amour Miséricordieux.

A partir de ce jour, elle va souvent signer ses lettres *la toute petite Thérèse* en référence évidente à cet euréka qui va accélérer sa *course de géant.* Tant pis pour ceux qui ne verront dans cette signature qu'une allusion à sa situation familiale, ou pire, une mièvrerie. Pour elle, les expressions *toute petite, rester petite* feront désormais référence à cette découverte de cette fin d'année 1894. Ce qui est impossible à l'homme ne l'est pas pour Dieu: il suffit de s'abandonner totalement à sa Miséricorde de Père. De plus en plus, sœur Thérèse de l'Enfant-Jésus va expérimenter la vérité de *cette voie de confiance et d'amour* dans sa vie quotidienne. Rien, plus jamais, ne sera comme avant.

Nombreuses « écritures »

Le travail ne lui manque pas. Une tâche dont elle n'avait pas l'habitude s'impose de plus en plus à elle : elle doit beaucoup écrire, composer. Jusqu'ici, elle a à son actif une quinzaine de poésies et une récréation. Il faut maintenant songer à une pièce pour Noël et à une autre pour la fête de la prieure. Pour de tels travaux qui demandent du temps, elle ne dispose que d'une petite heure de midi à 13 h, d'une autre de 20 à 21 h. Mais ses responsabilités au noviciat, les imprévus de la vie commune (on la sait si serviable), dévorent ces brefs instants : « Elle consacrait ses temps libres aux poésies et les donnait tellement aux autres que pour elle-même, elle n'en trouvait plus. » Elle avouera pourtant un désir : *Si j'avais le temps, j'aimerais commenter le Cantique des Cantiques, j'ai découvert dans ce livre des choses si profondes sur l'union de l'Ame avec son Bien-Aimé !* Belle audace pour une si jeune carmélite. Vouloir entreprendre une pareille tâche si bien illustrée par sa patronne espagnole et Jean de la Croix ! Faute de temps, elle doit se contenter de citer quelques versets et de les commenter à la hâte [48].

Pour Noël, elle compose *les Anges à la crèche*. La forme « théâtrale » reste très légère : autour du nouveau-né se succèdent cinq anges, chantant à tour de rôle leur couplet. Après l'ange de l'Enfant-Jésus, ceux de l'Eucharistie, de la Sainte-Face, de la Résurrection, intervient l'ange du Jugement dernier. Au nom de la Justice divine, il menace les pécheurs de ses foudres vengeresses. L'Enfant Jésus ne sort de son silence que pour le faire taire.

Depuis sa grande découverte, Thérèse ne voit toutes les perfections de Dieu qu'à travers la Miséricorde. *La Justice même (lui) semble revêtue d'Amour.* Voici ce qu'elle essaie de transmettre en ces cantiques malhabiles à certaines de

---

48. Elle le fait dans 35 de ses lettres, 12 poésies, 5 récréations. Il semble qu'elle n'ait jamais eu en main le texte intégral, mais elle a connu le Cantique des Cantiques par la liturgie, Jean de la Croix, etc.

ses sœurs qui n'ont que la Justice de Dieu à la bouche. *Vous voulez de la justice de Dieu ?* avait-elle dit un jour à la sous-prieure, sœur Fébronie de la Sainte-Enfance, *vous aurez de la justice de Dieu. L'âme reçoit exactement ce qu'elle attend de Dieu. () C'est cette justice qui effraie tant d'âmes, qui fait le sujet de ma joie et de ma confiance.*

Durant la scène finale, tous les anges à genoux (y compris l'Exterminateur converti !) envient les hommes qui sont appelés à devenir des dieux. *Ah ! s'ils pouvaient eux-mêmes devenir enfants !* Mais les carmélites ont-elles saisi toute la densité spirituelle de ces pauvres vers ?

Importante encore – théâtralement beaucoup plus spectaculaire –, la récréation jouée un mois plus tard : le second volet de la vie de la jeune Lorraine, *Jeanne d'Arc accomplissant sa Mission.* Gros efforts de l'auteur qui n'a pas mis moins de seize personnages en scène. Répétitions, confection des costumes et accessoires, le noviciat est mobilisé.

La fiction risque de devenir réalité : les réchauds à alcool destinés à figurer le bûcher, mettent le feu aux décors. Jeanne-Thérèse manque d'être brûlée. A la prieure qui lui ordonne de ne pas bouger tandis qu'on éteint le feu, elle obéit. Plus tard, elle dira qu'elle était prête à mourir.

Malgré l'incendie, vite maîtrisé, le succès est total. Cinq photographies de Céline montrent, portant perruque châtain, oriflamme et épée en main, vivant intensément le rôle et l'action, une Thérèse de vingt-deux ans, devenue en quelque sorte l'héroïne qu'elle incarne. Clichés qui confirment le texte de sa pièce où elle s'identifie à la jeune fille emprisonnée. Jeanne n'accepte son supplice qu'en référence à celui de Jésus. Le texte biblique de la Sagesse sur le sens de la mort prématurée du juste, éclaire la prisonnière. « Ayant peu vécu, il a rempli la course d'une longue vie, car son âme était agréable à Dieu... »

Qui parle, en effet ? Jeanne d'Arc ou sœur Thérèse de l'Enfant-Jésus ?

Seigneur, pour votre amour, j'accepte le martyre
Je ne redoute plus ni la mort ni le feu
C'est vers vous, ô Jésus ! que mon âme soupire
Je n'ai plus qu'un désir, c'est vous voir ô mon Dieu.()
Mourir pour votre amour, je ne veux rien de plus
Je désire mourir pour commencer à vivre
Je désire mourir pour m'unir à Jésus.

« L'actrice » qui avait écrit ces vers et les disait devant sa communauté les prenait totalement à son compte, ce 21 janvier 1895.

L'ÉPANOUISSEMENT
Janvier 1895-avril 1896

> *« Je n'ai plus de grands désirs si ce n'est celui d'aimer jusqu'à mourir d'amour. »*

Ecrire ses souvenirs... à vingt-deux ans

Un soir de cet hiver 1894-1895, les sœurs Martin en récréation au chauffoir devisent joyeusement. Avec son talent habituel de conteuse, la plus jeune évoque quelques souvenirs des Buissonnets. Soudain, sa marraine s'adresse à la prieure : « Est-il possible que vous lui laissiez faire des petites poésies pour faire plaisir aux unes et aux autres et qu'elle ne nous écrive rien de ses souvenirs d'enfance ? Vous verrez, c'est un Ange qui ne restera pas longtemps sur la terre, et nous aurons perdu tous ces détails si intéressants pour nous. » Mère Agnès hésite. Ce n'est pas l'habitude d'écrire sa vie au carmel et sa petite sœur ne manque pas de besogne ! Marie du Sacré-Cœur insiste, Thérèse rit : on se moque d'elle, elle n'est pas douée pour

152

Thérèse en Jeanne d'Arc (janvier 1895).

une telle tâche. Mère Agnès parle sérieusement : «Je vous ordonne de m'écrire tous vos souvenirs d'enfance. – Que voulez-vous que j'écrive que vous ne sachiez déjà?» Mais il ne reste qu'à obéir.

La difficulté première : trouver du temps alors que les journées sont déjà si courtes. Fin janvier 1895, sœur Thérèse se met à l'œuvre, généralement le soir, après les complies et les jours de fête. Elle s'est procuré un petit cahier écolier à 0,10 centime, d'une trentaine de pages. Dans sa cellule du premier étage, assise sur son petit banc, elle s'appuie sur l'écritoire trouvée au grenier, mal éclairée par la lampe dont elle remonte la mèche avec une épingle.

Avant de commencer, elle prie la Vierge du sourire placée dans son avant-cellule, puis ouvre son Evangile au hasard. Elle tombe sur ce passage : «Jésus étant monté sur une montagne, il appela à Lui ceux qu'il *lui plut*, et ils vinrent à Lui» (Marc 3,13). Ces lignes lui semblent parfaitement adaptées à sa propre histoire. *Voilà bien le mystère de ma vocation, de ma vie tout entière et surtout le mystère des privilèges de Jésus sur mon âme... Il n'appelle pas ceux qui en sont dignes, mais ceux qu'il lui plaît ou comme le dit saint Paul :* «*Dieu a pitié de qui Il veut et Il fait miséricorde à qui Il veut faire miséricorde. Ce n'est donc pas l'ouvrage de celui qui veut ni de celui qui court, mais de Dieu qui fait miséricorde.*» *(Epître aux Romains, 9,15-16).*

Ainsi, dans ces conditions précaires, sans plan, au fil de la plume et de l'inspiration, sans ratures, sans brouillon, sœur Thérèse va, tout au long de l'année 1895, faire une relecture de sa vie à la lumière de la Parole de Dieu et de la découverte de la petite voie. *Je me trouve à une époque de mon existence où je puis jeter un regard sur le passé; mon âme s'est mûrie dans le creuset des épreuves extérieures et intérieures; maintenant, comme la fleur fortifiée par l'orage, je relève la tête et je vois qu'en moi se réalisent les paroles du psaume XXII : Le Seigneur est mon Pasteur, je ne manquerai de rien...*

L'ordre de Mère Agnès ne pouvait tomber à un meilleur moment. Venant de découvrir les abîmes de la Miséricorde divine, sœur Thérèse comprend mieux le sens de tout ce qu'elle a vécu jusqu'à maintenant. A travers tant de souffrances diverses qu'elle raconte, elle constate que l'Amour ne l'a jamais abandonnée. Ni au moment de la mort de sa mère, ni lors du départ de ses sœurs, de sa maladie, de ses difficultés affectives, de ses scrupules, de la passion de son père, parmi les épines de ses débuts au carmel, en aucune circonstance, Dieu ne l'a délaissée. Tout au long de ses six petits cahiers – car le premier sera vite rempli –, elle va donc chanter une seule réalité, *les Miséricordes du Seigneur !* Ces pages expriment son Magnificat. Elle ne raconte pas sa vie au sens strict mais, dans l'*histoire de son âme, les grâces que le bon Dieu lui a faites.* Sa conversion de Noël 1886 n'a pas été un mirage, mais le début de cette *course de géant* non encore terminée. D'où le ton allègre de ces souvenirs, leur humour souriant, car ce qui a pu lui paraître dramatique autrefois, s'éclaire à présent de la lumière de l'Amour Miséricordieux dont elle se sait aimée, gratuitement. Amour qui lui paraît *fou. Quel bonheur de souffrir pour Celui qui nous aime à la folie et de passer pour folles aux yeux du monde. Il était fou notre Bien-Aimé de venir sur la terre chercher des pécheurs pour en faire ses amis. () Quel bonheur que Dieu se soit fait homme pour que nous puissions l'aimer ; sans cela nous n'oserions pas.*

Ce *cahier d'obéissance* va lui devenir un compagnon tout au long de la belle année 1895. Céline est la première lectrice, à mesure que sa sœur remplit les petits cahiers. Un jour, « avec enthousiasme », elle lui dit : « C'est à imprimer ! vous verrez que cela servira plus tard ! » Thérèse se contente de rire de bon cœur, trouvant cette réflexion « ridicule ». *Je n'écris pas pour faire une œuvre littéraire, mais par obéissance.*

« Vivre d'amour » (26 février 1895)

Durant ce même temps, elle compose – sur demande – une douzaine de poésies et quatre récréations. Elle est devenue « le poète de la communauté », à « l'apogée de sa gloire », après le succès de sa seconde Jeanne d'Arc. Mais peu lui importent les genres littéraires : lettres, poésies, récréations ou souvenirs pour Mère Agnès. En chaque écrit, elle exprime profondément son cœur, ses désirs, son amour passionné de Jésus, sans *s'inquiéter du style.*

S'il faut en croire sœur Thérèse de Saint-Augustin qui pense être une des amies intimes de Thérèse, en ce printemps, elle aurait reçu d'elle cette confidence : « *Je mourrai bientôt.* » Durant l'adoration du Saint-Sacrement (dite des Quarante Heures), elle a composé spontanément quinze strophes de *Vivre d'Amour,* « le roi de ses cantiques », estimait Céline. Le soir du mardi-gras, elle les retranscrit de mémoire. La dernière est révélatrice de ce qu'elle vit :

> *Mourir d'amour, voilà mon espérance*
> *De son Amour je veux être embrasée*
> *Je veux le voir, m'unir à lui toujours*
> *Voilà mon Ciel... voilà ma destinée :*
> *Vivre d'Amour ! ! !*

« Je m'offre comme victime d'holocauste à l'Amour Miséricordieux » (9-11 juin 1895)

Le matin du dimanche 9 juin, la communauté assiste à la messe de la Sainte Trinité. Une soudaine inspiration surgit en sœur Thérèse : elle doit s'offrir en victime d'holocauste à l'Amour Miséricordieux. Cette conviction forte s'impose à elle. A peine sortie de la chapelle, elle entraîne Céline, étonnée, à la suite de Mère Agnès qui se dirige vers le tour. Le visage empourpré, émue et embarrassée, elle balbutie qu'elle voudrait, avec sa novice, s'offrir en victime à l'Amour... Préoccupée par d'autres soucis et sans y attacher d'importance, la prieure accorde la permission.

Ravie, Thérèse s'isole avec Céline. « Le regard enflammé », elle lui exprime brièvement son projet. *Je pensais aux âmes qui s'offrent comme victimes à la Justice*

156

de Dieu afin de détourner et d'attirer sur elles les châti-ments réservés aux coupables. L'année précédente, on avait lu au réfectoire l'étonnante histoire de Mère Agnès de Jésus (de Langeac) qui s'était offerte en victime à la Justice de Dieu. Thérèse savait aussi que, dans son propre carmel, sœur Marie de la Croix s'était offerte en victime et était morte en 1882, après trente-trois ans de souffrances. Plus près encore, sa chère Mère Geneviève avait suivi cette route.

Très nettement la jeune Thérèse prend ses distances vis-à-vis de cette spiritualité. *Cette offrande me semblait grande et généreuse, mais j'étais loin de me sentir portée à la faire.* Elle veut s'offrir, elle, non à la Justice, mais à l'Amour Miséricordieux. Elle rédige donc son acte d'offrande et le mardi 11 juin, agenouillée avec Céline devant la statue de la Vierge du sourire, elle le prononce, en son nom et au nom de sa sœur. *O Mon Dieu ! Trinité Bienheureuse, je désire vous* Aimer *et vous faire* Aimer, *travailler à la glorification de la Sainte Eglise en sauvant les âmes qui sont sur la terre et délivrant celles qui souf-frent dans le purgatoire. Je désire accomplir parfaitement votre volonté et arriver au degré de gloire que vous m'avez préparé dans votre royaume, en un mot, je désire être Sainte, mais je sens mon impuissance et je vous demande, ô mon Dieu ! d'être vous-même ma Sainteté.*

Cet acte d'offrande épouse le mouvement intérieur qui a animé la découverte de la voie de confiance. Mais autre en est l'expression symbolique. Le feu a remplacé l'ascen-seur, l'holocauste étant le sacrifice total de la victime consu-mée par le feu de l'Amour. *Afin de vivre dans un acte de parfait Amour, JE M'OFFRE COMME VICTIME D'HOLOCAUSTE À VOTRE AMOUR MISÉRICOR-DIEUX, vous suppliant de me consumer sans cesse, lais-sant déborder en mon âme, les flots de Tendresse Infinie qui sont renfermés en vous et qu'ainsi je devienne* Martyre *de votre* Amour, *ô mon Dieu !... Que ce* Martyre *après m'avoir préparée à paraître devant vous me fasse enfin mourir et que mon âme s'élance sans retard dans l'éternel embrasement de* Votre Miséricordieux Amour... *Je veux, ô mon* Bien Aimé, *à chaque battement de mon cœur vous renouveler cette offrande un nombre infini de fois jusqu'à ce que les ombres s'étant évanouies, je puisse enfin vous redire mon* Amour *dans un* Face à Face Eternel !...

Nouvelle étape décisive dans cette vie cachée. Céline ne comprend pas trop où elle a été engagée. Thérèse, elle, le sait : elle vient d'aller jusqu'au bout de la voie qu'elle a découverte. A Celui qui a donné sa vie pour elle, elle ne peut que vouloir donner la sienne, totalement. *Aimer, c'est tout donner et se donner soi-même*(). *Amour pour amour.*

Quelques jours plus tard (le vendredi 14 juin ?), alors qu'elle commence au chœur un chemin de croix privé, elle est *prise d'un si violent amour pour le bon Dieu* qu'elle se croit tout entière plongée dans le feu. *Je brûlais d'amour et je sentais qu'une minute, une seconde de plus, je n'aurais pu supporter cette ardeur sans mourir.* Pour elle, c'est la confirmation de l'acceptation de son offrande.

Elle retombe aussitôt dans sa sécheresse habituelle. A Mère Agnès elle confie cette grâce. La prieure n'y prête guère attention. Volontairement ? Ce « mysticisme » l'inquiète quelque peu. Car sa sœur pressent maintenant que cette offrande décisive ne la concerne pas seule. *O mon Dieu ! votre Amour méprisé va-t-il rester en votre Cœur ?* Il veut se répandre sur tous.

Après Céline, elle veut entraîner sa marraine, un jour qu'elles fanent ensemble l'herbe du petit pré. *Voulez-vous vous offrir en victime à l'Amour Miséricordieux du bon Dieu ?* – Bien sûr que non, répond sœur Marie du Sacré-Cœur. Le bon Dieu me prendrait au mot et la souffrance me fait bien trop peur. – *Je vous comprends bien, mais s'offrir à l'Amour ce n'est pas du tout la même chose que de s'offrir à sa justice. On ne souffre pas davantage. Il s'agit uniquement de mieux aimer Dieu pour ceux qui ne veulent pas l'aimer.* Sa filleule se montre si éloquente que Marie accepte de faire la démarche.

Sœur Thérèse n'hésite pas à proposer l'acte d'offrande aux novices. A Marie de la Trinité et même à sa cousine

Marie Guérin, sœur Marie de l'Eucharistie, depuis le 15 août [49]. Devant l'ardeur de la prosélyte, la prieure s'interroge. Le noviciat ne risque-t-il pas de s'engager sur un chemin dangereux sous l'influence de sa dernière sœur ? Est-il prudent de laisser toutes ces jeunes s'offrir en victimes ?

Mère Agnès consulte le prédicateur de la retraite annuelle. Le P. Lemonnier, missionnaire de la Délivrande, ayant déjà prêché en octobre 1893 et 1894, connaît sœur Thérèse, qu'il appelle « la petite fleur ». Prudent, il soumet l'acte d'offrande à son supérieur. Tous deux l'approuvent mais ils demandent à la carmélite de qualifier ses désirs avec l'adjectif « immenses ». Celui « d'infinis » leur semble théologiquement faux. Elle s'exécute, tout en regrettant cette modification. Pour elle, l'essentiel demeure, et elle en est très heureuse : son acte d'offrande est reconnu par l'Eglise.

Un frère prêtre : l'abbé Maurice Bellière (17 octobre 1895)

A peine la retraite est-elle terminée (elle a été perturbée par la mort de M. Delatroëtte), que sœur Thérèse, un jour de lessive, est appelée à l'écart par sa prieure. Un séminariste de vingt et un ans, l'abbé Maurice Bellière, vient d'écrire au carmel pour « demander une sœur qui se dévouât spécialement au salut de son âme et l'aidât de ses prières et sacrifices lorsqu'il serait missionnaire afin qu'il puisse sauver beaucoup d'âmes ».

Mère Agnès désigne sa jeune sœur pour cette mission. Une grande joie submerge celle-ci. Décidément, le bon Dieu comble un à un tous ses désirs. Depuis toujours elle

49. Gros sacrifice pour les parents Guérin que de se séparer de cette charmante fille de vingt-cinq ans, délicate, mutine, bonne pianiste, à la belle voix de soprano. Ils perdent une fille, retrouvent une nièce : le 20 juillet, Léonie est revenue, ayant quitté la Visitation de Caen pour la seconde fois. Ce troisième échec déroute toute la famille. A trente-deux ans, au bord de la dépression, que va-t-elle devenir ?

avait rêvé d'avoir un frère prêtre. La mort de ses deux petits frères semblait l'avoir privée à jamais de cette espérance. Et voilà qu'à vingt-deux ans, elle reçoit du Ciel un frère, de son âge, futur prêtre et, qui plus est, futur missionnaire. *Jamais depuis des années je n'avais goûté ce genre de bonheur. Je sentais que de ce côté mon âme était neuve, c'était comme si l'on avait touché pour la première fois des cordes musicales restées jusque-là dans l'oubli.* Immédiatement, elle compose une prière pour l'abbé Bellière. Elle va redoubler d'ardeur et de fidélité dans sa vie quotidienne, offrant pour lui toutes ses prières et ses sacrifices. Le jeune abbé ne se manifeste qu'en novembre par une simple carte annonçant son départ au service militaire [50].

Il ne peut se douter que sa sœur investit réellement une force héroïque dans une « multiplicité d'actes faibles et microscopiques » qui ne seront connus qu'après sa mort. Par exemple, sœur Thérèse, étant assise, ne s'adosse pas, ne croise point ses pieds. Les jours de chaleur, elle évite de s'essuyer ostensiblement le visage afin de ne pas attirer l'attention. Pour lutter contre le froid, elle ne frotte pas ses mains couvertes d'engelures, ne marche jamais courbée. Elle obéit à chaque sœur qui a besoin de ses services, s'efface le plus possible au parloir. Si on lui emprunte un livre qu'elle est en train de lire, elle ne le réclame pas. Elle pousse la pauvreté jusqu'au point de ne pas posséder de copies de ses propres poésies. Elle fuit toute curiosité, ne regardant jamais l'horloge du chœur pendant l'oraison, évitant toute question inutile en récréation, etc.

Ces « riens » (dont les témoignages aux Procès donnent tant d'exemples divers), elle les vit à longueur de jour, de semaine, d'année. A chaque instant, elle veut s'oublier pour l'Aimé.

> *Pour te ravir, je veux rester petite*
> *En m'oubliant, je charmerai ton Cœur.*

50. La loi dite « les curés sac au dos » avait été votée le 9/7/1889, Sadi-Carnot étant président de la République.

Ces vers, et tant d'autres, elle les écrit avec le sang de son cœur.

Le divin petit Mendiant de Noël 1895

Déjà il faut préparer Noël. *La vieille doyenne du noviciat*, une fois encore, porte la responsabilité des festivités. Ayant une autre récréation à écrire pour la fête de la prieure, elle réduit cette année le scénario de la pièce à sa plus simple expression : l'Enfant Jésus vient mendier le cœur de chacune des vingt-six carmélites. *Celui qui vous mendie, c'est le Verbe éternel !* Dans le cadre simple et pauvre de ces vingt-six couplets, Thérèse exprime une vérité qui lui est chère. En cet enfant démuni, Dieu, anéanti, mendie l'amour des hommes.

Elle a réservé ses forces pour la fête du 21 janvier. *La fuite en Egypte* met en scène une sombre histoire de brigands rencontrés par la sainte Famille en exil. L'enfant du chef des bandits est lépreux. Plongé dans le bain de l'Enfant Jésus, il est subitement guéri. Pièce « missionnaire » qui comporte aussi des passages plaisants où les brigands Abramin et Torcol, s'en donnent à cœur joie, chantant sur l'air d'*Estudiantina* – une rengaine en vogue – des couplets comiques.

Tout cela n'a pas l'heur de plaire à Mère Agnès. La pièce composée pour sa fête lui semble interminable et elle l'interrompt avant la fin, reprochant à l'auteur de n'avoir pas su faire bref. Larmes de Thérèse, déconfiture du noviciat qui avait répété avec conviction.

La veille, à l'oraison du soir, sœur Thérèse, en entrant au chœur, s'était agenouillée devant Mère Agnès et lui avait remis son petit cahier de souvenirs [51]. La prieure l'a mis dans un tiroir de sa cellule, sans l'ouvrir. Jamais sa sœur ne lui demandera si elle l'a lu ou ce qu'elle en pense.

A la dernière page (feuillet 85), Thérèse fait le point sur

51. Thérèse a cousu ensemble les six petits cahiers d'écolier.

sa vie, à vingt-trois ans, neuf ans après sa conversion, six mois après son offrande à l'Amour. *Ma Mère chérie, vous qui m'avez permis de m'offrir ainsi au Bon Dieu, vous savez les fleuves ou plutôt les océans de grâces qui sont venus inonder mon âme... Ah! depuis cet heureux jour, il me semble que l'*Amour *me pénètre et m'environne, il me semble qu'à chaque instant, cet* Amour Miséricordieux *me renouvelle, purifie mon âme et n'y laisse aucune trace de péché, aussi je ne puis craindre le purgatoire...*

Balayées, en effet, les craintes du péché, disparus définitivement les scrupules... Désormais Thérèse sait que toutes ses fautes sont consumées dans ce *Feu de l'Amour plus sanctifiant que celui du purgatoire.* Son offrande l'a délivrée à jamais de toute trace de jansénisme, de toutes les peurs dont certaines de ses sœurs sont encore prisonnières. *Sans doute, on peut tomber, on peut commettre des infidélités, mais l'amour sachant tirer profit de tout, a bien vite consumé tout ce qui peut déplaire à Jésus, ne laissant qu'une humble et profonde paix dans le cœur...*

Par exemple, le sommeil qui l'accable souvent durant la prière silencieuse ne la trouble plus, ni les reproches de l'abbé Youf: *je devrais, au lieu de me réjouir de ma sécheresse, l'attribuer à mon peu de ferveur et de fidélité, je devrais me désoler de dormir (depuis 7 ans) pendant les oraisons et mes* actions de grâces; *eh bien, je ne me désole pas... je pense que les petits enfants plaisent autant à leurs parents lorsqu'ils dorment que lorsqu'ils sont éveillés...*

Elle conclut: *Maintenant, je n'ai plus aucun désir* (son père est au ciel, Céline au carmel, elle a un frère prêtre), *si ce n'est celui d'aimer Jésus à la folie. () Maintenant tout mon exercice est d'aimer* [52] !

Terminant ce *cahier d'obéissance,* elle s'interroge sur son avenir: *Comment s'achèvera-t-elle cette « histoire d'une petite fleur blanche » ?* Mourra-t-elle bientôt? Ira-t-elle au carmel de Saïgon [53] ? *Je l'ignore, mais ce dont je*

52. Saint Jean de la Croix, *Glose sur le divin.*
53. Carmel fondé par celui de Lisieux en 1861.

*suis certaine, c'est que la Miséricorde du Bon Dieu
l'accompagnera toujours. () C'est l'abandon seul qui me
guide.*

Folio 86, elle a peint soigneusement les armoiries de
Jésus et de Thérèse, et calligraphié les jours de grâces
accordés par le Seigneur à sa *petite épouse.* Page 85, on
peut lire les explications détaillées de ces armoiries. Une
sentence, empruntée à saint Jean de la Croix, clôt l'ensemble : « *L'Amour ne se paie que par l'Amour.* »

Elle n'a plus que ce mot sous la plume, à la bouche,
dans le cœur [54].

La difficile profession de Céline (février-mars 1896)

Le chanoine Maupas, curé de Saint-Jacques, devient
supérieur du carmel et prend ses fonctions en janvier. Le
temps approche où Céline et Marie de la Trinité vont pouvoir faire leur profession, et où Marie de l'Eucharistie va
demander à prendre l'habit. Normalement, toutes ces cérémonies devraient se faire entre les mains de la prieure en
exercice, Mère Agnès de Jésus, dont le mandat expire le
20 février 1896.

Obstacle imprévu : Mère Marie de Gonzague, maîtresse
des novices, veut retarder cette double profession, contre
l'avis du nouveau supérieur. Ses motifs sont-ils très clairs ?
Les élections approchent. Si elle est élue, ne recevra-t-elle
pas l'engagement des deux jeunes sœurs ? Coup encore
plus sensible : elle envisage en outre le départ de sœur
Geneviève pour le carmel de Saïgon. L'avantage indirect
serait d'atténuer l'influence des quatre Martin et de leur
cousine. Elles représentent maintenant un cinquième de
la communauté. Celle-ci risque de se scinder en deux :
un groupe soutenant Marie de Gonzague ; un autre les
Martin.

---

54. Le mot *amour* termine son cahier. On l'y trouve 99 fois en
86 folios.

163

Un jour gris de janvier 1896, à la buanderie, une quinzaine de carmélites font la lessive : une discussion s'élève au sujet de la profession de sœur Geneviève. Sœur Aimée de Jésus, une des plus opposées au «clan Martin», déclare : «Mère Marie de Gonzague a bien le droit de l'éprouver, pourquoi s'en étonner?» Une voix ferme s'élève du groupe : *Il y a des épreuves qu'on ne doit pas donner.* Très émue, sœur Thérèse a parlé.

Pour elle il ne s'agit pas de *contester,* mais la vérité ne souffre pas d'atteinte et le devoir exige d'avertir une maîtresse des novices qui se fourvoie.

Quelques jours plus tard, sœur Geneviève est présentée au chapitre. Interprétant la coutume à sa manière, Mère Marie de Gonzague exclut du vote la prieure qui attend le résultat derrière la porte. Les trois sœurs Martin n'entrent dans la salle du chapitre que pour entendre : «Sœur Geneviève est admise.» Mais la profession de sœur Marie de la Trinité est retardée. Une sorte de transaction a eu lieu. Les élections ont été retardées d'un mois. Mère Agnès recevra sa sœur à la profession et sa cousine à la vêture. Mère Marie de Gonzague – si elle est élue –, l'engagement de sœur Marie de la Trinité.

On comprend pourquoi sœur Thérèse, très soucieuse de l'avenir de ces trois jeunes sœurs, multiplie les attentions envers Céline, ulcérée par ces manœuvres. Elle lui envoie une longue lettre allégorique évoquant ses malheurs, lui donne un parchemin enluminé, une relique de la sainte Mère Geneviève, une image-souvenir pour adoucir ces événements désagréables et l'aider à les surmonter dans la paix.

Après la profession dépouillée du 24 février, sœur Geneviève de Sainte-Thérèse prend le voile noir le 17 mars tandis que sa cousine, sœur Marie de l'Eucharistie revêt l'habit. Dans *le Normand* de ce jour, l'oncle Guérin décrit avec émotion la double cérémonie présidée par Mgr Hugonin. Plusieurs photographies prises en clôture garderont le souvenir de cet événement.

A part Léonie, toutes les filles sont donc «tirées de des-

164

sous la charrette », selon l'expression qu'employait autrefois M. Martin.

La réélection de Mère Marie de Gonzague (21 mars 1896)

Samedi 21 mars, veille du dimanche de la Passion, une
effervescence feutrée règne au carmel de Lisieux. On y prépare l'élection de la prieure.

Depuis mars 1893, trois religieuses ont quitté la communauté : une pour le ciel, une pour le carmel de Saïgon, une
pour « le Bon Sauveur » à Caen (en raison de troubles men-
taux). Trois jeunes sont entrées. Ce jour-là, sur vingt-quatre
religieuses, seize capitulantes se réunissent au chœur. Les
autres prient. Le temps se fait long... Il ne faut pas moins
de sept tours de scrutin pour départager Mère Marie de
Gonzague et Mère Agnès de Jésus. La première, soixante-
deux ans, est enfin élue de justesse. Sœur Marie des Anges
reste sous-prieure, Mère Agnès devient conseillère avec
sœur Saint-Raphaël. La cloche sonne enfin pour appeler les
huit sœurs en attente.

En entrant au chœur, sœur Thérèse voit Mère Marie de
Gonzague occupant la stalle de la prieure. « Frappée de stupeur », elle se reprend vite.

La prieure réélue, très touchée par ce qui vient de se passer, se garde bien de pratiquer l'alternance. Le droit l'autorise à cumuler la charge de prieure et de maîtresse des novices : elle en use. Mère Agnès ne s'occupera pas du noviciat.
Mais elle choisit une adjointe : sœur Thérèse de l'Enfant-
Jésus. Celle-ci accepte dans l'obéissance cette situation des
plus délicates, dans le contexte décrit : le type même de la
mission impossible.

Une novice « maîtresse des novices » (mars 1896)

Dans cette nouvelle période de sa vie carmélitaine, c'est
le moment ou jamais de vivre sa voie d'abandon. Elle doit
exercer une grave responsabilité sans en avoir le titre. Elle

165

appartient toujours au noviciat, les novices le savent bien. Comment transformer ces cinq femmes (dont quatre sont ses aînées) en vraies contemplatives ? Cette tâche la dépasse totalement. Sa sœur Céline et sa cousine Marie manifestent quelque réticence, malgré leur bonne volonté, à accepter son autorité souriante mais ferme. On la trouve *sévère*. Sœur Marie-Madeleine, si malheureuse dans son enfance, demeure fermée. Que dire des sautes d'humeur de la prieure qui peut défaire demain ce qu'a fait aujourd'hui son adjointe dont l'autorité canonique est nulle ? La seule espérance de sœur Thérèse : l'action du Saint-Esprit en elle-même et dans ses *agneaux.*

Constatant qu'il lui est impossible de rien faire par elle-même, elle prie : *Seigneur, je suis trop petite pour nourrir vos enfants ; si vous voulez leur donner par moi ce qui convient à chacune, remplissez ma petite main et sans quitter vos bras, sans détourner la tête, je donnerai vos trésors à l'âme qui viendra me demander sa nourriture.* Seule attitude qui lui donne la paix et lui permet d'aller jusqu'au bout de sa tâche délicate. *C'est la prière, c'est le sacrifice qui font toute ma force.*

Chaque jour, à 14 h 30, elle réunit les novices pendant une demi-heure, explique les usages, la règle, répond aux questions, reprend les fautes. Réunion animée où l'on ne s'ennuie pas. La jeune « maîtresse » sait raconter des histoires, inventer des paraboles pour mieux se faire comprendre. Céline, Marie de la Trinité ont recueilli dans leurs notes ces inventions pédagogiques : le kaléidoscope qui évoque l'amour trinitaire ; la banque de l'Amour où il faut jouer gros ; les petites poires sans apparence qui figurent les sœurs inconnues que l'on côtoie ; la poule et ses poussins, symbole de l'amour du Père ; la riche demoiselle et son petit frère ; la coquille dans laquelle Marie doit verser ses larmes, etc. Thérèse tire profit de tout. Marie de la Trinité lui ayant raconté des faits de magnétisme dont elle avait été témoin, sa maîtresse lui dit le lendemain : *Je voudrais me faire magnétiser par Jésus ! Oui, je veux qu'il s'empare de mes facultés de telle sorte que je ne fasse plus que des actions toutes divines et dirigées par l'esprit d'amour.*

Sans aucune formation, sa pédagogie tout intuitive, fondée sur l'amour de l'autre, fait merveille. Elle a saisi que ses compagnes peuvent tout lui dire : *Aux novices, tout est permis.* Elles ne se font d'ailleurs pas faute de lui servir parfois quelques *salades bien vinaigrées.* Mais Thérèse dit préférer *la vinaigrette au sucre.*

On la trouve sévère ? Elle le sait mais n'en a cure. Elle aime trop son troupeau pour être faible. *Si je ne suis pas aimée, tant pis ! Moi je dis la vérité tout entière. Qu'on ne vienne pas me trouver si on ne veut pas la savoir.*

Mais surtout, elle enseigne la petite voie qui lui réussit si bien : le chemin de la confiance et de l'amour envers le Père. Sur ce sujet, qui est au cœur de l'Evangile, elle se montre une vraie maîtresse spirituelle. Toujours elle sait aller à l'essentiel. Elle « détestait les petites dévotions de bonne femme qui parfois s'introduisent dans les communautés » (Mère Agnès).

Elle connaît l'art de s'adapter à chacune. Le P. Pichon avait raison : « Il y a bien plus de différences entre les âmes qu'il n'y en a entre les visages. » Impossible d'agir avec toutes de la même manière. *Il y en a que je suis forcée de prendre par la peau, et d'autres par le bout des ailes,* confiait Thérèse à Mère Agnès. La jeune Marie de la Trinité a besoin de détente : qu'elle aille donc fouetter une toupie dans le grenier. Mais que Céline ne fasse plus un détour pour éviter Mère Hermance du Cœur-de-Jésus, neurasthénique, qui lui demandera sûrement un service si elle la voit passer. Et gare à celles qui nomment Mère Marie de Gonzague « le loup » !

Dans cette petite troupe (dont la moyenne d'âge n'est que de vingt-cinq ans et demi), elle est à la fois la sœur et la mère. Les jeunes attirent les jeunes. Les rires fusent en récréation lorsque Thérèse fait ses imitations humoristiques ou lorsque toute la bande part en chasse contre un voleur entré en clôture.

Cette fonction de formation, même exercée en second,

lui apprend beaucoup sur la nature humaine. Sa sagesse vient de son expérience. Ainsi, l'attrait manifesté par certaines sœurs (dont Mère Agnès) pour les mortifications surérogatoires, les instruments de pénitence alors en usage, n'emporte pas son adhésion. Par générosité, elle a pu s'y laisser entraîner au début de sa vie religieuse. En avril 1896, elle portera même une petite croix de fer. Mais elle y a renoncé. Elle a remarqué que « les religieuses les plus portées aux austérités sanglantes n'étaient pas les plus parfaites et que l'amour-propre même semble trouver un aliment dans les pénitences corporelles excessives ». Celles-ci ne sont rien, mises en balance avec la charité. Elle ne juge pas les autres. Mais ce n'est pas sa voie. Elle attire l'attention des novices sur ce point comme sur tant d'autres. Souvent, elle cite ce verset de saint Jean : « Il y a beaucoup de demeures dans le Royaume de mon Père » (14,2).

Tant de sagesse fera dire plus tard à certaines sœurs : « Elle aurait fait une bonne prieure si elle avait vécu. » Son instinct spirituel est tel que les novices croient parfois qu'elle a le pouvoir de lire dans les âmes. Thérèse proteste, mais doit reconnaître que l'Esprit Saint l'aide souvent à tomber juste !

Outre cette charge importante, sœur Thérèse travaille à la sacristie sous les ordres de sœur Marie des Anges, à l'emploi de peinture et à la lingerie où elle aide sœur Marie de Saint-Joseph. Cette religieuse de trente-huit ans (orpheline à neuf), est redoutée de toute la communauté. Ses violentes colères l'ont isolée. Personne ne veut plus travailler à la lingerie avec elle. Thérèse se porte volontaire.

En cet emploi, elle va découvrir ce qu'est vraiment la charité fraternelle. Jusqu'ici, elle n'avait pas bien compris qu'il faut aimer *comme* Jésus a aimé ses disciples. Personne ne doit être exclu de cet amour, pas même sœur Marie de Saint-Joseph qu'elle essaie d'arracher à son isolement par son sourire et ses petits billets amicaux.

L'hiver 1895-96 a été long et dur. Le carême touche à sa fin. Thérèse a obtenu d'observer le jeûne dans toute sa rigueur. Jamais elle ne s'est sentie aussi forte et résistante.

« Un flot bouillonnant jusqu'à mes lèvres »
(3 et 4 avril 1896)

Le soir du Jeudi Saint 3 avril, elle est restée à veiller au chœur jusqu'à minuit. A peine couchée, elle sent comme un flot qui monte *en bouillonnant* jusqu'à ses lèvres. Elle serre son mouchoir. Sa lampe étant soufflée, elle ne cherche pas à vérifier ce qu'elle vomit : si c'est du sang, elle va peut-être mourir ce Vendredi Saint qui commence. Aucune peur, elle est heureuse car elle a toujours voulu ressembler à Jésus. Elle s'endort. A 5 h 45, la matraque[55] la réveille. Le volet entrouvert confirme que son mouchoir est plein de sang. L'Epoux s'annonce, Il n'est pas loin. Comment aurait-elle peur de Celui à qui elle a donné sa vie ?

Après l'office, comme chaque Vendredi Saint, la prieure fait une allocution sur la charité fraternelle à la communauté réunie. Les carmélites se demandent pardon. Arrive le tour de Thérèse qui embrasse Mère Marie de Gonzague et lui confie l'accident de la nuit. *Je ne souffre pas, ma Mère, et je vous supplie de ne me donner rien de particulier.* La prieure, ne réalisant sans doute pas l'état réel de celle qui est à ses genoux, acquiesce. Sœur Thérèse jeûne et nettoie les vitres des portes du cloître debout sur un escabeau, dans les courants d'air. *Jamais les austérités du Carmel ne m'avaient semblé aussi délicieuses, l'espoir d'aller au Ciel me transportait d'allégresse.*

Sœur Marie de la Trinité, aide-infirmière, a été mise dans la confidence. Elle proteste violemment, pleure : dans cet état, que sa maîtresse laisse à d'autres ce travail !... Peine perdue. Et surtout que Mère Agnès ne sache rien !

Revient la nuit. Même hémoptysie que la veille. Cette fois, le doute n'est plus permis. Les quelques vers que sœur Thérèse venait d'écrire pour la fête de sœur Marie de Saint-Joseph expriment son désir.

---

55. Instrument de bois muni d'une sorte de crécelle qu'on agitait sous les cloîtres et dans les dortoirs, pour le réveil.

Amour qui m'enflamme
Pénètre mon âme
Viens, je te réclame,
Viens, consume-moi.

Ton ardeur me presse
Et je veux sans cesse
Divine fournaise
M'abîmer en toi.

Elle va donc être exaucée. Sa foi est vive, claire, elle ne pense qu'à la joie du ciel.

Mais cette seconde alerte inquiète la prieure et plus encore les infirmières. Le docteur La Néele examine enfin sa cousine. Pressée de questions, elle avoue qu'elle a eu très faim tous les soirs pendant ce carême. Une grosse glande au cou atteste sa faiblesse. Passant la tête par la petite ouverture de la grille de l'oratoire (là où communient les sœurs malades), Francis « l'ausculte » à travers sa robe de bure. Il pense que le saignement a pu provenir d'un vaisseau rompu dans la gorge. Médicaments prescrits : de la créosote à la cuillère, des vaporisations dans la gorge, des frictions à l'huile camphrée. Thérèse ne se fait guère d'illusions sur l'efficacité de cette médecine. Sa joie demeure : bientôt elle verra Celui que son cœur aime.

*« C'est un mur qui s'élève jusqu'aux cieux.
Tout a disparu ! »*

*« Ma vocation enfin je l'ai trouvée.
Ma vocation c'est l'Amour ! »*

« La nuit du néant » (avril 1896)

Soudain cette joie disparaît brutalement. Une souffrance imprévue s'abat sur Thérèse. En ce temps pascal – temps de lumière –, elle entre dans la nuit intérieure la plus épaisse. Elle qui pensait aller très rapidement au Ciel (*car le Ciel c'est Jésus lui-même*, écrit-elle), la voici sans aucun sentiment de foi. Elle avance dans *la nuit,* dans un *tunnel.* Elle se heurte à un *mur* qui s'élève jusqu'aux cieux. Elle se réjouissait de *mourir d'amour.* Maintenant d'horribles voix intérieures lui suggèrent que tous ses grands désirs, la petite voie, son offrande, toute sa vie spirituelle n'ont été qu'illusions. Une seule évidence : elle va mourir jeune, pour rien. *Il me semble que les ténèbres, empruntant la voix des pécheurs, me disent en se moquant de moi : "Tu rêves la lumière, une patrie embaumée des plus suaves parfums, tu rêves la possession éternelle du Créateur de toutes ces merveilles, tu crois sortir un jour des brouillards qui t'environnent ! Avance, avance, réjouis-toi de la mort qui te donnera, non ce que tu espères, mais une nuit plus profonde encore, la nuit du néant."*
Cette confidence écrite, aux accents nietzschéens, elle ne la fera que quinze mois plus tard à Mère Marie de Gonzague. Oralement elle n'a confié ses peines qu'à elle et à

l'aumônier. Un jour, elle dira à Mère Agnès : *C'est le raisonnement des pires matérialistes qui s'impose à mon esprit : plus tard, en faisant sans cesse des progrès nouveaux, la science expliquera tout naturellement, on aura la raison absolue de tout ce qui existe et qui reste encore un problème, parce qu'il reste beaucoup de choses à découvrir... etc., etc.* Les écrits de Diana Vaughan qu'elle découvre en ce moment [56], ne sont peut-être pas étrangers à ces questions. La lecture du livre d'Arminjon avait pu lui apprendre beaucoup de choses sur les prétentions de la science matérialiste [57]. Mais que sait-elle du courant d'incroyance qui parcourt cette fin du XIXe siècle ? Elle ignore sans doute Karl Marx mort en 1883, Nietzsche qui a publié *Par-delà le bien et le mal* l'année même de sa conversion (1886) et *l'Antéchrist* au moment où elle entrait au carmel (1888). L'année de sa profession (1890), Renan écrit *l'Avenir de la science.* Isidore Guérin avait peut-être suivi quelques-unes de ses conférences lorsqu'il étudiait à Paris. Depuis 1891, l'oncle est devenu journaliste. Dans *le Normand,* il combat contre les *impies* à propos des lois scolaires laïques, des décrets anticléricaux, des hésitations des catholiques pour se rallier à la République. Il pourfend son ancien commis, Henry Chéron [58], qui, dans le journal rival, *le Progrès lexovien,* dénonce l'obscurantisme de l'Eglise catholique.

Sans lire habituellement cette presse, sœur Thérèse connaît les combats de son oncle monarchiste, antidreyfusard. Derrière ses grilles, elle reste sensible à son époque. Mais son combat ne se situe pas au même plan. De même

---

56. Cf. *infra,* p. 176.
57. Cf. *supra,* p. 68.
58. Henry Chéron (13/5/1867-16/4/1936), maire de Lisieux de 1894 à 1908, de 1932 à 1936. Sénateur du Calvados en 1913, après avoir été député en 1906, sous-secrétaire d'Etat à la guerre pendant le premier conflit mondial, ministre des finances, de la justice. Ayant appartenu au ministère Combes. Il aimait raconter qu'il avait connu Thérèse Martin à la pharmacie des Guérin. Malgré son anticléricalisme, il se montra bienveillant pour toutes les entreprises lexoviennes qui exaltèrent le culte de sa contemporaine.

qu'elle n'était pas « contre » Pranzini ou Loyson mais voulait les sauver, elle n'est pas « contre » les matérialistes et les anarchistes : elle prie pour eux, donne sa vie pour eux.

A l'extérieur, rien ne paraît de ces violents combats. Les cantiques qu'elle continue d'écrire, à la demande de ses compagnes, donnent le change. Des auditrices plus attentives pourraient y déceler des confidences voilées. Ainsi lorsqu'elle glose saint Jean de la Croix :

> *Appuyée sans aucun Appui*
> *Sans Lumière et dans les Ténèbres*
> *Je vais me consumant d'Amour.*

ou lorsqu'elle chante

> *Mon Ciel est de sourire à ce Dieu que j'adore*
> *Lorsqu'Il veut se cacher pour éprouver ma foi.*

Mais ses sœurs ne peuvent imaginer que l'auteur de ces vers, vit à la lettre ce qu'elle écrit. *Si vous jugez d'après les sentiments que j'exprime dans les petites poésies que j'ai composées cette année, je dois vous sembler une âme remplie de consolations... et cependant...* Les auditrices n'ont retenu que la lumière. Pourtant ces vers comportent bien des zones d'ombre...

Dans ses ténèbres, un bref rayon va luire et la réconforter. La nuit du 10 mai, elle rêve qu'une carmélite dont elle a rarement entendu parler (Anne de Lobera, compagne de Thérèse d'Avila, fondatrice du carmel en France), la couvre de caresses. En réponse à ses questions, la religieuse espagnole lui annonce qu'elle mourra *bientôt* et que le bon Dieu est *très content* d'elle. Ces deux paroles comblent Thérèse de joie. Elle constate en outre qu'au ciel – ce ciel sur quoi portent ses doutes –, elle est aimée ! Mais après ce rêve qui la marque profondément (d'habitude ses rêves ne portent pas sur la vie spirituelle), les ténèbres redoublent. Certes, durant les huit années de sa vie religieuse, elle a connu des moments d'aridité, mais jamais avec une telle intensité. Quand sortira-t-elle de ces brouillards ?

Neuf ecclésiastiques qui ont joué un rôle dans la vie de Thérèse : abbé Domin, aumônier des bénédictines de Lisieux ; abbé Révérony, vicaire général de Bayeux ; Mgr Hugonin, évêque de Bayeux et Lisieux ; chanoine Delatroëtte, supérieur du carmel ; P. Pichon, jésuite ; P. Alexis Prou, récollet, qui prêcha la retraite d'octobre 1891 ; abbé Youf, aumônier du carmel ; Pères Bellière et Roulland, frères spirituels de Thérèse.

Un second frère : l'abbé Adolphe Roulland (mai 1896)

Un jour de la fin du mois de mai, Mère Marie de Gonzague convoque sœur Thérèse dans son bureau, juste avant d'aller au réfectoire. Le cœur de la jeune sœur bat très fort : jamais la Mère prieure ne l'a ainsi appelée. Il s'agit de lui confier un missionnaire de vingt-six ans, l'abbé Adolphe Roulland, des Missions Etrangères de Paris, qui va être ordonné prêtre le 28 juin, avant de partir pour la Chine.

Le grand élan missionnaire lié à l'expansion coloniale anime de nombreux jeunes catholiques français. Les vocations abondent.

Sœur Thérèse se récuse : elle a déjà un frère spirituel pour qui elle offre toutes ses prières et ses sacrifices. Et il se trouve tant de sœurs plus dignes qu'elle dans la communauté. Mais la prieure réfute une à une toutes ses objections. Qu'elle obéisse !

Dans le fond, sœur Thérèse ressent une grande joie. Le Seigneur continue de combler tous ses désirs. Elle a perdu *deux* frères ; elle reçoit *deux* frères missionnaires ! Il lui faut donc redoubler de ferveur. Elle veut être *fille de l'Eglise* comme sa Mère Teresa d'Avila : *le zèle d'une carmélite doit embrasser le monde.*

Le nouveau prêtre vient célébrer une de ses premières messes au carmel de Lisieux, le 3 juillet. Sa sœur lui offre une pale d'autel qu'elle a peinte pour lui. Ils conversent au parloir. Le missionnaire va bientôt s'embarquer pour la Chine et rejoindre le Su-Tchuen oriental. Là où elle travaille, la carmélite va épingler une carte de cette région pour suivre le trajet de son nouveau frère. Elle lui écrit à Marseille : *A Dieu, mon Frère... la distance ne pourra jamais séparer nos âmes, la mort même rendra notre union plus intime. Si je vais bientôt* [59] *dans le Ciel, je demanderai à Jésus d'aller vous visiter au Su-Tchuen et nous continuerons ensemble notre apostolat.* Elle lui offre

59. On retrouve le mot d'Anne de Lobera dans le rêve du 10 mai.

une anthologie de ses poésies en y ajoutant *A Notre-Dame-des-Victoires,* composition sur leur future collaboration apostolique.

Pour la communauté, le Père Roulland est « le missionnaire de Notre Mère ». La prieure a demandé le secret à sœur Thérèse sur la tâche confiée et sur cette correspondance exceptionnelle. Mais elle permet au frère et à la sœur d'échanger leurs photographies.

Sœur Thérèse n'est pas la confidente de sa prieure en ce domaine seulement. Mère Marie de Gonzague ne s'est pas remise du petit drame des élections de mars. Elle sent la communauté partagée, certaines sœurs ne sont plus à sa dévotion. Toutes lui paraissent des « traîtres » ! Seule son adjointe au noviciat lui semble digne de confiance.

A l'occasion de sa fête, le 21 juin, le dynamique noviciat, animé par sa jeune maîtresse, prépare une récréation « à mettre tout sens dessus dessous », écrit sœur Marie de l'Eucharistie à ses parents. Pour la septième fois, Thérèse doit écrire une pièce. Elle prend son sujet dans l'actualité la plus brûlante. Elle l'intitule *Le triomphe de l'humilité :* une pièce endiablée.

L'affaire Diana Vaughan

Depuis quelque temps l'opinion catholique est agitée par « l'affaire Diana Vaughan ». Une jeune femme, affiliée à une secte franc-maçonne, a publié en 1895, « les Mémoires d'une Ex-Paladiste, Parfaite Initiée, Indépendante, dévoilant les Mystères et les Pratiques satanistes des Triangles lucifériens ». Elle y raconte ses extraordinaires aventures dans le monde satanique et sa conversion, sous l'influence de Jeanne d'Arc. Désormais, elle consacre ses forces à brûler, combattre, dénoncer ce qu'elle avait adoré. Après cette mission, elle pense se retirer dans un monastère.

En cette fin de siècle, le combat des catholiques et des francs-maçons fait rage. Dans son encyclique *Humanum*

176

genus (1884), le pape Léon XIII a durement dénoncé la franc-maçonnerie : ses erreurs respirent la haine satanique. Satan fait recette. Un certain docteur Bataille a fait paraître en 1892 *le Diable au XIXe siècle.* De nombreux catholiques se passionnent pour ces révélations, malgré quelques rares mises en garde. De ses solitudes, Léon Bloy, par exemple, tonne contre ces naïfs, avides d'extraordinaire. Mais qui entend les imprécations du « Vieux de la montagne » ?

L'affaire Diana Vaughan passionne d'autant plus l'opinion catholique que la convertie a le sens du mystère et du « suspense ». *La Croix,* le vigoureux journal des assomptionnistes, publie des articles enflammés de Révérends Pères en faveur de Diana. A Lisieux, *le Normand* de l'oncle Guérin adhère à la croisade [60]. Les écrits de l'exluciférienne pénètrent dans la clôture du carmel, sans doute sous l'influence du P. Mustel, directeur de la *Revue catholique de Coutances,* un inconditionnel de Diana Vaughan. Thérèse va lire ainsi *la Neuvaine Eucharistique pour réparer,* publiée par la convertie en 1895. Elle est touchée – comme Léon XIII – par les élévations spirituelles de cette jeune femme qui aime tant Jeanne d'Arc et s'est offerte comme victime à la justice divine, le 13 juin 1895. Etrange coïncidence ! Thérèse s'est offerte à l'Amour Miséricordieux le 11. La carmélite recopie certains passages de cette *Neuvaine.* Diana pense entrer un jour dans un monastère, pourquoi ne serait-ce pas le carmel de Lisieux ? Sur la suggestion de Mère Agnès, très exaltée par cette histoire, Thérèse tente d'écrire une poésie pour la convertie. En vain. Aucune inspiration. Elle se contente de lui adresser une lettre et de lui envoyer sa photographie en Jeanne d'Arc dans sa prison. Diana Vaughan lui répondra.

Dans ce combat contre Satan, le carmel a son rôle à jouer, surtout au moment où les divisions de la commu-

---

60. *N'est-ce pas pour la gloire (de Notre-Seigneur) que le bras de mon Oncle ne cesse de se fatiguer à écrire des pages admirables qui doivent sauver les âmes et faire trembler les démons ?* (LT 146, à son oncle.)

nauté risquent de l'affaiblir. Pour cette fête de famille du 21 juin où Thérèse prend la parole, elle veut à la fois distraire et faire réfléchir ses sœurs.

Le sourire naîtra du spectacle. L'auteur met en scène Lucifer et sa troupe de diables, Baal-Zéboub, Asmodée, Astaroth, Astarté..., noms tirés des œuvres de Diana Vaughan. Les novices, derrière des paravents (car on ne voit pas l'enfer), s'en donnent à cœur joie agitant des chaînes et faisant gronder le tonnerre.

La réflexion vient du thème de la pièce. Les carmélites doivent fuir la curiosité et l'agitation. La seule arme qui peut triompher des diables demeure l'humilité. Thérèse, jouant son propre rôle de maîtresse des novices, tire elle-même la conclusion : *Nous savons maintenant le moyen de vaincre le démon et que désormais nous n'avons qu'un désir, celui de pratiquer l'humilité... Voilà nos armes, notre bouclier, avec cette force toute-puissante, nous saurons, nouvelles Jeanne d'Arc, chasser l'Etranger du Royaume, c'est-à-dire empêcher l'orgueilleux Satan d'entrer dans nos monastères.*

Le couplet final oriente la communauté vers la petite voie :

> *Vous désirez, ferventes carmélites*
> *Gagner des cœurs à Jésus votre Epoux*
> *Eh bien pour Lui restez toujours petites*
> *L'Humilité met l'enfer en courroux !*

Mais en jouant sa pièce, l'auteur ne pouvait savoir que les forces du mal étaient beaucoup plus subtiles qu'elle ne pensait...

Huit jours plus tard, sœur Thérèse de l'Enfant-Jésus écrit à sa prieure une longue lettre en forme de parabole : *Légende d'un tout petit agneau.* Cet « agneau », c'est Thérèse à qui « la Bergère » (Marie de Gonzague) a confié ses peines, comme à son *égale* et avec qui, parfois, elle a pleuré.

Faisant parler Jésus, Thérèse essaie de consoler sa prieure afin que son *épreuve* lui apparaisse comme purificatrice. Avec doigté, la jeune religieuse essaie de lui montrer la véritable attitude spirituelle, celle qui doit lui donner la paix. Elle ose parler à son aînée, âgée maintenant de soixante-deux ans. Celle-ci semble accepter ces judicieux conseils. Là encore, la benjamine a mis ses *gants de soie*. La vérité libère.

Quant à sa santé, elle en plaisante. Quand Léonie s'inquiète, elle lui répond qu'elle ne tousse plus. On l'a même *présentée au célèbre docteur de Cornière* qui a déclaré qu'*elle avait bonne mine !* Cela ne l'empêche pas de penser au *bientôt* de son rêve. Sa gaîté demeure. A la sacristie, où elle travaille avec sa cousine, la mélancolie ne règne pas ! *Il faut que nous fassions bien attention à ne pas dire des paroles inutiles, car après chaque phrase utile il se présente toujours un petit refrain amusant qu'il faut garder pour la récréation* [61].

A travers ces sourires, un profond mûrissement s'opère. Durant ces mois d'été 1896, elle médite des textes du prophète Isaïe et de saint Paul. Le 6 août, en la fête de la Transfiguration, elle s'est consacrée à la Sainte Face avec ses sœurs Geneviève et Marie de la Trinité, ayant composé une prière lyrique : *O Face adorable de Jésus !... O Visage plus beau que les lys... Epoux bien Aimé de nos âmes... O Face chérie de Jésus...,* etc. Même passion dans sa poésie du 15 août *Jésus seul,* intitulée d'abord *Mon seul Amour :*

> *Ma seule paix, mon seul bonheur*
> *Mon seul Amour, c'est toi Seigneur !*
> *()...tu mendies mon amour !...*
> *Tu veux mon cœur, Jésus, je te le donne.*

« Ma vocation, enfin je l'ai trouvée ! » (septembre 1896)

Dans ces sentiments, sœur Thérèse de l'Enfant-Jésus de la Sainte-Face commence sa retraite privée annuelle le

61. Cf. les couplets humoristiques sur la vie d'une carmélite, *le Ciel en est le prix* (PS 4, PN II, 319), composés sans doute par Marie de l'Eucharistie mais que Thérèse a recopiés de sa main.

7 septembre au soir. Elle abandonne les récréations et bénéficie de quelques heures supplémentaires de prière personnelle. Le lendemain, dans sa solitude, en la fête de la Nativité de la Vierge, elle commémore le sixième anniversaire de sa profession. Elle en profite pour écrire directement à Jésus tout ce qui se passe en elle depuis ces dernières semaines. Dès qu'elle lui parle sans intermédiaire, sa plume se fait plus légère.

Elle commence par lui rappeler la grâce du rêve du 10 mai qui a ouvert une brèche dans sa nuit. *Oh mon Bien-Aimé ! cette grâce n'était que le prélude des grâces plus grandes dont tu voulais me combler* (en privé, elle tutoie Jésus); *laisse-moi, mon unique Amour, te les rappeler aujourd'hui... aujourd'hui, le sixième anniversaire de* notre union... *Ah ! pardonne-moi Jésus, si je déraisonne en voulant redire mes désirs, mes espérances qui touchent à l'infini, pardonne-moi et guéris mon âme en lui donnant ce qu'elle espère ! ! !...*

Elle se rend compte qu'assise dans sa cellule, sa petite écritoire sur les genoux, elle est en train d'écrire des folies. Sa vocation de *carmélite*, d'*épouse*, de *mère* ne lui suffit plus. Elle sent bouillonner en elle d'immenses désirs apparemment contradictoires. Elle aspire à d'autres vocations – essentiellement masculines – : elle voudrait être *guerrier, prêtre* [62], *diacre, apôtre, docteur de l'Eglise, martyr*. Et chacune de ces vocations, elle désirerait la vivre dans toute son ampleur, dans l'espace et dans le temps. Annoncer l'Evangile dans les cinq parties du monde, être missionnaire depuis la création jusqu'à la consommation des siècles, être martyre de toutes les façons possibles... Ces désirs qui la tenaillent se révèlent *plus grands que l'univers !*

Lucide, elle interroge : *O mon Jésus ! à toutes mes folies*

---

62. Ce désir du sacerdoce s'exprime assez souvent chez elle et s'actualise dès qu'une occasion se présente. Un jour, étant sacristine, elle a trouvé sur une patène une parcelle d'hostie. Elle fait signe à sœur Marie de la Trinité de l'accompagner à la sacristie : « Suivez-moi, je porte Jésus ! » (PA, 470). Elle aurait aussi aimé prêcher. Cf. p. 197.

que vas-tu répondre? Y a-t-il une âme plus petite, *plus impuissante que la mienne?*

La réponse, comme toujours, doit se trouver dans la Parole de Dieu qu'elle médite nuit et jour. Elle ouvre au hasard son Nouveau Testament et tombe sur la première épître de Paul aux Corinthiens. Ce qu'elle y lit devrait la décourager : « Tous ne peuvent être apôtres, prophètes, docteurs... l'œil ne saurait être la main. » C'est le bon sens. Difficile à décourager, elle poursuit ses recherches. Le chapitre 13 lui donne une lumière : « La charité est une voie excellente qui conduit sûrement à Dieu. » Un éclair jaillit en elle. *Enfin j'avais trouvé le repos... () La* Charité *me donna la clef de ma* vocation. *Je compris que si l'Eglise avait un corps, composé de différents membres, le plus nécessaire, le plus noble de tous ne lui manquait pas, je compris que l'Eglise* avait un Cœur [63], *et que ce Cœur était* BRÛLANT d'AMOUR. *Je compris que* l'Amour seul *faisait agir les membres de l'Eglise, que si l'*Amour *venait à s'éteindre, les Apôtres n'annonceraient plus l'Evangile, les Martyrs refuseraient de verser leur sang... Je compris que L'AMOUR RENFERMAIT TOUTES LES VOCATIONS, QUE L'AMOUR ÉTAIT TOUT, QU'IL EMBRASSAIT TOUS LES TEMPS ET TOUS LES LIEUX... EN UN MOT, QU'IL EST ÉTERNEL !...*

Alors dans l'excès de ma joie délirante je me suis écriée : O Jésus mon Amour... ma vocation *enfin je l'ai trouvée, MA VOCATION, C'EST L'AMOUR !...*

*Oui j'ai trouvé ma place dans l'Eglise et cette place, ô mon Dieu, c'est vous qui me l'avez donnée... dans le Cœur de l'Eglise, ma Mère, je serai l'*Amour... *ainsi je serai tout... ainsi mon rêve sera réalisé !!!...*

Après cette découverte qui comble tous ses désirs, la carmélite continue son dialogue avec Jésus en changeant de symbole. Bien loin que cette vocation universelle enfin

63. Remarquons que le cœur ne se trouve pas explicitement dans le texte de Paul. Thérèse l'y introduit logiquement.

trouvée (elle va avoir vingt-quatre ans) l'arrache à sa vie quotidienne, elle va au contraire l'enraciner dans son existence cachée. Tout faire par amour va la transformer entièrement. Petite, faible, pauvre, comme *un petit oiseau,* endormie ou distraite à l'oraison, encore bien imparfaite, sa force sera de s'abandonner entièrement à l'Amour, d'oser croire avec un téméraire, un audacieux abandon que sa vie offerte au Soleil divin (ou à l'Aigle divin), Jésus, peut sauver le monde. C'est en osant croire, absolument, à cet Amour, qu'elle sera apôtre, docteur, guerrier, prêtre, martyr... Les œuvres éclatantes lui sont interdites mais elle peut *jeter des fleurs,* c'est-à-dire offrir toutes les petites occasions d'aimer que lui offre la vie de chaque jour.

Jeter des fleurs, geste familier à Thérèse depuis son enfance, continué avec ses novices, les soirs d'été, lorsqu'elles jettent des pétales de roses au crucifix du « préau ». Ceux qui touchent le Crucifié acquièrent une valeur infinie pour l'Eglise, pour le monde. Cela signifie, en clair, que les « riens » de la vie de Thérèse unis au Christ deviennent des trésors de grâce pour tous les hommes. Ainsi exprime-t-elle, dans son langage fleuri, le mystère insondable de la communion des saints. Sa vie : une rose effeuillée pour la vie du monde.

Livrée à l'action de grâces, sœur Thérèse termine sa lettre enflammée par une prière et un appel : *O Jésus ! que ne puis-je dire à toutes les* petites âmes *combien ta condescendance est ineffable...: je sens que si par impossible tu trouvais une âme plus faible, plus petite que la mienne, tu te plairais à la combler de faveurs plus grandes encore, si elle s'abandonnait avec une entière confiance à ta miséricorde infinie. () Je te supplie de choisir une légion de* petites *victimes dignes de ton AMOUR !...*

Comme sœur Marie du Sacré-Cœur, avant le début de sa retraite, lui a demandé de lui écrire quelque chose sur « sa petite doctrine », Thérèse va lui confier ces pages. Mais elle se rend compte que sa marraine peut-être les trouvera *exagérées.* Sa filleule serait-elle exaltée ? Elle prend donc soin de lui écrire, le 13 septembre, une sorte d'intro-

Thérèse (à droite) avec ses sœurs,
Marie du Sacré-Cœur, Mère Agnès, Céline (de g. à dr.),
et, au premier plan, sa cousine Marie Guérin (novembre 1896).

duction. *Ne croyez pas que je nage dans les consolations,
oh non ! ma consolation c'est de n'en pas avoir sur la terre.*
[Sa sœur ne sait rien de son épreuve de foi.] *Sans se montrer,
sans faire entendre sa voix () Jésus se plaît à me montrer
l'unique chemin qui conduit à cette fournaise divine, ce
chemin c'est l'abandon du petit enfant qui s'endort sans
crainte dans les bras de son Père...*

Elle confie donc ces pages à sa sœur en l'assurant qu'il
n'y a vraiment *aucune exagération* en elle, que *tout y est
calme et reposé.*

La première à lire « ces pages brûlantes d'amour » a conscience de posséder un « trésor ». Elle répond (on ne parle
pas aux carmélites en retraite) : « Voulez-vous que je vous
dise ? Eh bien, vous êtes possédée par le bon Dieu, mais possédée ce qui s'appelle... absolument comme les méchants
le sont du vilain. » Mais, faisant retour sur elle-même, elle
se désole. Qu'elle est loin, elle, bien loin d'avoir
de tels désirs ! Comment ne pas envier sa filleule comblée ?

Heureuses objections qui nous valent de nouvelles pré-
cisions de la retraitante. Sœur Marie du Sacré-Cœur n'a
pas compris la parabole du petit oiseau. Ou Thérèse s'est
mal expliquée ou sa sœur est une trop grande âme.

Elle explique à nouveau : les trésors de l'Amour miséricordieux sont offerts à *tous.* Thérèse n'est pas une exception
privilégiée. Bien au contraire ! Faible et impuissante, elle est
la vivante preuve que l'Amour choisit les petits. *Ce qui plaît
au Bon Dieu dans ma petite âme,* c'est de me voir aimer
ma petitesse et ma pauvreté, c'est l'espérance aveugle *que*
j'ai en sa miséricorde... *() Comprenez que pour aimer Jésus,
être sa* victime d'amour, *plus on est faible, sans désirs, sans
vertus, plus on est propre aux opérations de cet Amour con-
sumant et transformant. () Il faut consentir à rester toujours
pauvre et sans force et voilà le difficile. () C'est la confiance et rien que la confiance qui doit nous conduire à l'Amour...*

En trois lettres, sœur Thérèse de l'Enfant-Jésus de la
Sainte-Face vient d'écrire, sans le savoir, « la charte de la
petite voie d'enfance » (Conrad De Meester), un des joyaux
de la littérature spirituelle.

A peine sortie de sa solitude, elle suit la retraite prêchée à la communauté par le P. Godefroy Madelaine, prieur de l'Abbaye des prémontrés de Mondaye (8-15 octobre). Elle a déjà rencontré ce religieux assez strict et lui a confié ses tentations contre la foi, cette épreuve qui ne cesse pas. Il lui conseille de porter toujours sur elle le Credo et d'y poser la main lorsqu'elle souffre. Elle l'écrit donc avec son sang et le met dans l'Evangile qui ne la quitte jamais. *Je crois avoir fait plus d'actes de foi depuis un an que pendant toute ma vie.* Sur le montant de la porte de sa cellule, à hauteur des yeux, elle grave : *Jésus est mon unique Amour.* Faut-il que ses tentations soient violentes pour qu'elle ait osé écrire sur une cloison !

Le dernier jour de la retraite, en la fête de Thérèse d'Avila, elle tire un billet d'une corbeille, comme toutes ses sœurs. La coutume veut que chacune reçoive ainsi une sentence à méditer. La sienne évoque le zèle de la *Madre* pour la gloire de Dieu et le salut du monde. Thérèse en est heureuse. Telle est bien sa route.

Partir en Indochine ? (novembre 1896)

Ce désir missionnaire va être intensifié par la correspondance plus fournie avec ses deux frères prêtres. De Chine, le P. Roulland lui raconte les débuts de son apostolat. Il lui a envoyé *l'âme d'un Missionnaire,* la vie du P. Nempon, mort à vingt-sept ans au Tonkin, lorsqu'elle en avait seize. Elle a aussi reçu les dates importantes de la vie de son frère. Elle les lui avait demandées. Avec ravissement, elle découvre que la vocation du missionnaire a été « sauvée » le 8 septembre 1890, jour de sa profession !

Je ne savais pas que depuis six ans j'avais un frère qui se préparait à devenir Missionnaire ; maintenant que ce frère est véritablement son Apôtre, Jésus me révèle ce mystère afin sans doute d'augmenter encore en mon cœur le désir de L'aimer et de Le faire aimer.

Désir qui ne cesse de s'amplifier en elle et va s'exprimer

avec de plus en plus de force. Comme vœux de nouvel an, elle souhaite à son frère le martyre et lui réclame à l'avance des reliques : quelques mèches de ses cheveux ! L'espère-t-elle pour elle-même ce martyre alors qu'en France, les lois républicaines menacent l'existence des congrégations ? « Les bruits de persécution nous ont toujours fait vivre comme sur un volcan », dira Céline.

En ce mois de novembre, on parle encore d'un possible départ de sœur Thérèse pour le Tonkin [64]. Car elle semble bien remise. Elle ne manque aucun des exercices de la communauté, participe même à matines. « Pour avoir un signe de la volonté de Dieu », on commence une neuvaine au jeune martyr Théophane Venard, son grand ami (1829-1861). Elle vient de lire sa vie et ses lettres. Sa jeunesse, sa gaieté, son amour de sa famille..., sa mort, la ravissent. Elle l'aime encore mieux que saint Louis de Gonzague, parce que sa vie fut tout ordinaire.

Le discernement se fait aisément. En pleine neuvaine, elle se remet à tousser et sa santé se détériore. En cet hiver 1896, Mère Marie de Gonzague lui octroie une chaufferette qu'elle utilise d'ailleurs parcimonieusement. Elle plaisante avec sœur Marie de la Trinité : *Ce sera le monde renversé, les saints sont entrés au Ciel avec leurs instruments de pénitence,* moi *j'y entrerai avec ma chaufferette.* Elle supporte des vésicatoires [65] douloureux. Peu avant 7 heures, sœur Geneviève, aide-infirmière, vient la réveiller pour « l'étriller » au gant de crin. Un jour de décembre où elle ne peut quitter sa cellule, épuisée par tous ces soins, les Guérin lui font envoyer un plat de veau aux morilles. Mais dès qu'elle le peut, elle se lève pour aller à la messe. Ce n'est pas trop de souffrir pour gagner une communion !

64. La mission avait suivi la conquête du Tonkin (1882-1885), menée par Jules Ferry, surnommé « le Tonkinois » par les anti-colonialistes. Son ministère chutera après l'évacuation de Lang-Son en 1885. Le carmel d'Hanoï fut fondé le 15 octobre 1895 par celui de Saïgon, lui-même fondé par le carmel de Lisieux en 1861.

65. Cataplasme qui, appliqué sur la peau, détermine une sécrétion séreuse provoquant un soulèvement de l'épiderme. Il laisse une trace et une brûlure.

Le souci des autres la maintient vigilante. Sœur Marie-Madeleine la fuit toujours, « se sentant devinée jusqu'au fond de l'âme ». A sœur Marie de la Trinité, qu'elle surnomme parfois sa Poupée, elle conseille de changer de jeu avec l'Enfant Jésus (cette jeune sœur avait imaginé qu'elle jouait avec lui à toutes sortes de jeux) : non plus jouer aux quilles, mais être la toupie de Jésus et accepter les coups de fouet de ses reproches ! A sœur Marie de Saint-Joseph, elle écrit de petits billets amusants et réconfortants.

Pourtant, pour Noël, elle n'a pas la force (ou le temps), de composer une pièce comme d'habitude. Elle se contente d'écrire *La volière de l'Enfant Jésus*. Les carmélites « en cage » viennent réjouir le nouveau-né de la crèche. Mais un jour

> *Tous les oiseaux de ta volière*
> *Prendront leur essor vers le Ciel.*

Elle se souvient sans doute de sa volière des Buissonnets, au temps de son adolescence : il y a maintenant dix ans.

Mais elle pense beaucoup plus au Ciel, qui lui reste étrangement voilé, qu'à son passé. En la fête des Saints Innocents (28 décembre), elle célèbre ses quatre frères et sœurs morts en bas âge. Depuis plusieurs mois, elle médite sur le sort de ces enfants arrivés devant Dieu *les mains vides*. A leur sujet, elle a peint une image qui porte une citation de l'épître aux Romains : « Heureux ceux que Dieu tient pour justes sans les œuvres, car à l'égard de ceux qui font les œuvres la récompense n'est point regardée comme une grâce, mais comme une chose due... C'est donc gratuitement que ceux qui ne font pas les œuvres sont justifiés par la grâce, en vertu de la rédemption dont Jésus-Christ est l'auteur » (traduction Glaire).

A mes Petits Frères du Ciel chanté en communauté, ce soir du 28 décembre [66], lui vaut une soudaine humiliation.

---

66. Le jour de la fête des Saints Innocents, le noviciat organisait la journée à sa guise.

Après en avoir autorisé l'audition, Mère Marie de Gonzague sort furieuse du chauffoir, disant bien haut que le chant de ses poésies ne pouvait qu'entretenir l'orgueil de sœur Thérèse. Quelques instants plus tard, celle-ci, à l'office du soir, garde une expression paisible.

« Je crois que ma course ici-bas ne sera pas longue » (janvier-mars 1897)

Ainsi commence l'année 1897, celle de ses vingt-quatre ans. Le 9 janvier, elle confie à sa petite Mère (Agnès) : *J'espère aller bientôt là-haut.* Le 27, au frère Siméon à Rome, quatre-vingt-trois ans, elle écrit : *Je crois que ma course ici-bas ne sera pas longue.* En février, au P. Bellière, elle cite son cantique *Vivre d'Amour : J'en ai l'espoir, mon exil sera court.* Elle ajoute pour rassurer (!) le séminariste : *Si Jésus réalise mes pressentiments, je vous promets de rester votre petite sœur là-haut.*

Tout ce qu'elle écrit en ces mois où elle lutte avec énergie prend une coloration testamentaire. *Toute mon âme est là,* dit-elle à Mère Agnès en lui remettant un cantique, *Ma Joie,* pour sa fête le 21 janvier.

L'épreuve de la foi et de l'espérance semble redoubler d'intensité. A sœur Thérèse de Saint-Augustin (celle qui lui est antipathique en *toutes choses* et qu'elle aime de toute sa volonté), elle confie : *Je ne crois pas à la vie éternelle, il me semble qu'après cette vie mortelle il n'y a plus rien. Je ne puis vous exprimer les ténèbres dans lesquelles je suis plongée. Ma Joie* exprime la force de ce combat :

> *Lorsque le Ciel bleu devient sombre*
> *Et qu'il semble me délaisser*
> *Ma joie est de rester dans l'ombre*
> *De me cacher, de m'abaisser.*
>
> *Ma joie, c'est la Volonté Sainte*
> *De Jésus mon unique amour*
> *Ainsi je vais sans nulle crainte*
> *J'aime autant la nuit que le jour.*

() Et je redouble de tendresses
Lorsqu'Il se dérobe à ma foi.

() Que me font la mort ou la vie ?
Jésus, ma joie c'est de t'aimer !

Pour le vingt-sixième anniversaire du martyre du jeune Théophane Venard, décapité au Tonkin en 1861, elle compose spontanément une poésie. *Mon âme ressemble à la sienne,* dira-t-elle. Comme son ami, elle combat courageusement, dans un esprit missionnaire :

Mon faible amour, mes petites souffrances
Bénies par Lui, le font aimer au loin !

Ce même jour, serveuse au réfectoire, elle casse une vitre du guichet avec un plateau. En larmes, elle ramasse les morceaux de verre, aidée par Céline. *J'avais demandé d'avoir aujourd'hui une grosse peine à lui offrir, en l'honneur de mon cher petit frère Théophane, eh bien ! la voilà !*

Très fatiguée, elle n'en continue pas moins à beaucoup écrire. Pour les cinquante ans de vie carmélitaine de sœur Saint-Stanislas, la doyenne, elle compose sa huitième récréation, *Saint Stanislas Kostka.* Ce qui la séduit dans la vie de ce jeune novice jésuite, c'est que sainte Barbe, au cours d'une vision, lui a donné la communion. Cela fait songer sœur Thérèse. Peut-être la sainte avait-elle désiré, sur la terre, *partager les sublimes fonctions des prêtres, et le Seigneur a voulu combler ce désir ?* Sans doute, en sera-t-il de même pour elle qui aurait tant voulu être prêtre.

Mais surtout ce jeune saint a été hanté par un désir : faire du bien après sa mort, désir qui s'amplifie en Thérèse.

A peine le grand jeûne du carême est-il commencé, le mercredi 3 mars, qu'elle fait une neuvaine à saint François-Xavier, patron des missions universelles, précisément à cette intention : qu'elle puisse faire du bien après sa mort.

Cette neuvaine, dite « de la grâce », est réputée infaillible. Elle implore en outre saint Joseph, le jour de sa fête, dans l'ermitage qui lui est dédié. Ce 19 mars, sœur Marie du Sacré-Cœur la trouve bien malade et lui conseille d'aller plutôt se reposer dans sa cellule. Ce même jour, Thérèse écrit au P. Roulland en Chine : *Je voudrais sauver des âmes et m'oublier pour elles ; je voudrais en sauver même après ma mort.* Une fois encore, elle évoque un départ pour le carmel d'Hanoï. Sa prieure croit à sa vocation missionnaire, mais le fourreau n'est pas aussi solide que l'épée. *Ce n'est vraiment pas commode d'être composé d'un corps et d'une âme.*

Surtout lorsque le premier se dégrade lentement, sûrement. Mais Thérèse tient. *Si je meurs, on le verra bien,* dit-elle à Marie de la Trinité. Pour la profession de la dernière de ses novices, sœur Marie de l'Eucharistie, elle compose *Mes Armes.* La malade s'y affirme guerrière [67]. Le soir même, sa cousine à la voix si harmonieuse chante ce cantique devant la communauté.

> *Je dois lutter sans repos et sans trêve*
> *() De tout l'enfer je brave la fureur.*

Elle conclut ainsi les cinq strophes :

> *En souriant je brave la mitraille*
> *Et dans tes bras, ô mon Epoux Divin*
> *En chantant je mourrai sur le champ de bataille*
> *Les Armes à la main.*

Sans le savoir, la communauté vient d'entendre le testament de Thérèse : ce sont les dernières paroles qu'elle adressera à ses sœurs réunies au chauffoir.

---

67. Ce qui fera sourire le séminariste soldat Maurice Bellière à qui Thérèse enverra ce poème.

LA MALADIE, LA PASSION, LA MORT
Avril – 30 septembre 1897

*« Vivre d'Amour, ce n'est pas sur la terre
Fixer sa tente au sommet duThabor,
Avec Jésus, c'est gravir le Calvaire. »*

Gravement malade (avril 1897)

Jusqu'en ce mois d'avril, les sœurs qui voient Thérèse
encore circuler, tenir sa place dans la communauté, ne se
doutent pas que sa santé continue de s'altérer. Consciente
de ces apparences trompeuses, elle dira plus tard : *On ne
me croit pas aussi malade que je le suis.*

L'affection familiale rend les proches plus vigilantes. Fin
avril, sœur Geneviève écrit au frère Siméon, à Rome : « La
santé de votre autre petite carmélite, sœur Thérèse de
l'Enfant-Jésus, est bien compromise. () Chacun s'attend à
voir le divin Maître cueillir cette fleur si belle. » Dès le
4 avril, le premier des « bulletins de santé » que Marie
Guérin envoie à ses parents signale des indigestions, une
fièvre quotidienne, *à 3 heures, heure militaire,* précise
Thérèse dans un post-scriptum. Le docteur de Cornière est
appelé.

A mesure que les jours passent, ce sont des vomisse-
ments, de très vives douleurs dans la poitrine, des crachements de sang épisodiques. « J'ai peur de t'inquiéter, mon
cher petit Père, mais vraiment nous le sommes bien, écrit
Marie le 5 juin. Quand on voit les progrès que cela fait,
elle est dans un état de grand anéantissement et éprouve
quelquefois, nous dit-elle, des angoisses comme si elle
allait mourir. »

191

La dernière cellule de Thérèse (1894-1897, avant l'infirmerie).

Secouée de longues quintes de toux *(Je tousse! je tousse! Ça fait comme la locomotive d'un chemin de fer quand elle arrive à la gare),* Thérèse abandonne progressivement tous les exercices de la vie communautaire : récréations, office choral, travaux communs. C'est le 18 mai seulement qu'elle sera vraiment déchargée de tout emploi. Au cours de la semaine pascale, elle s'entretient plus longuement avec Mère Agnès qui commence à noter quelques-unes de ses paroles. Début de ces «derniers entretiens» qui vont durer six mois.

Léo Taxil se démasque ou le triomphe de l'humiliation (19 avril 1897)

Le soir du lundi de Pâques, dans la salle de la Société de Géographie à Paris, conférence de presse très attendue. Miss Diana Vaughan [68] va enfin se montrer et parler en public. Depuis quelque temps, elle avait été sommée de paraître. Des jésuites allemands avaient même mis son existence en doute. Mais elle répondait qu'ayant trahi les francs-maçons, elle craignait pour sa vie. Ce soir, une salle comble l'attend.

Mais au lieu d'une charmante jeune femme paraît sur l'estrade un petit homme bedonnant, au cheveu rare, à la barbiche modeste : Léo Taxil ! Devant la salle houleuse, composée de journalistes catholiques (beaucoup de prêtres) et anticléricaux, il jette le masque. Diana Vaughan, c'est lui ! La convertie n'a jamais existé que dans son imagination plus que fertile. Depuis douze ans, ses écrits ont berné des milliers de lecteurs crédules : des chrétiens, des prêtres, des évêques, voire le pape, mais aussi des francs-maçons. *La Neuvaine Eucharistique,* c'est lui qui l'a écrite ! Quant au palladisme, il est sorti de son cerveau de Marseillais, spécialiste d'énormes canulars, depuis sa jeunesse [69]. Il est très fier de « la plus grandiose fumisterie de son existence ! »

La salle, quasi unanime, veut faire un mauvais parti à l'imposteur qui doit prestement s'éclipser sous les huées, protégé par les sergents de ville. La séance de projections qui devait illustrer la conférence de Diana Vaughan n'a pas lieu. Seule est demeurée au mur, durant le discours de Léo Taxil, une photographie représentant Jeanne d'Arc.

---

68. Cf. *supra,* pp. 176 ss.
69. Léo Taxil, de son vrai nom Gabriel Jogand-Pagès, né à Marseille le 21 mars 1854. Sur cette étonnante mystification, lire *le Triomphe de l'humilité, Thérèse mystifiée, l'affaire Léo Taxil et le manuscrit B,* Cerf-DDB, 1975.

Le 21 avril, le journal *le Normand* publie un discret entrefilet sur la mémorable conférence de presse. Les catholiques qui ont « cru » en Diana baissent le nez. Mais le 24, en première page, le journal rend longuement compte de la séance. Si, au carmel de Lisieux, les sœurs Martin ont lu la fin de l'article (ce qui est probable), ce dut être la stupeur. « Que dire encore de cette séance ? Des projections, il devait y en avoir par centaines : une seule a eu lieu, une photographie représentant l'apparition de Sainte Catherine à Jeanne d'Arc, d'après un tableau qui aurait été fait en l'honneur de Diana Vaughan dans un couvent de carmélites. Quel couvent ? La maison de Taxil probablement ! »

Eh bien non ! Pour une fois, Léo Taxil a dit vrai. La photographie provient bien d'un carmel... celui de Lisieux. Catherine et Jeanne, ce sont...Céline et Thérèse Martin. Elles ont « présidé » la séance du 19 avril ! Léo Taxil a utilisé le cliché que sœur Thérèse de l'Enfant-Jésus lui avait envoyé.

Coup très rude pour les carmélites ! Pour la malade, toujours dans la nuit de la foi, il porte sans doute très profond. Elle avait écrit *le Triomphe de l'humilité :* elle touche maintenant le fond de l'humiliation. Elle se tait. Elle déchire la réponse reçue de « Diana Vaughan » et la jette sur le tas de fumier du jardin. Elle fera rayer ce nom de tous les passages de ses écrits. Elle ne savait pas que la bassesse sacrilège de l'homme pouvait se jouer des réalités qui la font vivre. Tout pourrait donc être illusion ? Lorsqu'elle va écrire, deux mois après cette révélation, *ces âmes qui n'ont pas la foi, qui par l'abus des grâces perdent ce précieux trésor,* elle pensera évidemment à l'imposteur. Pour lui aussi, il lui faut accepter de vivre dans la nuit. Pour lui, et tous ses semblables, elle prie : *Seigneur, votre enfant l'a comprise votre divine lumière, elle vous demande pardon pour ses frères, elle accepte de manger aussi longtemps que vous le voudrez le pain de la douleur et ne veut point se lever de cette table remplie d'amertume où mangent les pauvres pécheurs avant le jour que vous avez marqué...*

Mais aussi ne peut-elle pas dire en son nom, au nom de ses frères : Ayez pitié de nous Seigneur, car nous sommes de pauvres pécheurs !... *Oh ! Seigneur, renvoyez-nous justifiés... Que tous ceux qui ne sont point éclairés du lumineux flambeau de la Foi voient luire enfin... ô Jésus, s'il faut que la table souillée par eux soit purifiée par une âme qui vous aime, je veux bien y manger seule le pain de l'épreuve jusqu'à ce qu'il vous plaise de m'introduire dans votre lumineux royaume.*

Rien ne perce de cette terrible déception dans la longue lettre qu'elle adresse le dimanche suivant à l'abbé Bellière. Désormais, délaissant le protocolaire « Monsieur l'abbé », elle le nomme son « cher petit frère ». Qu'il ne se trompe pas au sujet de sa sœur : elle n'est pas une de ces *grandes âmes* que l'on rencontre parfois dans les monastères contemplatifs. En réalité, elle n'est qu'une *toute petite âme,* très imparfaite, mais elle reconnaît les dons de Dieu. Il a fait en elle de grandes choses. Elle aime situer dans le temps toutes les grâces reçues. A l'abbé, elle envoie les dates mémorables de sa vie et lui demande, en retour, celles de son itinéraire.

Avec le P. Roulland, en Chine, elle partage aussi sa petite voie *toute de confiance et d'amour. Parfois lorsque je lis certains traités spirituels où la perfection est montrée à travers mille entraves, environnée d'une foule d'illusions, mon pauvre petit esprit se fatigue bien vite, je ferme le savant livre qui me casse la tête et me dessèche le cœur et je prends l'Ecriture Sainte. Alors tout me semble lumineux, une seule parole découvre à mon âme des horizons infinis, la perfection me semble facile, je vois qu'il suffit de reconnaître son néant et de s'abandonner comme un enfant dans les bras du bon Dieu.*

Elle se considère comme le chiffre zéro qui, par lui-même, n'a pas de valeur mais qui, placé après l'unité, devient utile. La carmélite ne peut *absolument rien* faire, elle suit seulement le missionnaire par *la prière et le sacrifice.* Elle vit ce qu'elle dit. La voyant avancer lentement

195

dans le jardin, très fatiguée, sœur Marie du Sacré-Cœur lui conseille vivement d'aller se reposer. *Je marche pour un missionnaire,* répond Thérèse.

« Pourquoi je t'aime, ô Marie » (mai 1897)

Fièvre, toux, douleurs... dans sa cellule, sœur Thérèse continue à coudre. Elle a horreur de perdre son temps. Elle peut aussi composer des poésies pour *faire plaisir* à ses sœurs. Mère Henriette, du carmel de Paris, a entendu parler de cette jeune carmélite qui versifie. Elle veut se rendre compte par elle-même. « S'il est vrai que cette petite sœur de Lisieux est une perle et fait de si belles poésies, qu'elle m'en envoie donc une, de ses poésies, et je verrai cela par moi-même. » Elle lui lance une sorte de défi que la malade relève. Mère Henriette reçoit *Une rose effeuillée,* poème de cinq strophes.

> *Une rose effeuillée sans recherche se donne*
> *Pour n'être plus.*
> *() L'on marche sans regret sur des feuilles de rose*
> *Et ces débris*
> *Sont un simple ornement que sans art on dispose*
> *Je l'ai compris.*

La carmélite de Paris estime cette poésie belle mais inachevée : il lui manque un couplet final. A la mort, le bon Dieu recueillera ces pétales effeuillés pour en reformer une belle rose qui brillera toute l'éternité. Contresens total pour Thérèse. Elle répond : *Que la bonne Mère fasse elle-même ce couplet comme elle l'entend, pour moi je ne suis pas du tout inspirée pour le faire. Mon désir est d'être effeuillée à tout jamais, pour réjouir le bon Dieu. Un point, c'est tout !*

Incomprise, elle le demeure. *Le bon Dieu seul peut me comprendre.* Pressentant que ce mode d'expression lui sera bientôt impossible, elle écrit spontanément deux poèmes.

L'un *A Jeanne d'Arc.* De plus en plus, elle pense à sa sœur en prison face à la mort.

Jeanne tu m'apparais plus brillante et plus belle
Qu'au sacre de ton Roi, dans ta sombre prison
Ce Céleste reflet de la gloire éternelle
Qui donc te l'apporta? Ce fut la trahison.

Jeanne fut trahie par son propre parti, comme Thérèse vient de l'être par « Diana Vaughan ».

Le second cantique livre son testament marial. Mois de mai, mois de Marie. A sœur Geneviève, elle confie : *J'ai encore quelque chose à faire avant de mourir. J'ai toujours rêvé d'exprimer dans un chant à la Sainte Vierge tout ce que je pense d'elle.* Des nombreux sermons entendus au cours de sa vie [70], bien peu l'ont satisfaite. Que de *choses invraisemblables* dites par les prédicateurs ! Ils montrent Marie *inabordable,* plus Reine que Mère, éclipsant la gloire de ses enfants. *Que j'aurais donc bien voulu être prêtre pour prêcher sur la Sainte Vierge !* Elle l'aurait montrée *imitable* et *plus Mère que Reine.* En vingt-cinq strophes, Thérèse parcourt *la vie réelle, non supposée,* de Marie de Nazareth, selon la chronologie des évangiles qui demeurent son seul guide. Vie toute simple, vie de foi. Comme nous – comme Thérèse – Marie a connu l'épreuve.

Mère, ton doux Enfant veut que tu sois l'exemple
De l'âme qui Le cherche en la nuit de la foi.

Ce n'est que dans la dernière strophe que la carmélite évoque sa propre histoire :

Bientôt dans le beau Ciel, je vais aller te voir
Toi qui vins me sourire *au matin de ma vie*
Viens me sourire encor... Mère... voici le soir !

---

70. Le carmel est un ordre marial.

Elle se rend compte maintenant que ses modestes compositions peuvent *faire du bien*. En les adaptant à ses correspondants, elle en recopie certaines pour les envoyer à ses frères spirituels qui les apprécient. Les carmélites les reproduisent aussi. On les envoie dans les familles (les Guérin ont priorité), dans les carmels (Paris, Saïgon). A Rome, le frère Siméon les prête au frère Salutaire, « poète » lui-même. Celui-ci tentera même d'obtenir une préface de sa consœur en poésie pour un recueil, *Mes dévotions*. Thérèse ne répondra pas. Elle ignore « la littérature ».

Si, durant cette période, elle relit tout ce qu'elle a écrit, un crayon à la main, ce n'est pas dans une perspective littéraire. Elle ne peut plus guère travailler. Elle relit peut-être sa vie, pour lutter contre les tentations obsédantes qui veulent lui faire oublier l'Amour dont elle a été comblée. Un des aspects de son épreuve est de pousser à l'amnésie spirituelle.

Sa seconde pièce sur Jeanne d'Arc lui apparaît maintenant dans une une lumière toute nouvelle : cette jeune fille qui affronte la mort, qui vit une agonie intérieure... mais c'est elle-même ! Inconsciemment, elle a prophétisé. A Mère Agnès, elle confie : *J'ai relu la pièce de Jeanne d'Arc que j'ai composée. Vous verrez là mes sentiments sur la mort ; ils sont tous exprimés.*

Mais quand viendra-t-elle cette mort ? Elle l'ignore. Elle s'abandonne. *Je ne désire pas plus mourir que vivre ; () si j'avais à choisir, j'aimerais mieux mourir ; mais puisque c'est le bon Dieu qui choisit pour moi, j'aime mieux ce qu'il veut. C'est ce qu'il fait que j'aime.*

Un petit cahier noir (4 juin – 8 juillet 1897)

En ces jours, l'intimité de la malade avec sa sœur Agnès s'intensifie. Thérèse veut la mettre devant la vérité. Le soir du dimanche 30 mai, elle lui révèle ses deux crachements de sang de l'année précédente. Bouleversement de la « petite Mère » ! Sa sœur va mourir et, depuis des mois, lui cachait quelque chose. Par un échange d'affectueux petits billets, Thérèse tente d'apaiser la sensibilité très vive de son aînée. Cette fois, Agnès prend conscience de la situation. « Votre état s'aggrave tellement ! quand je pense que vous allez mourir ! »

Ce « trésor » auprès d'elle va disparaître. Elle repense au cahier de souvenirs qu'elle a reçu il y a deux ans et qu'elle a lu avec émerveillement. Sa sœur a tant de choses à dire ! Pourquoi ne pas continuer alors qu'il est encore temps ?

Le soir du 2 juin, l'ancienne prieure va frapper à la porte de Mère Marie de Gonzague, après matines. Il est près de minuit. « Ma Mère, il m'est impossible de dormir avant de vous avoir confié un secret : pendant que j'étais prieure, sœur Thérèse m'écrivit pour me faire plaisir et par obéissance, quelques souvenirs de son enfance, j'ai relu cela l'autre jour ; c'est gentil, mais vous ne pourrez pas en tirer grand'chose pour vous aider à faire sa circulaire [71] après sa mort, car il n'y a presque rien sur sa vie religieuse. Si vous le lui commandiez, elle pourrait écrire quelque chose de plus sérieux, et je ne doute pas que ce que vous auriez ne soit incomparablement mieux que ce que j'ai. »

Requête prudente et adroite qui obtient plein succès. Dès le lendemain, Mère Marie de Gonzague ordonne à la malade qui vient de vomir et souffre de douleurs variées, de continuer d'écrire. Surprise de sœur Thérèse. « Ecrire sur quoi ? – Sur les novices... sur vos frères spirituels... » répond Mère Agnès. On remet à Thérèse un petit cahier à couverture de moleskine noire qu'elle juge bien trop beau pour elle.

Pour écrire ma « petite vie », je ne me casse pas la tête ; c'est comme si je pêchais à la ligne ; j'écris ce qui vient au bout. Le 3 ou 4 juin, elle commence, s'adressant cette fois à Mère Marie de Gonzague : *Ma Mère bien-aimée, vous m'avez témoigné le désir que j'achève avec vous de* Chanter les Miséricordes du Seigneur (). *Oui c'est avec vous, Mère bien-aimée, c'est pour répondre à votre désir que je vais*

71. Après la mort d'une religieuse, lettre envoyée à tous les carmels, relatant plus ou moins longuement ce que fut sa vie.

essayer de redire les sentiments de mon âme, ma reconnaissance envers le bon Dieu, envers vous qui me le représentez visiblement.

Ce changement de destinataire a évidemment son importance. Depuis la réélection laborieuse de Mère Marie de Gonzague, il y a un an et demi, ses relations avec sa prieure ont changé. Elle est devenue son adjointe au noviciat. Elle-même a parcouru un itinéraire spirituel rapide. La voici devant la mort. *Maintenant,* elle se voit telle qu'elle est devant Dieu, *un pauvre petit néant.* Avec une totale liberté, avec sa *simplicité enfantine,* elle peut parler à sa prieure. Tant pis si elle ne se tient *pas toujours dans les bornes prescrites aux inférieures.* C'est la faute de Mère Marie de Gonzague qui la traite *plus en Mère qu'en prieure.*

En toute vérité, Thérèse peut commencer son cahier en la remerciant de ne pas l'avoir gâtée au début de sa vie religieuse. Son éducation *forte et maternelle* lui a été bien utile. Ainsi formée aux humiliations, elle n'a plus à craindre aujourd'hui les louanges dont on peut la combler.

Tout au long de ce beau mois de juin, tantôt dans sa cellule, tantôt dans *un joli petit fauteuil tout blanc,* tantôt dans la voiture d'infirme de son père (donnée au carmel), Thérèse écrit, souvent dérangée par les infirmières, les sœurs qui passent, les novices qui veulent lui parler. *Je ne sais pas ce que j'écris. () Je ne sais pas si j'ai pu écrire dix lignes sans être dérangée. () Tenez, voici une faneuse qui s'éloigne après m'avoir dit d'un ton compatissant : "Ma pauvr' ptite sœur, ça doit vous fatiguer d'écrire comme ça toute la journée. – Soyez tranquille, ai-je répondu, je parais écrire beaucoup mais véritablement je n'écris presque rien. – Tant mieux ! mais c'est égal, j'suis bin contente qu'on soit en train d'faner, car ça vous distrait toujours un peu."*

Son humour et son don d'imitation ne sont pas émoussés par la maladie. *J'ai tâché de ne point m'impatienter, de mettre en pratique ce que j'écrivais.* En effet, la charité fraternelle est un sujet qui lui tient très à cœur et sur lequel elle a reçu d'abondantes lumières.

200

« Assise à la table des pécheurs »

Mais auparavant, elle veut évoquer les brouillards dans lesquels elle vit depuis Pâques 1896. Le 9 juin, second anniversaire de son offrande à l'Amour Miséricordieux, elle décrit, autant que le langage le permet, son épreuve intérieure. Ce jour-là, *les vilains serpents ne sifflent plus à (ses) oreilles.* Mais ce qu'elle en dit lui paraît aussi imparfait qu'une ébauche comparée au modèle. Voilà maintenant treize mois qu'elle multiplie les actes de foi pour résister aux voix intérieures qui lui suggèrent qu'elle va vers le *néant.*

Avant cette période, elle n'arrivait pas à concevoir qu'il y eût vraiment des incrédules. Elle vivait dans la foi reçue dans son enfance comme un poisson dans l'eau. Désormais, *tout a disparu.* Elle perçoit bien qu'il s'agit d'une *épreuve* qui doit purifier le désir trop naturel qu'elle avait du ciel. Mais surtout, elle se trouve mise de plain-pied au rang des incrédules. Elle accepte de s'asseoir sans aucune condescendance à *la table des pécheurs,* comme l'a fait Jésus. Elle pense à Pranzini, à Henry Chéron, à Léo Taxil, à René Tostain [72], à l'immense foule de ceux qu'elle ne connaît pas.

Un jour, elle avait surpris Marie de la Trinité par une confidence insolite : *Si je n'avais pas été acceptée au Carmel, je serais entrée dans un Refuge, pour y vivre inconnue et méprisée, au milieu des pauvres repenties ! Mon bonheur aurait été de passer pour telle à tous les yeux ; et je me serais faite l'apôtre de mes compagnes, leur disant ce que je pense de la miséricorde du bon Dieu...*

Cette épreuve lui a fait parcourir un chemin considérable. Partageant de l'intérieur ce que vivent les incroyants, elle se découvre semblable à eux. Sa vie de carmélite priant « pour » les autres comportait un danger de pharisaïsme. Elle sait maintenant qu'elle a été gratuitement sau-

72. Cf. *supra,* p. 123.

vée, que si elle n'est pas tombée, elle le doit à la préve-
nance du Père qui a ôté la pierre sur sa route. Ah! si elle
pouvait donner sa vie pour ces pécheurs afin qu'ils découvrent, eux aussi, qu'ils sont passionnément aimés par
Celui qui s'est révélé à Zachée, à Marie-Madeleine, à la
Samaritaine, à Augustin... à Thérèse Martin!

Elle l'avait écrit: *Je n'ai aucun mérite à ne m'être pas
livrée à l'amour des créatures, puisque je n'en fus préservée
que par la grande miséricorde du bon Dieu! Je reconnais
que sans lui, j'aurais pu tomber aussi bas que sainte
Madeleine... () mais je sais aussi que Jésus m'a plus remis
qu'à sainte Madeleine, puisqu'il m'a remis d'avance,
m'empêchant de tomber... () J'ai entendu dire qu'il ne
s'était pas rencontré une âme pure aimant davantage
qu'une âme repentante, ah! que je voudrais faire mentir
cette parole!*

Sur son épreuve intérieure, elle ne veut pas en écrire
plus long dans son cahier. Elle craindrait de *blasphémer...*
elle a même peur d'*en avoir trop dit...* Elle n'a confié ses
souffrances qu'à Mère Marie de Gonzague, à l'aumônier et
maintenant à Mère Agnès. Un jour, elle a tenté d'en parler
à sa marraine: *Vous avez des tentations contre la foi, vous?*
A la surprise indignée de Marie du Sacré-Cœur, elle a saisi
qu'elle devait rester très prudente sur ce terrain pour ne
pas «contaminer» ses sœurs.

Personne ne se doute de ce qu'elle éprouve. On la voit
toujours souriante et gaie. Chaque jour elle continue son
petit devoir «d'un premier jet et sans ratures». Elle raconte
sa joie d'avoir deux frères maintenant, mais conseille à la
prieure de rester très prudente sur ces correspondances spirituelles, après sa mort. *Sans l'obéissance, cette correspondance ferait plus de mal que de bien, sinon au missionnaire, du moins à la carmélite continuellement portée par
son genre de vie à se replier sur elle-même.*

Elle développe longuement sa manière de faire avec les
novices et surtout sa découverte, récente, de la vraie charité fraternelle. *Je comprends maintenant que la charité*

parfaite consiste à supporter les défauts des autres, à ne point s'étonner de leurs faiblesses, à s'édifier des plus petits actes de vertu qu'on leur voit pratiquer.

« Le métier de malade »

A partir du 10 juin, la rédactrice va un peu mieux. Le lundi 7, sœur Geneviève l'a photographiée. A genoux devant le gros appareil au voile noir, sœur Thérèse a posé neuf secondes. Elle tient en main les deux images de son bréviaire qui disent son nom et résument sa vocation : l'Enfant-Jésus, la Sainte Face. La pose ne satisfait pas la photographe. Deux fois elle recommence. Sa sœur est épuisée. Céline s'impatiente. Le soir, elle s'excuse et reçoit ce billet : *Rangeons-nous humblement parmi les imparfaites, estimons-nous de petites âmes. Oui, il suffit de s'humilier, de supporter avec douceur ses imperfections. Voilà la vraie sainteté !*

Thérèse vient juste de raconter dans son cahier la découverte de sa petite voie, il y a maintenant environ deux ans. Avant de rentrer, elle s'est assise dans le jardin avec Mère Agnès. La contemplation d'une poule blanche rassemblant ses poussins sous ses ailes, la fait pleurer *d'amour et de reconnaissance.* C'est ainsi que toute sa vie, Dieu l'a protégée.

Depuis le 4 juin, la communauté fait une neuvaine à Notre-Dame-des-Victoires pour la guérison de sœur Thérèse. N'avait-on pas été exaucé en mai 1883, lors de sa terrible maladie ? Cette fois-ci, la malade ne croit pas que la Vierge fasse un miracle.

Ce même jour, en récréation, allongée sur la paillasse de sœur Geneviève, elle a fait ses adieux aux sœurs Martin qui ne se lassent pas de la regarder et de l'écouter. *Oh ! mes petites sœurs, que je suis heureuse ! Je vois que je vais bientôt mourir, j'en suis sûre maintenant. Ne vous étonnez pas si je ne vous apparais pas après ma mort et si vous ne voyez aucune chose extraordinaire comme signe de mon bonheur. Vous vous rappellerez que c'est "ma petite voie" de ne rien désirer voir.* Elle pressent qu'elle ne pourra plus souvent communier. *Si vous me trouviez morte un matin, n'ayez pas de peine : c'est que Papa le bon Dieu serait tout simplement venu me chercher. Sans doute, c'est une grande grâce de recevoir les sacrements ; mais quand le bon Dieu ne le permet pas, c'est bien quand même, tout est grâce.*

Il demeure qu'elle a toujours déploré l'attitude stricte de Mère Marie de Gonzague qui refusait d'appliquer les décrets de 1891, facilitant la communion plus fréquente [73]. Ces relents de jansénisme craintif heurtaient son audacieuse confiance. *Ma voie est toute de confiance et d'amour, je ne comprends pas les âmes qui ont peur d'un si tendre ami.* A l'infirmerie, elle dira à sa prieure : *Après ma mort, je vous ferai changer d'avis* [74].

Le dernier jour de la neuvaine, elle va mieux. Déception de sa part ! *Je suis une petite fille guérie ! C'est fini ! L'espoir de la mort s'est usé. Le bon Dieu veut que je m'abandonne comme un tout petit enfant qui ne s'inquiète pas de ce qu'on fera de lui.*

Fin juin, derniers entretiens avec sa famille au parloir. Elle constate : *Comme j'étais intimidée au parloir avec mon oncle ! En revenant, j'ai beaucoup grondé une novice, je ne me reconnais pas. Quels contrastes il y a dans mon caractère !* Un autre jour, elle dira : *Moi, je n'ai jamais craint personne ; je suis toujours allée où j'ai voulu.*

Elle ne reverra plus sa famille qui part en vacances à la Musse. Sœur Marie de l'Eucharistie leur écrira des nouvelles durant tout l'été. Dans la splendeur du mois de juillet commençant, Thérèse, de plus en plus fiévreuse, ne peut plus tenir son porte-plume : pour écrire des lettres, continuer son cahier, elle utilise un petit crayon.

73. Ces décrets enlevaient à la prieure le pouvoir d'autoriser ou non la communion de ses religieuses et le transféraient au supérieur du carmel.
74. Avec le nouvel aumônier, M. Hodierne, nommé en 1897, l'eucharistie devint quotidienne au carmel de Lisieux.

Visages de Thérèse en janvier 1889, 1894, avril 1895, 17 mars 1896, juillet 1896 (deux photos), 1897, 30 août 1897.

Le mardi 6, elle vomit du sang en abondance, «comme du foie». Commence la période des hémoptysies, qui va durer jusqu'au 5 août. Le docteur de Cornière – qu'elle surnomme Clodion le chevelu – la visite quotidiennement. Le 8, elle se confesse à l'abbé Youf et demande l'extrême-onction. «Débordante de joie», elle plaisante toute la journée : *C'est quelque chose que d'être là à agoniser !... Qu'est-ce que cela fait après tout ! J'ai bien été quelques fois agonisée de sottises...* Elle en fait trop : à sa visite du vendredi, le médecin estime qu'elle n'en est pas encore à l'extrême-onction. Le chanoine Maupas, venu la voir, diffère la cérémonie. Grosse déception de la mourante : *Je ne connais pas le métier !* La prochaine fois, elle préparera mieux son affaire. Il lui suffira de boire une tasse de ce lait maternisé prescrit par le docteur et dont elle a horreur. Alors, peut-être, elle sera enfin «extrémisée».

Descendue à l'infirmerie (8 juillet 1897)

Bien que le médecin ait interdit tout mouvement, on la descend, sur un matelas, de sa cellule à l'infirmerie de la Sainte-Face, au rez-de-chaussée, à l'angle nord-est du cloître. La fenêtre de cette pièce de 4 mètres sur 5, donne sur le jardin. De son lit de fer entouré de rideaux bruns (elle y fait épingler ses images préférées : Marie, Théophane Venard, ses petits frères et sœurs...), elle voit la statue de la «Vierge du sourire», descendue avec elle. Tel est désormais l'univers de Thérèse.

Sœur Saint-Stanislas, l'infirmière en titre, a soixante-treize ans. Elle confie volontiers ses tâches à son aide, sœur Geneviève, qui dort dans la cellule contiguë. Mère Agnès devient le personnage principal de l'entourage de la malade. Autorisée à garder sa sœur durant l'office de matines, elle continue de prendre en note ses paroles. A travers ce journal quasi quotidien, on voit Thérèse vivre, souffrir, plaisanter, aimer.

Une malade comme les autres, très affaiblie. *Depuis que*

L'infirmerie du carmel; à dr. la Vierge du Sourire.

je suis malade, je ne pense à rien. Comment peut-elle prier ? *Je ne lui dis rien, je l'aime.* Durant des périodes d'abattement, elle gémit.

Elle connaît toutes les humiliations d'une grabataire, totalement dépendante de son entourage. *Comme c'est facile de se décourager quand on est bien malade.* Il lui reste à s'abandonner, comme toujours et plus que jamais.
Dans les souffrances physiques (fièvres, sueurs profuses, étouffements, insomnies, constipation, escarres, gangrène des intestins...), dans les souffrances morales, son visage

restant le même, certaines de ses sœurs ne la jugent pas vraiment malade. Les incertitudes de la maladie la déroutent, comme le docteur. Pendant quelque temps, elle redoute de rester à la charge d'une communauté pauvre. Le caractère changeant de Mère Marie de Gonzague provoque encore des scènes dont Thérèse fait les frais. L'indélicatesse de certaines sœurs (et même de Céline), la font souffrir. On vient charitablement lui répéter que sœur Saint-Vincent de Paul a dit en récréation : «Je ne sais pourquoi on parle tant de sœur Thérèse de l'Enfant-Jésus ; elle ne fait rien de remarquable ; on ne la voit point pratiquer la vertu, on ne peut même pas dire que ce soit une bonne religieuse.» A quoi l'intéressée réplique : *Entendre dire sur mon lit de mort que je ne suis pas une bonne religieuse, quelle joie ! rien ne pouvait me faire plus de plaisir.* Elle subit les questions répétées de son entourage sur son passé, sur la date de sa mort. «De quoi donc mourrez-vous ? – *Mais je mourrai de mort ! () Pourquoi serais-je plus à l'abri qu'une autre d'avoir peur de la mort ?*»

Souffrances spirituelles : angoisses intérieures, toujours. *J'admire le ciel matériel, l'autre m'est de plus en plus fermé.* A partir du 19 août, la voici privée de la communion dont elle ne peut plus supporter le cérémonial compliqué. Une fois, elle est au bord de la crise de nerfs. Un autre jour, sa souffrance est telle qu'elle recommande de ne pas laisser de médicaments violents auprès des grands malades : *Je suis étonnée qu'il n'y en ait pas davantage parmi les athées qui se donnent la mort. Si je n'avais pas eu la foi, je me serais donné la mort sans hésiter.*

C'est dans ces conditions que se manifestent encore sa gaieté, son humour. *Je suis toujours gaie et contente.* Mère Agnès a noté ses jeux de mots, ses imitations, ses sourires, ses mimiques, ses accents. Elle appelle Céline *Bobonne, Mlle Lili. Faut me laisser faire mes petites singeries.* Car il s'agit de consoler celles qui la visitent. Cette infirmerie devient un centre d'attraction et de rayonnement. Les novices – surtout «la Poupée», Marie de la Trinité – se plaignent de n'y avoir pas accès. Sœur Saint-Jean-de-la-

Croix – et d'autres anciennes – y viennent en cachette pour demander quelque conseil. Au fringant militaire Maurice (Bellière), Thérèse enseigne sa petite voie par écrit, *tout comme à une petite fille !*

Son cœur connaît la joie de l'amour vrai, il sait exprimer sa tendresse. A Mère Agnès, elle réclame un baiser qui fait « pit » ! Toujours lucide, elle sait qu'elle a franchi un seuil, ce qu'elle exprime par le mot *maintenant. Que je suis heureuse maintenant de m'être privée dès le début de ma vie religieuse ! Je jouis déjà de la récompense promise à ceux qui combattent courageusement. Je ne sens plus qu'il me soit nécessaire de me refuser toutes les consolations du cœur, car mon âme est affermie par Celui que je voulais aimer uniquement. Je vois avec bonheur qu'en l'aimant, le cœur s'agrandit, qu'il peut donner incomparablement plus de tendresse à ceux qui lui sont chers que s'il s'était concentré dans un amour égoïste et infructueux.*

Elle expérimente que tout ce qu'elle a écrit est bien vrai. Elle a voulu aimer jusqu'à mourir d'amour. Amour de Jésus, amour de toutes ses sœurs, amour universel. Plénitude de sa maturité alors que la maladie ronge son corps. Elle demeure pourtant une enfant. Souvent par jeu (on l'a remise au lait), elle se nomme *Bébé.* Mais quand elle dit à Marie du Sacré-Cœur : *Je suis un bébé qui est un vieillard,* elle ne plaisante plus. Elle dit la vérité. Elle termine sa *course de géant.*

Elle se reconnaît bien fatiguée, à bout. *Mais c'est dans les bras du bon Dieu que je tombe.* Elle n'a même plus la force de continuer ses souvenirs au crayon. Le petit cahier noir s'achève au folio 37 sur ces lignes : *Oui je le sens, quand même j'aurais sur la conscience tous les péchés qui se peuvent commettre, j'irais le cœur brisé de repentir, me jeter dans les bras de Jésus, car je sais combien il chérit l'enfant prodigue qui revient à Lui. Ce n'est pas parce que le bon Dieu dans sa* prévenante *miséricorde, a préservé mon âme du péché mortel que je m'élève à Lui par la confiance et l'amour.* Elle ne peut aller plus loin.

Avant de terminer, folio 35, elle a encore jeté un dernier

regard sur sa vie. *Votre amour m'a prévenue dès mon enfance, il a grandi avec moi, et maintenant c'est un abîme dont je ne puis sonder la profondeur. () O mon Jésus, c'est peut-être une illusion mais il me semble que vous ne pouvez combler une âme de plus d'amour que vous n'en avez comblé la mienne. () Ici-bas, je ne puis concevoir une plus grande immensité d'amour que celle qu'il vous a plu de me prodiguer gratuitement sans aucun mérite de ma part.*

Ainsi achève-t-elle de chanter les Miséricordes du Seigneur à son égard.

Publier ses manuscrits ?

Mère Agnès l'entretient, en juillet, d'un de ses projets. Si l'on publiait ce qu'elle a écrit pour faire sa circulaire ? Elle lance : « Ce que vous avez écrit pourrait bien aller un jour jusqu'au Saint-Père. » Thérèse rit : *Et nunc et semper !*

Sérieuse, elle envisage cette éventualité. Mais elle fait des recommandations. *Dites bien, ma Mère, que si j'avais commis tous les crimes possibles, j'aurais toujours la même confiance, je sens que toute cette multitude d'offenses serait comme une goutte d'eau jetée dans un brasier ardent. Vous raconterez ensuite l'histoire de la pécheresse convertie qui est morte d'amour* [75] *; les âmes comprendront tout de suite, car c'est un exemple si frappant de ce que je voudrais dire.*

L'inquiète Mère Agnès prévoit toutes sortes de difficultés pour cette publication. *Eh bien ! je dis comme Jeanne d'Arc : "La volonté de Dieu s'accomplira malgré la jalousie des hommes".* Avec un sourire, elle nomme sa sœur son *historien.* Qu'elle ajoute, retranche à son gré. Elle lui fait confiance. Elle entrevoit mystérieusement que ce *cahier de sa vie* pourra faire du bien.

75. Histoire de Paésie, rapportée dans *les Vies des Pères du désert d'Orient à propos du P. Jean le Nain.* Le jour même de sa conversion, Paésie mourut et le Père vit son âme entrer au paradis.

Peu de temps après, Mère Agnès demande à sa sœur de relire un passage du manuscrit qu'elle estime incomplet. Elle trouve ensuite Thérèse en larmes : *Ce que je relis de ce cahier, c'est si bien mon âme !... Ma Mère, ces pages feront beaucoup de bien. On connaîtra mieux ensuite la douceur du bon Dieu...* Elle ajoute : *Ah ! je le sais bien, tout le monde m'aimera... Une œuvre bien importante... Mais attention ! Il y en aura pour tous les goûts, excepté pour les voies extraordinaires.*

«Mon Ciel se passera sur la terre»

Laisser un livre ne peut lui suffire, d'autant plus qu'elle est complètement indifférente à son sort futur. Peu lui importe si Mère Marie de Gonzague décidait de brûler ses manuscrits. Son désir de *ne pas rester inactive au Ciel* la poursuit. La permanence de ce désir la frappe. Elle raisonne : *Le bon Dieu ne me donnerait pas ce désir de faire du bien sur la terre après ma mort, s'il ne voulait pas le réaliser ; il me donnerait plutôt le désir de me reposer en lui.* Il lui est impossible de concevoir le Ciel comme un lieu de repos. *Une âme embrasée d'amour ne peut rester inactive. () Si vous saviez comme je fais des projets, comme je ferai de choses quand je serai au Ciel... Je commencerai ma mission...* (A Marie du Sacré-Cœur). Elle précise : *Ma mission va commencer, ma mission de faire aimer le bon Dieu comme je l'aime, de donner ma petite voie aux âmes. Si le bon Dieu exauce mes désirs, mon Ciel se passera sur la terre jusqu'à la fin du monde. Oui, je veux passer mon Ciel à faire du bien sur la terre. () Je reviendrai... je descendrai...*

Son audace ne connaît plus de bornes : *Il faudra que le bon Dieu fasse toutes mes volontés au Ciel, parce que je n'ai jamais fait ma volonté sur la terre.* A sœur Marie de la Trinité, elle confie que ce qu'elle pressent de l'avenir lui donne le vertige. Riant : *Une autre que vous pourrait me prendre pour une folle ou une grande orgueilleuse !* Mais elle demeure totalement pauvre, les *mains vides. Rien ne me tient aux mains. Tout ce que j'ai, tout ce que je gagne, c'est pour l'Eglise et les âmes. Que je vive jusqu'à quatre-vingts ans, je serai toujours aussi pauvre.*

La fête de Notre-Dame-du-Mont-Carmel, le 16 juillet, est toute joie. L'abbé Troude [76], nouvellement ordonné, lui apporte la communion. Sa cousine Marie chante – sans pleurer – un couplet eucharistique composé par Thérèse. Tout étonnée d'avoir pu encore écrire des vers, elle l'est plus encore d'être vivante. Elle en profite pour rédiger ses lettres d'adieu.

Au P. Roulland : *Ah ! mon frère, je le sens, je vous serai bien plus utile au Ciel que sur la terre et c'est avec bonheur que je viens vous annoncer ma prochaine entrée dans cette bienheureuse cité.* Aux Guérin : *A Dieu, mes chers Parents, je ne vous dirai qu'au Ciel mon affection, tant que je traînerai, mon crayon pourra vous la traduire.* A Léonie : *A Dieu, ma Sœur chérie, je voudrais que la pensée de mon entrée au Ciel te remplisse d'allégresse, puisque je pourrai t'aimer encore davantage.* Elle est persuadée que sa sœur finira par rentrer et rester à la Visitation de Caen. Elle l'a dit à sœur Marie du Sacré-Cœur.

Une seule exception : l'abbé Bellière recevra des lettres jusqu'à l'épuisement de ses forces. Trois encore, au crayon, à l'écriture tremblée. Le jeune séminariste passe ses vacances à Langrune, dans le Calvados. La perspective de perdre sa sœur le consterne. Elle sait qu'il a besoin d'elle. Elle le réconforte avec fermeté. *J'ai compris plus que jamais à quel point votre âme est sœur de la mienne puisqu'elle est appelée à s'élever vers Dieu par l'ASCENSEUR de l'amour et non pas à gravir le rude* escalier *de la crainte. () Il faut que vous ne me connaissiez qu'imparfaitement pour craindre qu'un récit détaillé de vos fautes puisse diminuer la tendresse que j'ai pour votre âme ! () Il vous est interdit d'aller au Ciel par une autre voie que celle de votre pauvre petite sœur.*

---

76. Neveu de sœur Marie-Philomène, condisciple de l'abbé Bellière. Contemporain de Thérèse, il mourut à vingt-sept ans (30/1/1873-?/3/1900).

Le vendredi 30 juillet, l'hémoptysie ne cesse pas, contrairement aux jours précédents. Elle étouffe, on lui fait aspirer de l'éther. Le docteur de Cornière estime qu'elle ne passera pas la nuit. A 18 heures, le chanoine Maupas lui administre enfin l'extrême-onction et lui donne la communion en viatique. Dans la pièce voisine, les sacristines préparent cierges, eau bénite, paillasse pour sa sépulture. Par la porte malencontreusement entrouverte, sœur Thérèse voit tout ce matériel. *Voyez-vous ce cierge-là, quand le Voleur m'emportera on me le mettra dans la main, mais faudra pas me donner le chandelier, il est trop laid.* L'humour noir ne lui fait pas peur.

Une nouvelle fois, la maladie la déçoit. Le lendemain, elle va « mieux ». *Mais de quoi que je mourrai ?* Comme on débat autour de son lit sur les jours qui lui restent à vivre, elle intervient : *C'est encore la malade qui sait le mieux ! et je sens que j'en ai encore pour longtemps.*

En effet, contre toute attente, du 6 au 15 août, son état demeure stationnaire. Le docteur de Cornière part en vacances.

«Comme j'ai peu vécu !» (6-15 août 1897)

Dans les longs moments de solitude, d'inaction, dans le silence de l'infirmerie, toute sa vie remonte à sa mémoire : son enfance, ses combats, ses neuf années de vie carmélitaine. *Hélas ! comme j'ai peu vécu !* disait-elle en juillet. *La vie m'a toujours semblé très courte. Mes jours d'enfance, il me semble que c'était hier.* Mais elle vit l'instant présent. *Rien que pour aujourd'hui.*

La *feintise* lui fait horreur. Peu importe ce que le médecin ou les carmélites peuvent penser d'elle. Elle ne dira aucune parole d'édification au docteur de Cornière, malgré les suggestions de Mère Agnès. Même celle-ci ne la comprend pas vraiment. « Je lui disais qu'elle avait dû beaucoup lutter pour arriver à être parfaite. – *Oh ! ce n'est pas cela !...* »

Tout au long de ces deux cents jours de maladie, elle garde les yeux sur Jésus. Son crucifix ne la quitte pas. Elle l'embrasse souvent *sur la figure,* et non sur les pieds selon l'usage. *Notre Seigneur est mort sur la Croix, dans les angoisses et voilà pourtant la plus belle mort d'amour. C'est la seule qu'on ait vue... () Mourir d'amour, ce n'est pas mourir dans les transports* [comme l'imaginent ses sœurs]. *Je vous l'avoue franchement, il me semble que c'est ce que j'éprouve.*

Dans les derniers entretiens se rencontre cette discrète assimilation de sa passion à celle de Jésus. Ayant mal à l'épaule, elle évoque le portement de croix. Ses trois sœurs se sont endormies autour de son lit. A leur réveil, elle pointe son doigt : *Pierre, Jacques et Jean !*

Privée de la communion ? Qu'importe ! Elle est elle-même devenue hostie. *Je pense souvent aux paroles de saint Ignace d'Antioche : il faut, moi aussi que, par la souffrance, je sois broyé pour devenir le froment de Dieu.*

« De grandes souffrances » (15-27 août 1897)

En la fête de l'Assomption, nouveau tournant de la maladie. Une très violente oppression angoisse Thérèse. Le côté gauche lui fait très mal, ses jambes enflent. Le 17 août, en l'absence du docteur de Cornière, Mère Marie Gonzague autorise enfin le docteur Francis La Néele à examiner sa cousine. Entre la prieure jalouse de son autorité et le jeune médecin très franc, les relations sont tendues. Diagnostic très pessimiste : « Le poumon droit est absolument perdu, rempli de tubercules en voie de ramollissement. Le gauche est pris dans son tiers inférieur. Elle est bien amaigrie mais sa figure lui fait encore honneur. () La tuberculose est arrivée au dernier degré [77]. »

77. La tuberculose fut la maladie redoutée du XIXe siècle et du XXe jusqu'en 1945 environ. Elle frappait alors en France 150 000 personnes par an. Le Calvados figurait parmi les départements les plus atteints. Au carmel de Lisieux, cinq sœurs moururent de cette maladie de 1896 à

Le mot infamant, tabou à l'époque, est enfin prononcé. Le docteur de Cornière a peut-être voulu l'éviter. Le 8 juillet, sœur Marie de l'Eucharistie avait pourtant écrit à ses parents : «Ce n'est pas la tuberculose, c'est un accident arrivé aux poumons, une vraie congestion pulmonaire.» Son beau-frère, avec sa franchise habituelle, a dit la vérité.

La maladie a envahi tout l'organisme, dont les intestins. Fin août, les souffrances atteignent un paroxysme. Thérèse halète, étouffe, les fonctions bloquées. *C'est à en perdre la raison.* () *Bébé est épuisé.*

Ultime rémission (27 août-13 septembre 1897)

L'après-midi du 27 août, ces grandes souffrances prennent fin. Restent la fièvre (on ne lui a jamais pris sa température), la soif, l'oppression surtout. Elle n'a plus que la moitié du poumon gauche pour respirer.

Pour qu'elle puisse voir le jardin en fleurs, on déplace son lit pour le mettre au centre de l'infirmerie, la fenêtre à sa gauche. Face à elle, la Vierge du sourire qu'elle voit dans l'encadrement de ses rideaux. *Tiens ! Elle me guette !* Elle s'étonne qu'aimant tant Marie, elle ait eu tant de mal, toute sa vie, à dire son chapelet !

En ces jours de rémission, Mère Agnès note beaucoup de paroles de la malade. Phrases brèves, à bâtons rompus. Thérèse demeure maîtresse de vie autant par ses gestes que par ses paroles. Pour dérider ses sœurs elle plaisante toujours. Parvenue au terme, alors que «l'homme extérieur va vers sa ruine et que l'homme intérieur se renouvelle de jour en jour» (Paul, 2 Co 4,16), sœur Thérèse apparaît comme un être de paix, libre, heureuse. Son entourage s'en

1914 : sœur Marie-Antoinette, tourière, le 4 novembre 1896, dix mois avant Thérèse ; sœur Marie de l'Eucharistie, cousine de Thérèse, le 14 avril 1905, à trente-quatre ans ; Mère Marie-Ange, en 1909 (vingt-huit ans) et sœur Isabelle du Sacré-Cœur, en 1914 (à trente-deux ans). Sur la tuberculose à cette époque et sur les soins donnés à Thérèse, voir DE, 795-804.

étonne : «Comment avez-vous fait pour arriver à cette paix inaltérable ? – *Je me suis oubliée et j'ai tâché de ne me rechercher en rien.*»

Elle pense à sœur Geneviève à qui elle fait passer des nuits blanches. Les réparties vives ne lui manquent pas. Mère Agnès, toujours inquiète : «Oh ! qu'on est malheureux quand on est malade ! – *Mais non on n'est pas malheureux quand c'est pour mourir. Hélas ! comme c'est drôle d'avoir peur de mourir !... Enfin, quand on est marié, qu'on a un mari et des enfants, ça se comprend ; mais moi qui n'ai rien !...*»

Le 30 août, sur un lit roulant, on la sort sous le cloître, jusque devant la porte ouverte de la chapelle : sa dernière visite au Saint-Sacrement. Pour lui, elle effeuille des roses. Sœur Geneviève la photographie, faisant ce geste familier pour son crucifix. Le 14 septembre, effeuillant les mêmes fleurs, elle dira : *Ramassez bien ces pétales, mes petites sœurs, ils vous serviront à faire des plaisirs plus tard... N'en perdez aucun...* Une de ses rares paroles prophétiques.

La tante Guérin s'ingénie à satisfaire ses envies de malade qui l'étonnent elle-même : elle désire du rôti, de la purée, de la charlotte, un éclair au chocolat. *J'ai de l'appétit pour toute ma vie. J'ai toujours mangé comme une martyre et maintenant je dévorerais tout. Il me semble que je meurs de faim.*

Elle va parler de moins en moins. *Tout est dit.* Son regard va souvent vers le jardin. Elle compte neuf poires au poirier près de la fenêtre. *J'aime beaucoup les fleurs, les roses, les fleurs rouges et les belles marguerites roses.* Mais aussi : *Tenez, voyez-vous le trou noir* (sous les marronniers, près du cimetière) *où l'on ne distingue plus rien ; c'est dans un trou comme cela que je suis pour l'âme et pour le corps. Ah ! oui, quelles ténèbres ! Mais j'y suis dans la paix.*

Pour le septième anniversaire de sa profession – le 8 septembre –, on lui offre une gerbe de fleurs des champs. Léonie lui envoie une boîte à musique. Ces airs profanes lui font plaisir. Se voyant si entourée, si aimée, elle pleure : *C'est à cause des délicatesses du bon Dieu à mon égard ; à l'extérieur, j'en suis comblée, et pourtant, à l'intérieur, je suis toujours dans l'épreuve... mais aussi dans la paix.*

Au retour de ses vacances, le docteur de Cornière la trouve très amaigrie, très faible (elle a du mal à faire un signe de croix). Il ne peut que dire : « Elle a quinze jours à vivre. » Cette fois, il ne se trompe pas.

« Si c'est ça l'agonie, qu'est-ce que la mort ? » (14-30 septembre 1897)

Jusqu'au bout, la vitalité de Thérèse va étonner son entourage. Le matin du 18 septembre, la forte sœur Aimée de Jésus la prend dans ses bras, tandis qu'on refait son lit. On la croit mourante. L'après-midi, elle déclare : *Je vais mieux.* On appelle Mère Marie de Gonzague pour qu'elle puisse constater la maigreur de son dos. « Qu'est-ce que c'est qu'une petite fille aussi maigre ? – Un quelette ! » répond la malade.

Ce qu'elle avait souvent redouté se produit. Sa respiration devient de plus en plus courte. *Maman ! l'air de la terre me manque, quand est-ce que le bon Dieu me donnera l'air du Ciel ?* Sa grande hantise : étouffer. *Jamais je ne vais savoir mourir.*

Au matin du mercredi 29, elle râle. La communauté, convoquée à l'infirmerie récite en latin la prière des agonisants pendant presque une heure. La prieure renvoie les sœurs. On traduit à la malade ce qui vient d'être dit. A midi, elle questionne Mère Marie de Gonzague : *Ma Mère, est-ce l'agonie ? Comment vais-je faire pour mourir ? Jamais je ne vais savoir mourir.* Après la visite du médecin : « *Est-ce pour aujourd'hui ma Mère ?* – Oui, ma petite fille... () – *Je n'en puis plus ! Ah ! qu'on prie pour moi ! Jésus ! Marie !... Oui ! je veux, je veux bien... () Oh ! ma Mère, qu'est-ce que ça fait de mal les nerfs !* »

Le soir, l'aumônier étant lui-même gravement malade, l'abbé Faucon vient la confesser. En sortant de l'infirmerie, il confie: «Quelle belle âme! Elle semble confirmée en grâce.»

La nuit suivante, pour la première fois, la prieure ordonne à sœur Marie du Sacré-Cœur et à sœur Geneviève de veiller leur sœur. Elles se relaient. Mère Agnès dort dans la cellule voisine. Pour Thérèse mauvaise nuit, peuplée de cauchemars. Elle prie la Vierge. Au matin du jeudi, jour maussade et pluvieux, les trois sœurs Martin l'entourent pendant la messe de communauté. Elle leur dit: *C'est l'agonie toute pure sans aucun mélange de consolation.*

Toute la journée, elle étouffe mais, à la surprise de toutes, elle remue beaucoup, s'asseoit sur son lit, ce qu'elle ne pouvait faire depuis longtemps. *Voyez ce que j'ai de force aujourd'hui!* dit-elle. *Non, je ne vais pas mourir! J'en ai encore pour des mois, peut-être des années!*

Mère Agnès a relevé ses exclamations au milieu des halètements d'une respiration de plus en plus courte. *Si vous saviez ce que c'est que d'étouffer!... Mon Dieu, ayez pitié de votre pauvre petite fille! Ayez-en pitié!*

A Marie de Gonzague: *O ma Mère, je vous assure que le calice est plein jusqu'au bord!... Mais le bon Dieu ne va pas m'abandonner, bien sûr... Il ne m'a jamais abandonnée.*

L'après-midi, après vêpres, Mère Marie de Gonzague pose sur ses genoux une image de Notre-Dame-du-Mont-Carmel. *O ma Mère, présentez-moi bien vite à la Sainte Vierge, je suis un bébé qui n'en peut plus!... Préparez-moi à bien mourir.* On lui répond qu'elle est prête. *Oui, il me semble que je n'ai jamais cherché que la vérité; oui, j'ai compris l'humilité du cœur... Il me semble que je suis humble.*

Tout ce que j'ai écrit sur mes désirs de la souffrance. Oh! c'est quand même bien vrai!... Et je ne me repens pas de m'être livrée à l'Amour. Oh! non, je ne m'en repens pas, au contraire!

Sœur Marie du Sacré-Cœur est tellement bouleversée par le combat de sa filleule, qu'elle hésite à revenir à

218

l'infirmerie. De son côté, Mère Agnès va prier devant une statue du Sacré-Cœur, au premier étage, pour que sa sœur ne désespère pas dans ses derniers moments.

Vers 17 heures, la cloche sonne pour convoquer en hâte la communauté à l'infirmerie. L'agonisante accueille les sœurs par un sourire. Elle tient fermement son crucifix. Un « râle terrible » déchire sa poitrine. Visage congestionné, mains violacées, pieds glacés, sueur si abondante qu'elle va traverser le matelas... Le temps passe. La prieure renvoie les sœurs.

Après 19 heures, Thérèse arrive à articuler : « *Ma Mère ! N'est-ce pas encore l'agonie ?...Ne vais-je pas mourir ?...* – Oui, ma pauvre petite, c'est l'agonie, mais le bon Dieu veut peut-être la prolonger de quelques heures. – *Eh bien !... allons !... Allons !... Oh ! je ne voudrais pas moins longtemps souffrir...* » Elle regarde son crucifix : *Oh ! je l'aime... Mon Dieu... je vous aime !...*

Sa tête retombe. Mère Marie de Gonzague fait de nouveau sonner la cloche : la communauté revient en hâte. Les sœurs agenouillées virent son visage redevenir très paisible, son regard brillant se fixer un peu au-dessus de la Vierge du sourire, « l'espace d'un Credo ». Puis elle s'affaissa, les yeux fermés. Elle souriait. Elle était très belle et avait l'apparence d'une très jeune fille. Il était 19 h 20 environ.

Sœur Geneviève, en larmes, sortit précipitamment sous le cloître. Il pleuvait. « Si au moins il y avait des étoiles au ciel ! » se dit-elle. Quelques instants plus tard, les nuages furent balayés, des étoiles scintillèrent dans un ciel devenu très pur. Rentrant chez eux, les Guérin qui avaient passé tout le temps de l'agonie de leur nièce dans la chapelle du carmel, remarquèrent ce changement soudain. Une sœur tourière venait de leur donner un billet de la part de Mère Agnès : « Mes bien aimés Parents, ma Léonie chérie, Notre Ange est au Ciel. Elle a rendu le dernier soupir à 7 h en pressant son crucifix sur son cœur et disant : "Oh ! je vous aime !". Elle venait de lever les yeux au ciel, que voyait-elle !!! »

Sur une image d'adieu remise à ses sœurs en juin dernier, sœur Thérèse de l'Enfant-Jésus avait écrit : *Je vois ce que j'ai cru. Je possède ce que j'ai espéré. Je suis unie à Celui que j'ai aimé de toute ma puissance d'aimer.*

Le lendemain, vendredi, le corps de Thérèse fut exposé au chœur, derrière les grilles. A l'infirmerie, sœur Geneviève avait pris une photographie. Jusqu'au dimanche soir, les familles Martin, Guérin, La Néele, Maudelonde, des prêtres, des amis, des fidèles défilèrent, selon la coutume d'alors, priant, faisant toucher au corps des chapelets, des médailles.

Les obsèques furent fixées au lundi 4 octobre, à 9 heures.

220

« Je ne meurs pas, j'entre dans la vie »

Le lundi 4 octobre, un corbillard tiré par deux chevaux monte lentement la côte qui mène au cimetière de la ville, derrière la colline dominant la vallée de l'Orbiquet.

Léonie Martin mène le deuil, entourée des Guérin, des La Néele, de quelques amis. « Fort petit » cortège. Cloué au lit par la goutte, l'oncle Isidore n'a pu assister aux obsèques de sa nièce. Jamais il n'aurait pu imaginer qu'elle serait la première à occuper une place dans la concession qu'il venait d'acheter pour le carmel.

Dès le lendemain, les carmélites rangent l'infirmerie, brûlent la paillasse, les alpargates [78]. Sœur Marie du Sacré-Cœur aurait voulu conserver celles-ci. Sœur Marthe s'y est opposée : « Vous ne garderez pas ces saletés-là ! » Ce sont en effet des loques.

Puis la vie monastique reprend son rythme régulier, fondé sur la prière, le travail, les exercices de la vie communautaire. Le silence, un instant troublé, retombe sur le carmel de Lisieux. Car, en ces lieux, « la vie et la mort d'une carmélite ne se marquent que par un léger changement à l'horaire des travaux et des offices du jour [79]... »

---

78. Sandales de corde des carmélites. Afin de garder quelques souvenirs de sa sœur, Mère Agnès de Jésus suggéra à Léonie de racheter la robe de bure de Thérèse, son manteau blanc de chœur, ses voiles et une autre paire d'alpargates. Le carmel étant pauvre, Mère Marie de Gonzague accepta. Le tout fut adjugé 90 francs (DE, 419).

79. *Dialogues des carmélites,* IIe tableau, scène VIII. En 1897, Bernanos était un garçon de neuf ans. Le président de la République, Félix Faure, venait de rentrer d'un voyage triomphal en Russie pour sceller l'alliance avec le tsar Nicolas Ier. Le capitaine Dreyfus, condamné pour haute trahison, reste emprisonné à l'Ile du Diable. Maurice Barrès vient de faire paraître *les Déracinés,* le jeune André Gide *les Nourritures terrestres.* Charles Péguy (né en 1873) corrige les épreuves de sa *Jeanne d'Arc.* Le 14 octobre, Clément Ader va soulever son aéroplane au-dessus du sol, sur trois cents mètres. A Paris, les frères Lumière exploitent avec succès leur cinématographe. Quelques chercheurs poursuivent leurs études sur la radio-activité... *Nous sommes dans un siècle d'inventions,* avait remarqué la jeune carmélite inconnue qui vient de mourir au seuil de « la Belle Epoque ».

221

LA VIE POSTHUME:
« L'OURAGAN DE GLOIRE »

> « *Une faible étincelle, ô mystère de vie*
> *Suffit pour allumer un immense incendie.* »

Ainsi s'achève l'histoire de Thérèse Martin.

Commence alors l'étonnante histoire de sa vie posthume. Il n'est pas question ici de l'écrire. Elle exigerait un second volume. Rappelons simplement quelques faits, quelques dates.

Au-delà du petit cercle de famille et malgré les réserves de certaines, les carmélites avaient estimé, aimé sœur Thérèse de l'Enfant-Jésus de la Sainte-Face. Mais, à sa mort, quelques sœurs auraient sans doute ratifié l'opinion de sœur Anne du Sacré-Cœur, venue de Saïgon, qui avait vécu sept ans avec elle avant de repartir pour l'Indochine : « Il n'y avait rien à dire sur elle ; elle était très gentille et très effacée, on ne la remarquait pas, jamais je ne me serais doutée de sa sainteté. »

Et pourtant, l'histoire de cette vie si brève va secouer le monde.

On juge de la valeur d'un arbre à ses fruits. Tous ces faits d'un passé récent permettent de vérifier que sœur Thérèse n'a pas vécu « les rêves enfiévrés d'une pulmonaire ». Ce qu'elle a dit et écrit s'est révélé, après sa mort prématurée, véridique, vérifiable. Si son courage dans la vie quotidienne, puis dans sa « passion », a authentifié la vérité de sa voie de confiance et d'amour, il en est de même de sa vie posthume.

Parution de l'« Histoire d'une Ame » (30 septembre 1898)

Mère Agnès a tenu parole. Mais chose tout à fait inhabituelle, la circulaire nécrologique promise à Thérèse sur son lit de malade, est devenue un volume relié de 475 pages, édité par l'Imprimerie Saint-Paul à Bar-le-Duc. Le 30 septembre 1898, un an jour pour jour après la mort de sa jeune sœur, paraît l'*Histoire d'une Ame.* Tirage : 2 000 exemplaires ; prix : 4 F.

Sous la responsabilité de Mère Marie de Gonzague qui a exigé que l'ensemble des manuscrits lui soient adressés (ce qui a entraîné des corrections), Mère Agnès a divisé en chapitres les cahiers de sa sœur, corrigé ce qui lui paraissait incorrect dans ces « brouillons » d'une jeune fille à l'orthographe difficile. Correctrice-née, elle a usé sans scrupules du mandat que lui avait donné la malade [80], comme elle corrigeait aux Buissonnets ses devoirs scolaires. « Elle a pratiquement récrit l'autobiographie » (P. François de Sainte-Marie).

Le P. Godefroy Madelaine, prieur des prémontrés de Mondaye, a relu, crayon en main, l'ensemble de ce travail, l'a approuvé et l'a présenté à l'imprimatur de Mgr Hugonin qui l'a accordé, verbalement, sans enthousiasme, le 7 mars 1898, juste avant de mourir. L'oncle Guérin finance l'entreprise et se charge de toutes les démarches.

Tous les carmels français reçoivent le livre ainsi que quelques personnalités ecclésiastiques. Le frère Siméon, à Rome, n'est pas oublié. Deux ou trois monastères manifestent quelques réticences : « L'âge et l'expérience auraient peut-être modifié les vues de cette jeune sœur sur la perfection. » Mais des évêques, des supérieurs d'ordres religieux (trappistes, eudistes, carmes...) écrivent leur admiration au carmel.

En mai 1899, il faut faire une seconde édition, augmentée de ces lettres élogieuses. M. Guérin, qui corrige les

80. Cf. *supra,* p. 210.

épreuves avec soin, n'en revient pas. Mgr Amette, qui a succédé à Mgr Hugonin, donne son avis favorable, le 24 mai 1899, pour cette nouvelle édition. En 1900, 6 000 exemplaires ont été enlevés. La première traduction est faite en anglais (1901). Suivent les traductions polonaise (1902), italienne, hollandaise (1904), allemande, portugaise, espagnole, japonaise, russe (1905)...

On a dit, et parfois écrit, que cet étonnant processus de diffusion était dû à l'industrie des sœurs Martin, expertes à mettre en valeur leur petite sœur. Cette explication ne tient pas devant les faits et les dates. Les carmélites ont été les premières stupéfaites par ce raz-de-marée. Mère Agnès dira un jour à sa cousine Jeanne La Néele : « Quelle affaire, mon Dieu, sur nos vieux jours ! Jamais je n'aurais pu soupçonner seulement la centième partie de cet embrasement universel, quand j'ai lancé timidement la première étincelle en 1898... » Il est vrai qu'elles y ont fait face avec un réalisme et un sens de l'organisation soutenus par une somme de travail peu commune. D'autres carmels auraient pu faire naufrage dans cet ouragan !

Le schéma-type de la diffusion est plutôt celui-ci, répété à des milliers d'exemplaires : quelqu'un lit l'*Histoire d'une Ame*. Cette lecture le bouleverse, parfois le transforme. Il prie « la petite sœur Thérèse », se trouve exaucé. Il écrit au carmel de Lisieux, demande un souvenir, fait un pèlerinage sur la tombe de la jeune carmélite. Il fait part de son enthousiasme à d'autres, prête le livre. A leur tour, ces lecteurs sont exaucés, demandent des reliques, etc. Ainsi se propage l'étincelle, de proche en proche.

Le 12 février 1899, sœur Marie de l'Eucharistie écrit à sa cousine Céline Pottier : « Tout le monde nous parle de cet ange bien-aimé qui fait tant de bien par son écrit. Les prêtres la comparent à Sainte Thérèse et disent qu'elle a ouvert aux âmes une voie toute nouvelle, la voie de l'amour. Ils en sont tous dans l'enthousiasme, non seulement autour de nous mais dans toute la France, dans la plupart de leurs sermons, ils citent des passages inspirés de son manuscrit. Il y a même des hommes du monde que la piété n'étouffe guère qui en sont dans l'enthousiasme et en font leur lecture favorite. »

Avec les traductions [81], les conversions, les guérisons physiques se multiplient sous toutes les latitudes. Ces miracles s'accompagnent parfois d'apparitions de la « petite sœur » en bure brune.

Un jeune prêtre écossais, le P. Thomas Nimmo Taylor, ordonné en 1897, a lu *The Little Flower of Jesus*. Conquis par la jeune carmélite française, il vient voir Mère Marie de Gonzague et les sœurs Martin au parloir en 1903. Il évoque la canonisation possible de sœur Thérèse. La prieure réplique en riant : « Dans ce cas, combien de carmélites faudrait-il canoniser ? » Ni Léonie, ni les Guérin ne sont favorables à une telle hypothèse.

Les procès de canonisation (de 1909 à 1917)

Et pourtant... La presse s'en mêle. Le célèbre Louis Veuillot révèle dans *l'Univers,* le 9 juillet 1906, que le P. Prévost s'occupe, à Rome, de préparer la cause de la carmélite lexovienne. Le 15 mars 1907, Pie X lui-même souhaite sa glorification. Dans une audience privée, il n'hésite pas à anticiper sur l'avenir en l'appelant « la plus grande sainte des temps modernes ».

Le nouvel évêque de Bayeux-Lisieux, Mgr Lemonnier (Mgr Amette ayant été nommé à Paris), invite donc les carmélites, le 15 octobre suivant, non sans réticence, à écrire leurs souvenirs sur sœur Thérèse de l'Enfant-Jésus. Certaines n'avaient pas attendu dix ans pour le faire. Depuis 1898, au carmel, on conservait soigneusement tout ce qui concernait celle que le peuple appelait déjà « la petite sainte ».

A Jeanne La Néele, Thérèse avait écrit : *Je sais qu'il faut bien du temps à la cour de Rome pour faire des Saints.*

---

81. L'*Histoire d'une Ame* est traduite aujourd'hui en plus de quarante langues et dialectes.

Mais pour elle, tous les délais vont être réduits. La Curie romaine, qui prend habituellement son temps, se trouve bousculée. « Il nous faut nous hâter de glorifier la petite sainte, si nous ne voulons pas que la voix des peuples nous devance », déclare le cardinal Vico, préfet de la Congrégation des Rites. En janvier 1909, le P. Rodriguo, carme de Rome, et Mgr de Teil [82] sont nommés respectivement postulateur et vice-postulateur de la cause. Juste avant l'ouverture du Procès de l'Ordinaire, parmi des centaines de miracles signalés à Lisieux, une apparition de sœur Thérèse à la prieure du carmel de Gallipoli (Italie) fait grand bruit. Elle lui dit : « *La mia via è sicura, e non mi sono sbagliata seguendola* [83]. »

Le procès ordinaire de béatification s'ouvre le 3 août 1910 : treize ans seulement après sa mort, trente-sept témoins viennent déposer sur la vie de sœur Thérèse, dont neuf carmélites ayant vécu avec elle. Cent neuf sessions seront nécessaires.

Son corps a été exhumé au cimetière de Lisieux, le 6 septembre 1910, en présence de Mgr Lemonnier et de plusieurs centaines de personnes. Les docteurs Francis La Néele et de Cornière font les constatations d'usage. Ces restes, déposés dans un cercueil de plomb, sont transférés dans un autre caveau.

Pie X, le 10 juin 1914, signe l'introduction de la cause et déclare : « Il est très opportun d'instruire au plus vite cette cause de béatification. »

La guerre mondiale va retarder le Procès Apostolique qui s'ouvre à Bayeux le 17 mars 1915, sur ordre du nouveau pape Benoît XV. Mais si les liaisons avec Rome sont rendues difficiles en période d'hostilités, la renommée de sœur Thérèse ne cesse de grandir dans les tranchées, y compris du côté allemand. La seule anthologie « restreinte » des interventions de la carmélite, de 1914 à

---

82. Il avait rencontré Thérèse au parloir en septembre 1896. Cf. *supra*, p. 139, n. 42.

83. *Ma voie est sûre, et je ne me suis pas trompée en la suivant* (PO, 557).

1918, comporte 592 pages de témoignages. La préface précise que cinq volumes eussent été nécessaires. En 1915, le carmel a déjà diffusé 211 515 exemplaires de l'*Histoire d'une Ame,* 710 000 *Vie abrégée,* 110 000 *Pluies de roses* [84].

Le procès apostolique est clos, le 30 octobre 1917, dans la cathédrale de Bayeux, après quatre-vingt-onze sessions. Benoît XV exempte la cause des cinquante années de délai imposées par le droit pour la canonisation. Le 14 août 1921, il promulgue le décret sur l'héroïcité des vertus de sœur Thérèse de l'Enfant-Jésus.

Son successeur, Pie XI, fait d'elle « l'étoile de son pontificat ». Son portrait, ses reliques ne quittent pas son bureau de travail. Après l'examen de deux miracles, choisis parmi des centaines, le pape préside la béatification de sœur Thérèse de l'Enfant-Jésus dans la basilique Saint-Pierre de Rome, le 29 avril 1923. Il voit en elle une « Parole de Dieu » adressée à notre siècle.

Sainte Thérèse de Lisieux (17 mai 1925)

En cette même basilique, devant 50 000 personnes (500 000 piétinent sur la place Saint-Pierre), en présence de trente-trois cardinaux et deux cent cinquante évêques, Pie XI inscrit la petite Thérèse Martin au catalogue des saints, le 17 mai 1925. Deux ans plus tard, il la proclame « patronne principale des missions de tout l'univers à l'égal de saint François-Xavier ». Etonnant paradoxe : la moniale qui n'a jamais quitté sa clôture depuis l'âge de quinze ans est mise sur le même pied que le jésuite espagnol qui a donné sa vie aux confins de la Chine.

Voici Thérèse de Lisieux universellement connue. Depuis la béatification, 600 000 pèlerins se sont pressés

84. Il s'agit de volumes anthologiques rapportant les lettres reçues par le carmel de Lisieux (50 par jour en 1911, 500 en 1914, 800 à 1 000 en 1923-1925). Sept volumes ont été publiés de 1911 à 1926 totalisant quelque 3 200 pages.

dans la petite cité normande. Ils font la queue devant la chapelle du carmel, aux Buissonnets. Entre 1898 et 1925, 30 328 000 portraits ont été distribués. Un grand nombre de jeunes filles ont demandé à entrer au carmel de Lisieux qui n'a pu les recevoir toutes. On a dû imprimer des circulaires pour leur répondre, tant les candidatures affluent. L'*Histoire d'une Ame* inspire des vocations dans tous les ordres religieux. La spiritualité thérésienne dépasse très largement le carmel. En 1933, sont fondées les « Oblates de Sainte-Thérèse » qui se mettent au service de la nouvelle sainte. Le P. Martin suscite la congrégation masculine, « les missionnaires de Sainte-Thérèse », en 1948.

Celle qui avait vécu la fin de sa vie dans les ténèbres, prophétisant l'incroyance moderne, devient aussi patronne des missions de l'intérieur. Dans ses carnets intimes, le cardinal Suhard, obsédé par la déchristianisation des masses, écrivait le 8 septembre 1940 [85] : « Je sens qu'une partie de la mission de la sainte est à réaliser. Quand l'œuvre de la Mission de France aura été commencée, la petite sainte sera dans sa vraie voie, parce que, là, il n'y a plus de terme aux générosités divines. Puissé-je travailler efficacement à cette œuvre et amener sainte Thérèse de l'Enfant-Jésus à y travailler. » Le séminaire de la Mission de France, qu'il fonde le 24 juillet 1941, s'installe à Lisieux en octobre 1942.

Juste avant la libération (3 mai 1944), Pie XII (venu à Lisieux en 1937 inaugurer la basilique comme légat), proclame Thérèse « patronne secondaire de la France, à l'égal de sainte Jeanne d'Arc ». Voici les deux sœurs réunies. Un mois plus tard, Lisieux flambe sous les bombes du débarquement. Les séminaristes de la Mission de France éteignent le feu qui commençait à prendre dans l'escalier de la cave du carmel. Dans le brasier qu'est devenu la ville, le monastère sera épargné.

---

85. Cinquantième anniversaire de la profession de Thérèse.

Une révolution silencieuse

Les biographies, les études se sont multipliées, dans toutes les langues. Entre 1898 et 1947 seulement, la bibliographie thérésienne compte déjà 865 ouvrages recensés. La requête de lire les cahiers originaux de l'*Histoire d'une Ame* s'est faite de plus en plus pressante. Mère Agnès meurt à quatre-vingt-dix ans, le 28 juillet 1951 [86]. Sur l'ordre de Pie XII, le P. François de Sainte-Marie, carme, publie enfin en 1956 les *Manuscrits autobiographiques* en édition phototypique. Puis un album de photographies qui restitue le vrai *Visage de Thérèse de Lisieux* (1961). On constate alors qu'il n'y a aucun rapport entre les fades illustrations répandues à profusion jadis par l'iconographie de Lisieux et les clichés authentiques de Céline. Celle-ci meurt à son tour, la dernière des Martin, à quatre-vingt-dix ans, le 25 février 1959.

Quelle étonnante aventure pour cette famille! Tout au long de leur vie, les sœurs ont médité l'incroyable métamorphose qui a fait de « la petite dernière » une sainte universelle. En 1939, Marie du Sacré-Cœur s'étonnait encore : « Tantôt, en regardant la Basilique, je pensais à Maman : quand elle venait à Lisieux, ma Tante la conduisait toujours au cimetière, c'était un beau site, et puis elle y avait de la famille qui y était enterrée, et Maman aimait à y aller. Si à ce moment-là, on lui avait dit : "Vous voyez là cette belle colline où nous sommes ? Eh bien ! dans cinquante ans, il s'élèvera là une superbe Basilique () qui sera en l'honneur de votre petite Thérèse." Pauvre petite Mère ! elle aurait dit : "Vous perdez la tête !" et elle n'y aurait pas cru, bien sûr, elle qui avait tant de misères ! »

Désormais, la petite Martin a échappé à sa famille. La voici devenue « l'enfant chérie du monde » (Pie XI). Elle lui appartient. Dix-sept cents églises portent son nom dans le monde.

---

86. Marie du Sacré-Cœur est décédée à quatre-vingts ans, le 19 janvier 1940. Sœur Françoise-Thérèse (Léonie) à soixante-dix-huit ans, le 16 juin 1941.

A partir de 1971, l'édition du Centenaire commence à publier lettres, poésies, derniers entretiens selon les originaux. La célébration du centenaire de la naissance (1973), donne une nouvelle impulsion aux travaux thérésiens. Les carmes de Rome publient, de 1973 à 1976, les deux procès, jusqu'ici secrets.

Depuis la béatification, des théologiens ont étudié les petits cahiers de Thérèse et tous ses écrits. L'un des pionniers, l'abbé André Combes, estimait que sœur Thérèse de l'Enfant-Jésus de la Sainte-Face a opéré « une des révolutions les plus grandioses que l'Esprit-Saint ait déclenchées dans l'évolution de l'humanité. Révolution silencieuse et cachée dont les fruits sont innombrables. » Le P. Molinié, théologien dominicain, estime pour sa part qu'« il faut attendre Thérèse de l'Enfant-Jésus pour retrouver un mouvement de spiritualité à l'échelle planétaire, dont l'ampleur soit exactement aux dimensions de l'Evangile ». Pour Urs von Balthasar, « la théologie des femmes n'a jamais été prise au sérieux ni intégrée à la corporation. Après le message de Lisieux, il faudrait enfin y songer dans la reconstruction actuelle de la dogmatique. » Le P. Congar voit en Thérèse (et en Charles de Foucauld), « un des phares que la main de Dieu a allumés au seuil du siècle atomique ».

Il est vrai que toute autre que Thérèse Martin aurait pu être définitivement écrasée par les obstacles et les souffrances rencontrées. Une force de vie, un amour fou l'ont animée. Elle a fait l'expérience personnelle du salut. Dans une époque où le jansénisme mortifère faisait encore des ravages, où un moralisme étroit risquait de réduire l'image de Dieu à celle d'un rigide justicier, elle a retrouvé la veine évangélique. Dieu est le Père de Jésus. Il a donné son Fils venu pour les pécheurs, les pauvres, les petits. Ce Dieu qu'elle ose nommer *Papa,* retrouvant instinctivement l'*Abba* originel de Jésus.

Sans jamais nommer Thérèse, le Concile Vatican II (1962-1965) doit beaucoup à ses intuitions prophétiques : retour à la Parole de Dieu, priorité aux vertus théologales (foi, espérance, amour) dans la vie quotidienne, l'Eglise vue comme le corps du Christ, la mission universelle, appel de chaque baptisé à la sainteté, attention fraternelle à ceux qui croient différemment ou qui ne croient pas. Son épreuve de la foi et de l'espérance est apparue comme annonciatrice du XXᵉ siècle où l'incroyance a rendu les chrétiens minoritaires, où tant d'hommes sont affrontés au désespoir. On peut ajouter encore : sa conception du ciel comme un lieu dynamique, sa pédagogie de la charité fraternelle, son désir de la communion quotidienne, sa théologie mariale, etc.

On ne peut douter qu'après Catherine de Sienne (XIVᵉ siècle) et Thérèse d'Avila (XVIᵉ siècle), Thérèse de Lisieux ne soit, un jour prochain, proclamée Docteur de l'Eglise [87].

La sœur universelle

Sa pensée – elle qui n'a jamais rien systématisé ! – a étonné des philosophes comme Bergson, Guitton, Moré, Mounier, Thibon... des hommes politiques aussi opposés que Marc Sangnier et Charles Maurras... Elle a fasciné des écrivains aussi divers que Paul Claudel, Henri Ghéon, Georges Bernanos, Lucie Delarue-Mardrus, Joseph Malègue, Edouard Estaunié, Giovanni Papini, René Schwob, Ida Görres, John Wu, Maxence Van der Meersch, Gilbert Cesbron, Stanislas Fumet, Julien Green, Maurice Clavel... Liste ridiculement courte qu'il serait aisé d'allonger en tenant compte des cinq parties du monde.

Mais qui dira enfin – *et surtout* – le profond appel, l'heureuse libération qu'elle a opérée dans le cœur des pauvres, des petits, des sans-voix (ses amis privilégiés), en leur révélant que la sainteté évangélique était à leur portée ? Sa vie montre que les handicaps affectifs, les névroses, les hérédi-

87. *Malgré ma petitesse, je voudrais éclairer les âmes comme les Docteurs* (B, 3rᵒ).

tés catastrophiques, les diverses maladies, rien ne peut séparer les hommes de l'Amour Miséricordieux. Par son «amoureuse audace», par son «intrépidité géniale» (Molinié), elle a chassé toutes les peurs. La vie quotidienne ordinaire est redevenue le lieu de la sainteté possible. *Il y en aura pour tous les goûts, sauf pour les voies extraordinaires.* Elle avait prié pour les foules, ces légions de *petites âmes,* celles qui venaient à Jésus, au bord du lac de Tibériade. Elle a été exaucée.

Plus d'un million de personnes passent chaque année à Lisieux, pèlerins et touristes de tous âges, de tous milieux, de tous pays. Dans la chapelle du carmel, aux Buissonnets, l'ouvrier métallurgiste côtoie l'avocat, l'intellectuel japonais la prostituée de Pigalle, le musulman d'Afrique du Nord le missionnaire belge, la famille rurale française le théologien sud-américain, le groupe de pèlerins allemands celui de religieuses canadiennes... «Les seuls saints occidentaux d'après le schisme que vénère le peuple chrétien de Russie sont François d'Assise et la petite Thérèse», déclare Olivier Clément citant l'opinion d'un orthodoxe.

La «petite Thérèse [88]» des francophones, «The little Flower» du monde anglo-saxon, la «Teresinha» des pays portugais, la «Teresita» des mondes hispaniques a des ami(e)s partout. Beaucoup disent: «Elle est là... C'est une présence... elle est toute proche de nous...»

L'histoire intime de ces foules ne sera jamais écrite. Le secret demeure entre elles et Thérèse. La véritable histoire posthume de la sainte de Lisieux se situe à cette profondeur. Elle échappe à tout sondage, à toute statistique.

Comme nous échappe aussi, en définitive, malgré toutes nos investigations, le mystère de cette personne. Mais n'est-ce pas mieux ainsi?

Etoile filante au ciel de la sainteté, elle a brûlé les étapes en vingt-quatre ans de vie terrestre, pour parvenir – tout en restant jeune – à la sagesse des vieillards. «Les saints ne

---

88. On lui demandait: «Comment faudra-t-il vous appeler après votre mort? – *Vous m'appellerez "petite Thérèse"*» (CSG, 47).

Jean-Paul II à l'infirmerie de Thérèse (2 juin 1980).

vieillissent pratiquement jamais, disait Jean-Paul II à Lisieux. Ils ne deviennent jamais des personnages du passé, des hommes et des femmes "d'hier". Au contraire : ils sont toujours les hommes et les femmes du "lendemain", les hommes de l'avenir évangélique de l'homme et de l'Eglise, les témoins du "monde futur". »

Le pape polonais a voulu en effet terminer son voyage en France par un pèlerinage à Lisieux (2 juin 1980). Sur l'esplanade de la basilique, il a parlé devant cent mille personnes : « De Thérèse de Lisieux, on peut dire avec conviction que l'Esprit de Dieu a permis à son cœur de révéler directement aux hommes de notre temps *le mystère fondamental,* la réalité fondamentale de l'Evangile : le fait d'avoir reçu réellement "un esprit de fils adoptifs qui nous fait nous écrier : Abba ! Père !" La "petite voie" est la voie de la "sainte enfance". Dans cette voie, il y a en même temps la confirmation et le renouvellement de la vérité la

233

plus *fondamentale* et la plus *universelle.* Quelle vérité du message évangélique est en effet plus fondamentale et plus universelle que celle-ci : Dieu est notre Père et nous sommes ses enfants ? »

Jean-Paul II a voulu ensuite aller prier dans l'infirmerie où Thérèse est morte après avoir tant souffert. Aux religieuses contemplatives de divers ordres réunies dans la chapelle du carmel, il venait de dire : « La densité et le rayonnement de votre vie cachée en Dieu doivent poser question aux hommes et aux femmes d'aujourd'hui qui cherchent si souvent le sens de leur vie. »

Ces quelques pages sur la vie posthume de la carmélite de Lisieux résument quatre-vingt-cinq ans d'histoire : elles illustrent imparfaitement « la densité et le rayonnement de (sa) vie cachée en Dieu ».

Ce rayonnement continue. Il continuera.

Oui, je veux passer mon Ciel à faire du bien sur la terre... () Je ne veux pas me reposer tant qu'il y aura des âmes à sauver... Mais lorsque l'Ange aura dit : "Le temps n'est plus", alors je me reposerai...

QUELQUES TÉMOIGNAGES PARMI DES DIZAINES DE MILLIERS

> *« Je voudrais en même temps annoncer l'Evangile dans les cinq parties du monde et jusque dans les îles les plus reculées... »*

J'aime beaucoup sainte Thérèse de Lisieux parce qu'elle a simplifié les choses : dans nos rapports avec Dieu elle a supprimé les mathématiques. () Elle a redonné au Saint-Esprit, dans la vie intérieure, une place que les directeurs lui avaient prise.

Cardinal BOURNE (1912)
archevêque de Westminster.

A Haïti, un camarade me passe un petit livre, l'*Histoire d'une Ame.* J'ouvre donc distraitement le livre, et parcours les premières pages sans m'y intéresser spécialement. Cela ne me semble pas écrit pour moi, utilisable par moi. J'arrive ainsi à l'épisode de la corbeille, où invitée par Léonie à choisir quelques coupons ou rubans, Thérèse répond : *Je choisis tout.* Avec la soudaineté de l'éclair, mon âme s'embrase tout entière. Une émotion inconnue me submerge, m'inonde : feu, « joie, pleurs de joie... » Je suis transporté dans un autre monde. () Sur le moment, il semblait seulement que « la Petite Thérèse » (pas encore béatifiée), était près de moi, qu'elle ouvrait les yeux de mon âme. () Non, ce n'est pas une illusion, cette grâce foudroyante dont, après quarante-huit ans, l'influence domine toujours ma vie...

JEAN LE COUR-GRANDMAISON (1914)
officier de marine, député de la Loire-Atlantique,
mort à l'abbaye de Kergonan en 1974.

C'est sainte Thérèse de Lisieux ma patronne. Les rosiers blancs que j'ai plantés devant elle (sa statue dans le jardin) fleurissent presque toute l'année.

ALAIN MIMOUN (1970)
champion olympique de marathon.

Le monastère copte Wadi Natroum a été fondé par Matta el Masquin, il y a environ vingt-cinq ans. Matta el Masquin était un Egyptien, étudiant en pharmacie, de religion copte-orthodoxe ; dans sa jeunesse, il se sentit appelé à la vocation religieuse ; il se retira dans un désert de Haute-Egypte et commença un genre de vie érémitique, à l'exemple de saint Macaire, un des Pères du monachisme copte. L'œuvre de sainte Thérèse de l'Enfant-Jésus, traduite en arabe en 1964, émut profondément Matta el Masquin et devint comme une règle fondamentale pour lui et pour ses moines. Elle sert maintenant de base de renouveau pour Wadi Natroun.

(Informations carmélitaines, SIC, 1981).

J'étais étudiant dans les années 60. Je participais aux réunions des groupes catho. Plusieurs fois, un aumônier nous avait parlé de Thérèse de Lisieux, les filles en avaient ri, les garçons se demandaient ce que cela venait faire dans leur combat pour la paix en Algérie et contre la torture. Nous étions trop sérieux, trop engagés pour nous intéresser à cette petite bonne sœur. Il y a eu mai 68 et les années d'intense action politique qui ont suivi. J'avais coupé tous les ponts avec une Eglise inefficace et incapable d'ouvrir un avenir à l'homme.

1975 : Je n'ai rien gagné en efficacité et ai perdu l'espoir de pouvoir changer quelque chose dans ce monde trop lourd. Chez les parents de ma fiancée, je trouve l'autobiographie de Thérèse Martin. Ça a été une révélation, la bouleversante redécouverte de l'Evangile lu par la voix exigeante d'une enfant. J'ai été assommé, comme accablé durant huit jours. Et puis, j'ai essayé de prier comme le pauvre que j'étais en ce domaine. J'ai retrouvé Dieu, l'espérance dans l'action, quand elle est animée par l'Amour. Ma vie est transformée.

D.L. (1979).

Nous voulions faire un monastère, mais vous savez bien que c'est impossible. La loi l'interdit formellement. Alors nous avons découvert l'*Histoire d'une Ame* et c'est notre clôture à nous. Car la petite voie d'enfance, tout le monde peut la suivre, même quand les institutions religieuses officielles sont piégées, même quand rien de religieux n'est autorisé.

DES CHRÉTIENS ORTHODOXES RUSSES (1977)
Moscou.

Ce livre est un hommage. C'est l'hommage passionné d'une incroyante à la carmélite-fantôme miraculeusement apparue, avec ses roses dans les mains, au milieu d'une époque qui désole et terrifie les poètes. () Thérèse Martin est ma payse, et, à peu de choses près, ma contemporaine. Je ne veux pas laisser passer son entrée lumineuse dans la sainteté sans l'honorer à ma manière. Et, du reste, elle est désormais du domaine public. Nous en voulons notre part.

LUCIE DELARUE-MARDRUS (1926)
écrivain.

Je te fais un petit mot, car je suis en prison et je pense beaucoup à toi. Je n'en ai pas pour longtemps, ce n'est pas grave. J'ai été te voir il n'y a pas longtemps avec ma femme et dès que je pourrai, je reviendrai te voir avec mon fils, il a quatre mois. D'ailleurs autour de mon cou j'ai ta médaille et mon Jésus-Christ. Je sors de prison le 24 mars. Je te fais un dessin qui, j'espère, te fera plaisir. Sainte Thérèse, je te laisse en te faisant une grosse bise, ainsi que mon fils et ma femme.

SERGE X (1979)
prisonnier.

Je m'appelle Thérèse B. J'habite aux Etats-Unis. Récemment j'ai fini de lire le livre *Mr. Martin an ideal father*. J'ai lu aussi l'*Histoire d'une Ame*. Je dois vous dire que je n'ai rien lu de semblable pendant les quarante-deux ans de ma vie et je n'ai jamais été touchée à ce point par aucune autre lecture. Bien que catholique et que mon nom soit Thérèse, je n'ai jamais su grand-chose concernant cette sainte si puissante qui sauve les âmes. En janvier 1981, j'étais au point le plus bas de ma vie et un jour j'entrai dans une église où se trouvait une statue. A ses pieds était posée une image avec une prière. « Pourquoi pas, puisque tout le reste a échoué ? » () Ma foi se fortifia à tel point que je ne puis croire que je sois la même personne, moi qui ne pensais qu'au suicide.

Mrs. THÉRÈSE BREMER (1981).

Je revois ce prêtre bouddhiste en robe safran, le crâne rasé, s'asseoir sur un petit banc après la visite, dans la chambre de sainte Thérèse. Là, il a dit aux visiteurs qu'il avait amenés : « Maintenant, nous allons dire le Notre Père », et il a ajouté : « Sainte Thérèse, priez pour les visiteurs qui passeront ici. » C'était un bouddhiste qui avait fait ses études chez les jésuites en Inde. Il appréciait beaucoup l'ouverture d'esprit de Thérèse parce qu'elle n'a été contre personne, mais qu'elle a beaucoup aimé. Pour lui, non-chrétien, elle rejoignait le souci de sa propre spiritualité, celui d'un amour universel.

Sœur COLETTE BARTHÉLEMY (1973)
aux Buissonnets.

Il n'y a guère de jours où je ne mets pas ici à l'école de Thérèse de Lisieux toutes sortes de personnes, grâce à ses écrits ou à ce qui a été écrit sur elle : ça va de la prostituée à la jeune fille en recherche de vocation religieuse, du prêtre devenu clochard à la suite de tout un triste passé à l'ancien P.D.G. en retraite qui avoue être passé à côté de la vraie vie, de la mère de famille qui sait à peine lire le français, mais qui comprend par le dedans ce qu'a dit sainte Thérèse, jusqu'au papa divorcé qui se sent «pardonné» à la lumière bien particulière du Dieu miséricordieux de sainte Thérèse... Je glane des tas de vrais petits miracles, grâce à elle.

UN PRÊTRE DE PAROISSE, À LYON (1982).

Jésus est tout près de moi. Il m'attire de plus en plus à Lui, et je ne peux que l'adorer en silence, désirant mourir d'amour. Je voudrais, comme la petite sainte Thérèse de l'Enfant-Jésus, renouveler à chaque battement de mon cœur cette offre de devenir «victime d'holocauste à son Amour Miséricordieux». () J'attends dans la nuit et dans la paix. () J'attends l'amour! Dans cinq heures, je verrai Jésus!

JACQUES FESCH

(Écrit le 30 septembre 1957, soixantième anniversaire de la mort de Thérèse, dans la nuit qui précédait son exécution capitale, à vingt-sept ans.)

Au moment même où la cruelle épreuve que je viens de traverser s'abattait sur moi, je recevais, envoyée par une main inconnue, une petite brochure consacrée à sœur Thérèse de l'Enfant-Jésus. A peine commençai-je à la lire que je sentis aussitôt une très douce consolation, et comme un réconfort intérieur, à me faire tout petit et à m'abandonner à la volonté de Dieu à la suite de sœur Thérèse. Puisse sœur Thérèse, de là-haut, nous soutenir et nous montrer comment on ne fait plus qu'un avec Jésus.

MARC SANGNIER
fondateur du Sillon
(lettre du 15 septembre 1910 à Mère Agnès).

Je lui dois beaucoup. () Sainte Thérèse a été mon «bon ange». Je possède une relique de ses ossements qui ne me quitte pas. Elle m'a été donnée par la R. Mère Agnès avec qui j'ai correspondu jusqu'à sa mort. () Il y a dans l'*Histoire d'une Ame* des trésors de sagesse.

CHARLES MAURRAS (1952)
fondateur de l'Action Française.

Je reconnais que ma fille, Reine, âgée de quatre ans et demi, était atteinte depuis le 11 janvier 1906 d'une maladie des yeux reconnue incurable par les médecins. Après seize mois de soins inutiles, ma femme porta notre enfant aveugle sur la tombe de sœur Thérèse de l'Enfant-Jésus et nous commençâmes une neuvaine à cette petite sainte. Dès le deuxième jour, le 26 mai 1908, avant-veille de l'Ascension, pendant que ma femme était à la messe de 6 heures, ma petite Reine, après une crise violente, recouvra subitement la vue. Ce que ma femme a d'abord constaté, et moi ensuite. En foi de quoi, avec beaucoup de reconnaissance pour le miracle opéré en notre faveur, nous signons le présent certificat avec les témoins. *(Suivent onze signatures et les observations du médecin ayant diagnostiqué une kératite phlyctémulaire.)*

A. FAUQUET (12 décembre 1908)
(La petite Reine Fauquet est venue voir
les carmélites de Lisieux au parloir.)

Au terme de ces deux ouvrages, de ce long cheminement de quinze années avec Thérèse, c'est, plus vif encore, le sentiment de côtoyer une personnalité originale, indéfinissable. () «Mais alors, qui est Thérèse? demandera le lecteur, étonné, interdit. – «Venez et voyez», lui répondra-t-on. Voudriez-vous que l'auteur vous donne une clé? C'est une histoire d'amour, il n'y a donc pas de clé, la porte est ouverte. Une porte sur la mort et sur la vie, comme toujours dans une histoire d'amour.

JEAN-FRANÇOIS SIX (1973)
biographe de Thérèse.

Chère petite Thérèse,
J'avais dix-sept ans quand je lus ton autobiographie. Elle me fit l'effet d'un coup de tonnerre. Tu l'avais appelée

« Histoire printanière d'une petite fleur blanche » ; elle m'apparut comme l'histoire d'une barre d'acier, par la force de volonté, le courage et la décision qu'elle révélait. A partir du moment où tu as choisi le chemin de la consécration totale à Dieu, rien ne t'a arrêtée : ni la maladie, ni les oppositions extérieures, ni les nuages et les obscurités intérieures.

ALBINO LUCIANI (1973)
devenu le pape Jean-Paul Ier.

Peu après sa naissance, Edith a eu une cataracte. On ne s'en est même pas aperçu ! Elle a été aveugle pendant près de trois ans. La grand-mère Louise l'a emmenée à Lisieux. Elle a vu. Pour Edith, c'était un vrai miracle. Elle y a toujours cru. Depuis cette date elle vouait une véritable dévotion à sainte Thérèse de l'Enfant-Jésus. Non seulement elle a longtemps porté une médaille sur elle, mais elle avait toujours sur sa table de nuit une petite image de la sainte.

SIMONE BERTEAUT (1969)
sœur d'Edith Piaf.

Avec Thérèse, on peut toujours recommencer, si bas que l'on soit tombé. Recommencer à aimer, recommencer à vivre. Thérèse apparaît toujours comme celle qui brise le malheur, qui fait rentrer dans la Résurrection. Elle vous décloue de la mauvaise et fausse croix, celle de la peur, du remords et du désespoir pour vous mettre doucement, à genoux, au pied de la vraie. En ce qui me concerne, dans cette ville où j'ai failli sombrer, jamais je ne louerai assez Thérèse de m'avoir sauvé de la révolte. Pourtant je sens que j'ai encore tout à apprendre d'elle et je la prie pour qu'elle me désencombre de tout ce qui me bloque trop souvent.

H.M. (1982)
Loiret.

241

GÉNÉALOGIE DES FAMILLES
MARTIN ET GUÉRIN

● *Du côté du père de Thérèse, Louis Martin (22/8/1823-29/7/1894).*

Les grands-parents étaient :
- Pierre-François Martin (16/4/1777-26/6/1865),
- Fanie Boureau (12/1/1800-8/4/1883).

Ils eurent trois filles et deux garçons, le dernier étant Louis.

● *Du côté de la mère de Thérèse, Azélie Guérin (23/12/1831-28/8/1877).*

Les grands-parents étaient :
- Isidore Guérin (6/7/1789-3/9/1868),
- Louise-Jeanne Macé (11/7/1805-9/9/1859).

Ils eurent trois enfants :
- Marie-Louise (31/5/1829-24/2/1877), devenue sœur Marie-Dosithée, à la Visitation du Mans,
- *Azélie-Marie,* mère de Thérèse,
- *Isidore* (2/1/1841-28/9/1909) devenu pharmacien à Lisieux, oncle de Thérèse. Il épousa Elisa-Céline Fournet (15/3/1847-13/2/1900), le 11/9/1866.

Ils eurent trois enfants :
- *Jeanne* (24/2/1868-25/4/1938), mariée au docteur Francis La Néele (18/10/1858-19/3/1916), le 1/10/1890,
- *Marie* (22/8/1870-14/4/1905), devenue sœur Marie de l'Eucharistie au carmel de Lisieux, cousine de Thérèse,
- Paul (16/10/1871), mort à la naissance.

● *La famille Martin*

Louis MARTIN épouse Azélie Guérin, le 13/7/1858. Ils eurent neuf enfants :
- MARIE-Louise (22/2/1860-19/1/1940), marraine de Thérèse, devenue sœur MARIE DU SACRÉ-CŒUR au carmel de Lisieux,
- Marie-PAULINE (7/9/1861-28/7/1951), devenue sœur, puis Mère AGNÈS DE JÉSUS, au carmel de Lisieux,
- Marie-LÉONIE (3/6/1863-16/6/1941), devenue sœur FRANÇOISE-THÉRÈSE, à la Visitation de Caen en 1899,

- Marie-Hélène (3/10/1864-22/2/1870),
- Marie-Joseph (20/9/1866-14/2/1867),
- Marie-Jean-Baptiste (19/12/1867-24/8/1868),
- Marie-CÉLINE (28-/4/1869-25/2/1959), devenue sœur
  GENEVIÈVE DE LA SAINTE-FACE au carmel de Lisieux,
- Marie-Mélanie-Thérèse (16/8/1870-8/10/1870),
- Marie-Françoise-THÉRÈSE (2/1/1873-30/9/1897), devenue sœur
  THÉRÈSE DE L'ENFANT-JÉSUS DE LA SAINTE-FACE
  au carmel de Lisieux.

POUR MIEUX CONNAÎTRE
SAINTE THÉRÈSE DE LISIEUX

Nous conseillons:

1. L'INDISPENSABLE LECTURE DE SES ŒUVRES

EN ÉDITION ACCESSIBLE, BON MARCHÉ:

- *Manuscrits autobiographiques* = *Histoire d'une Ame* (Cerf-DDB) ou en livre de poche, «Livre de Vie» (Seuil).
- *Lettres de Thérèse, « Une course de géant »* (Cerf-DDB).
- *Poésies* (Cerf-DDB).
- *Derniers Entretiens, « J'entre dans la vie »* (paroles recueillies par ses sœurs), (Cerf-DDB).

EN ÉDITION CRITIQUE, AVEC NOTES, POUR APPROFONDIR:

- *Manuscrits autobiographiques,* édition en fac similé, avec 3 volumes de notes (OCL, Lisieux).
- *Correspondance Générale,* Lettres de Thérèse et de ses correspondants, avec introduction et notes, 2 volumes (Cerf-DDB).
- *Poésies,* 2 volumes, avec notes (Cerf-DDB).
- *Derniers Entretiens* avec introduction et notes (Cerf-DDB), et son volume d'*Annexes* (synopse des quatre versions des entretiens de Mère Agnès).

Une brève *anthologie* des œuvres en trois petits volumes:
- *Pensées 1, 2, 3,* par Conrad De Meester, «Foi vivante» (Cerf)

2. Documents divers

- *Visage de Thérèse de Lisieux,* album de 47 photographies authentiques avec un volume de notes, Office Central de Lisieux.
- Sœur Geneviève, *Conseils et souvenirs,* «Foi Vivante», Cerf.

3. Livres sur Thérèse

Parmi des milliers... trois petits livres qui vont à l'essentiel :

- Liagre, *Retraite avec sainte Thérèse de Lisieux,* Lisieux.
- Victor Sion, *Réalisme spirituel de Thérèse de Lisieux,* «Foi Vivante», Cerf.
- Conrad De Meester, *Les mains vides. Le message de Thérèse de Lisieux,* «Foi Vivante», Cerf.

4. Pèlerinage à Alençon et Lisieux

Rien ne remplace cette rencontre des lieux thérésiens :

A Alençon :

- Maison natale, 42, rue Saint-Blaise, 61000 Alençon.
- Eglise Notre-Dame.
- Semallé, à 8 km environ, par la RN 12 ou la RN 138.

A Lisieux :

- Les Buissonnets, la chapelle du carmel, la salle des reliques, la basilique, la cathédrale Saint-Pierre, l'Abbaye des bénédictines...
- Consulter la Direction des pèlerinages, 33, rue du Carmel, B.P. 95, 14102 Lisieux, Cedex, tel. (31) 31-49-71.

Un film sur Thérèse de Philippe Agostini et P. François de Sainte-Marie, est projeté en permanence, près de la crypte de la basilique.

5. Cassettes, diapositives, disques

Se renseigner à l'Office Central de Lisieux (OCL, 51, rue du Carmel, 14100 Lisieux).

CRÉDITS PHOTOGRAPHIQUES

Toutes les illustrations de ce livre sont la propriété de l'Office Central de Lisieux (O.C.L.), 51, rue du Carmel, 14100 Lisieux, à l'exception de celles des pages 28 et 174, photos X.; 71, photo Jean CREFF; 84, Archives du Carmel; 233, photo FELICI.

SIGLES UTILISÉS

A   Manuscrit A, écrit par Thérèse en 1895, adressé à *Mère Agnès de Jésus.*

B   Manuscrit B, écrit par Thérèse en septembre 1896, adressé à *sœur Marie du Sacré-Cœur.*

C   Manuscrit C, écrit par Thérèse en juin-juillet 1897, adressé à *Mère Marie de Gonzague.* Pour les trois manuscrits, on précise chaque fois le recto (r°) et le verso (v°).

AL   *Annales de sainte Thérèse,* revue mensuelle, Lisieux.

BT   *La Bible avec Thérèse de Lisieux,* Cerf-DDB, 1979.

CF   *Correspondance familiale* (1863-1877), OCL, 1958.

CG   *Correspondance générale,* Cerf-DDB, 2 tomes, 1972-1973.

CJ   «Carnet jaune» de Mère Agnès de Jésus, version des *Derniers Entretiens.*

CSG   *Conseils et souvenirs,* publiés par sœur Geneviève, «Foi vivante», Cerf, 1973.

DCL   Documentation du Carmel de Lisieux.

DE   *Derniers Entretiens,* Cerf-DDB, 1971, et volume d'*Annexes.*

HA 98   *Histoire d'une Ame,* édition 1898.

LC   Lettres des correspondants de Thérèse (dans la *Correspondance générale*).

LT   Lettres de Thérèse (avec leur numérotation).

Mss I, etc.   Trois volumes du P. François de Sainte-Marie, accompagnant l'édition en fac-similé (1956) des *Manuscrits autobiographiques* (Mss I, II, III).

PA   *Procès Apostolique* (1915-1917), Rome, 1976.

PO   *Procès de l'Ordinaire* (1910-1911), Rome, 1973.

PN   *Poésies* de Thérèse, Cerf-DDB, 1979 (avec leur numérotation).

PTA   *La Petite Thérèse à l'Abbaye,* Notre-Dame du Pré, 1930.

RP   *Récréations pieuses* de Thérèse, à paraître, Cerf-DDB (avec leur numérotation).

VT   *Vie Thérésienne,* revue trimestrielle, Lisieux.

VTL   *Visage de Thérèse de Lisieux,* photographies et notes, 2 volumes, Lisieux, 1961.

RÉFÉRENCES DES TEXTES CITÉS

Nous indiquons ici nos sources. Bien que notre texte ne comporte aucun renvoi, le lecteur y retrouvera aisément, page par page, les documents cités ou utilisés.

Le premier chiffre en dehors indique la page du présent livre:
Exemple: 32. A,13v° signifie Page 32, Manuscrit A,13v°
VT 56,304 signifie Page 32, revue *Vie Thérésienne,* n° 56, page 304.

N.B. Pour la *Correspondance Familiale* de Madame Martin (sigle CF), nous avons parfois cité une copie inédite que sœur Marie de la Trinité (MTr) a faite, sans doute en 1926. On sait que les originaux ont été détruits par les sœurs Martin (cf. CG, 1240; VT 36,189 et surtout VF 49,57). La version que nous utilisons a été retrouvée au carmel de Lisieux après l'édition de la *Correspondance Générale.* Nous la citons sous le sigle CF (MTr).

3. CJ 5.8.4
   LT 224
   A,3r°
   A,84r°
6. CJ 7.7.4
   DE,390
   DCL
7. A,12r°
   CF,141
8. VT 36,194
9. CF,173
   CF,34
10. VT 37,35
   CF,184
11. CF,152
   CF,30
   CF,140
12. CF,195
   CF,14
   CF,132

14. CF,110
   CF,134
   CF,185
15. CF,143
   CF,146
   CF,150
16. CF,176
   CF,165
   CF,176
   CF,187
   CF,170
   CF,192
   CF,196
17. CF,201
   A,12r°
   C,32r°
   A,6r°
   CF,198
18. CF (MTr) (2 fois)
   CF,229

CF,302
VTL 1
CF,194
CG,1120
CF,392
CF,312
A,4v°,12v°
CG,100
CG,393
CG,101
CF,264; A,13v°
CF,281
LT 1
19. CG,1117
   A,4r° (3 fois)
   CF (MTr) (2 fois)
   CF,294
   CF,230
   A,8r° (2 fois)
   CF,284

20. CF,264
    CF,289
    CF (MTr)
    HA 72,328
    CG,101
21. CF,294
    A,8v°
    A,64r°
22. CF,271
    CF,322
    CF,245
    CF,228
    CF,328
    CF,217
    A,8v°
    CF,378
23. CF (MTr)
    CF (MTr)
    CF,358
    CF (MTr)
    CG,97
24. CJ 30.6.2
    A,11v°
    A,12r°
    CG,100
    CF,263
25. CF,333
    CF,332
    CF,336
    CF,337
    VT,53,67
    CF,365
    CF,348
    CF,377,402
26. CF,378
    CF,381
    CF,369
    CF,422
    CF,369
    CF,368
    CF,406
27. CF,415
    VT 55,234
    CG,1132
    A,12r°
28. A,12v°
29. A,12v° (2 fois)

30. VT 60,292
    CG,112
    A,11v°
32. A,13v°
    A,13v°
    VT 56,304
35. A,13v°
    A,13v°
    LT 77
36. A,17v°
37. VT 61,59
    A,21v°
    A,14v°
    A,21r°,14r°
    VT 58,138
    CG,116
39. VT 61,74
    A,21v°
    A,16r°
    A,16v°
    A,17r°
40. A,25v°
    PO,241
    A,20r°
41. A,13r°
    A,22r° (2 fois)
    A,23r°
42. PTA,19
    A,22v°
    A,25v°
    A,23r°
    A,31v°
    A,32r°
44. *Mère Agnès,*
    OCL,31
    A,25v°
    Mère Agnès, 32
45. A,26r° (3 fois)
46. PTA,30
    A,27r°
    CG,132
    A,27r°
47. A,27v°
    LC 7
    LT 9
    LC 8
    LC 6

    A,28v°
    A,24r°
    CG,138
48. PO,352
    PO,363
    PA,515
    A,28v°
49. A,28r°
    A,28v°
    A,29r° (2 fois)
50. PN 54
    A,30r°
    PO,344
51. A,27r°
    A,30v°
    A,31r° (2 fois)
    A,32v°
52. A,32v°
    CG,1135
    A,32v°
    VT 28,203
53. PTA,28
    CG,1167-8
    LT 11
    CG,164
    A,32v°
    A,35r°
    PN 53
    Mss II,22
54. A,35r°
    PTA,37
    A,33v°
    PTA,42
    PO,249
    A,33v°
55. Mss II,23
    VT 74,135
    A,36r°
    Mss II,24
56. A,36r°
    PN 3
    A,36r°
    CG,202
57. CG,178
    PTA,46
    CG,187
    A,42v°

247

A,39r°
58. VT 74,134
   A,39r°
   A,41v°
   A,41v°
59. CG,195
   A,41v°
   CG,201
60. Revue *Carmel,* 1957,87
   VT 74,134-5
   PTA,51
   A,38r°
61. A,39v°
   A,42v°
   A,42v°
   A,43r°
62. VT 56,308
   A,43r°
   A,37v°
63. A,44r° (2 fois)
   CG,217
   A,44v° (2 fois)
64. A,44v°
   LT 201
   Piat, *Léonie,* OCL,65
   A,45r° (2 fois)
65. A,45r°
   A,44v°
   LT 201
66. LT 201
   A,45v°
   LC 49
   CG,230
   LT 24
   A,47r°
67. A,52v°
   A,46v°
   Revue *Carmel,* 1957, 106
   CG,179
68. A,40v°
   A,47v°
   A,49v°
   A,48v°
69. A,52r°

   A,48v° (2 fois)
   A,49r°
70. A,45v°
71. A,46r°
72. A,46v°
   LT 221
74. A,50
   CG,229
   CG,235
   ACL,25.6.1887
75. A,50v°
   LT 27
   A,51r°
   CG,251
76. A,52r°
   CG,257
   CG,256
77. A,53v°
   A,55v° (2 fois)
78. VT 83,222
   A,55v°
79. LT 30
   A,55v°
   VT 83,222
80. A,59v°
   VT 81,38 ; PA,301
   VT 81,39
81. A,61r°
   A,66v° (2 fois)
   VT 83,216
   A,56r°
82. PO,301
   A,56r°
   A,62r°
   CG,276
83. LT 35
   A,51v°
85. A,63v°
   CG,300
   LT 36
86. LT 37
   A,65v°
   CG,321
87. CG,328 ; PA,368
   A,67v°
   CSG,24
88. A,68r°

   A,59v°
89. A,56r°
   PO,301
   A,49v°
   A,26r°
   CG,295
   LT 201
   A,68v°
   DE,779
   Piat, *Céline,* OCL,35
90. DCL
92. C,8v°
   A,69r°
93. PA,370-1
   A,69v° (2 fois)
   Le Père de Ste Thérèse, OCL, 128
96. CG,356
   A,70v°
97. CG,369
   CG,363
   LT 28
   VT 28,202
98. A,70r°
   A,70v°
   PA,194
   DE,472
99. C,15v°
   C,28r°
   LT 74 ; 76
   M. Agnès, NPPA, Humilité, DCL ; CJ 25.7.15
100. CG,367
   CG,381
   CG,373-4
   CG,1141
101. CG,383
   CG,384
   CG,376
   CG,407
102. LT 57
   A,73r° ; Mss II,51
103. LT 65
   CG,421
   CG,419

CG,418
104. LT 74
LT 76,77,78
LT 74
LT 76
LT 74
105. CG,440
A,69v°
LT 78
A,69v°
106. A,72r° (2 fois)
107. CG,633
LT 137
VTL,5 et 6
108. A,73v°
A,73r°
109. CG,456
A,73r°
PA,189
CG,465
110. Piat, *Céline*, 42
PN 16
CJ 11.7.2
111. CJ 13.7.18
CG,502
LT 92
De Meester,
*Dynamique de la
confiance*,
Cerf, 127
LT 82,86,103, 114...
112. LT 106
A,75r°
C,29v°
A,74v°
LT 91
113. CG,484
CG,513
LT 94
CG,479
114. A,73v°
LT 176
LT 103
CG,533
LT 107
115. LT 122
CJ 5.8.7

LT 108
CJ 5.8.9
LT 108
116. LT 101
A,83r°
CJ 31.8.9
LT 109
A,80v°
117. A,76r°
A,75v°
LT 110
118. A,76r°
HA 72,315
Mss II,53
A,69v°
CJ 23.7.6
119. A,77r°; CG,581
A,77v°
CG,586
A,77r°
CG,580
120. LT 45
LT 52
PN 26
121. CG,630
CG,631
PA,241
122. A,74v°
B,4r°
CJ 24.7.2
PO,251
PA,311
C,21v°
123. LT 129
DE,531
LT 126
LT 130
124. LT 126
CG,645
Piat, *Céline*, 47
CG,633
A,80r°
CG,643
125. A,80r°
CG,564
PA,163
A,80v°

126. Mss II,55
A,71r°
A,70r°,74r°
127. A,78r°
DCL (inédit)
A,79r° (2 fois)
128. CG,649
CG,662
129. LT 134 ; A,82r° ;
CSG,136
130. CG,666
A,83v°
C,4r°
PO,275 ; CSG,80 ;
CJ 4.8.5
LT 137
131. CJ 21.7.4
CG,668
LT 133
C,20-21
LT 190
CJ 14.7.6
132. A,80v°
CG,688
LT 140
133. CG,745
LT 167
A,81r°
135. CG,1176
CG,699
LT 143
136. LT 142
CG,712
LT 144
LT 143
137. LT 147
CG,721
PA,176 ; CG,728
138. PA,187
CG,725
LT 149
PN 4,50-51
139. A,32r°
PO,401
140. RP 1
PN 3
DE,805

141. CG,745
CG,780
Piat, *Céline,* 61
A,20v°
LT 169
LT 170
142. PN 8
A,20v°
A,21r°
A,81v°
143. CG,784
LT 168 (2 fois)
CG,783
CG,785
CG,784
144. A,82v°
CJ 16.7.1
DE,471
LT 167
CG,750
CG,804
PN 5
145. CG,778
DE,806
LT 167
147. VTL 1,13
PN 10,11,12
C,2v° (2 fois)
148. BT,20
149. C,2
A,80r°
LT 175,176,178,
180...
A,44v°
C,37r°
150. BT,101 ; DE,441
RP 2
A,83v°
151. CG,648
LT 226
RP 2,57
RP 3
PA,299
VTL 11,12,13,14
152. RP 3,92
RP 3,94
C,7v°

154. PO,237
A,2r°
A,3r°
155. A,2r°
LT 169
PO,157
DCL
C,6r°
156. Mss II,56
A,3v°
PO,1945
PN 17
CSG,66-67
157. A,84r°
*Vie de Mère Gene-
viève,* OCL, 76,106
A,84r°
CSG,67
158. HA 72,316
PN 54
LT 85,108,132
CJ 7.7.2
CG,810
CG,896
159. CG,808
PO,582
PO,158
C,31v°
160. C,32r°
HA 53,262
PA,295
PN 31
161. CG,825
RP 5,121
LT 145
RP 6
RP 6,143
AJ/NPPA, Force
(DCL)
PO,146
162. A,84v°
A,75v°
163. A,84v°
CG,1184
164. CG,1182-4
C,14r°
CG,1181

VTL,26 et 27
165. LT 46
Mère Agnès,
OCL,62
166. C,23r°
DE,490
C,22v°
C,24v°
DE,598
CSG,70-1
CJ 7.6.1
VT 73,60
167. PA,474
C,26v°
Mss II, 109
CJ 18.4.3
PA,182
C,23v°
AL, mars 1982, 7
PA,467
CG,1157
168. CSG,144
CSG,42
C,26r°
C,11v°
LT 194,195,199,
200
169. C,4v°
C,5r°
170. PN 28
CG,1188
171. C,7v° ; 6v°
B,3v°
C,6v°
PN 40
C,5-7
C,6v°
172. PA,151
VT 85,54
173. PN 30
PN 32
C,7v°
B,2v°
175. C,33v°
C,35v°
LT 193
176. PN 35

CG,858
RP 7
*Le Triomphe de
l'Humilité,*
RP 7, 76ss
177. *Op. cit.* 106
178. RP 7, 31
RP 7, 32
LT 190
179. LT 191
LT 192 (2 fois)
HA 53,259
PN 36
B,3v°
180. B,2v°
181. B,3r°
B,3v°
182. PN 34
B,5v°
184. B,1r°
B,1v°
CG,893
LT 197
Id.
Op. cit. 231
185. PO,518
C,7r°
PO,280
CG,880
LT 201
186. PA,300
CJ 21-26.5.10
Ph. de la Trin.,
Thérèse de L.,
Lethielleux, 25
CG,922
187. CG,924
VT 73,56
PN 43
PN 44
LT 218 et Acte
d'Offrande
PN 44,201
188. LT 216
LT 218
LT 220
PN 45,207

C,13v°
DE,786
189. PN 45
PN 47
CG,919
RP 8
VT 75,230
190. LT 221
PA,484
PN 48
191. PN 17
CJ 12.6.1
DE,671
DE,727
DE,670
DE,674
192. CJ 7.5.3
193. Weber, *Satan
Franc-
Maçon,*
Julliard, 159
194. *Le Triomphe
de l'Humi-
lité,* 91
195. C,6r°
LT 224
Id.
LT 226
C,32r°
196. DE,650
DE,420
PN 51,227
PN 51
PN 51,228
CJ 11.7.1
197. PN 50
PA,268
DE,389-391
PN 54
198. A,81v°
CG,957
RP 3
CJ 5.6.2
CJ 27.5.4
LT 231
199. CG,1001
PO,146-7

DE,440
PO,147
CJ 11.9.2
200. C,1r°
C,1v°
C,8r°
PO,147
PO,173
C,17v°
CJ 15.6.5
201. C,6r°
CJ 9.6.2
C,7v°
HA 07,261
202. A,38v°-39r°
C,7r°
PA,238
PO,147
203. C,12r°
VTL 41,42,43
LT 243
CJ 7.6.1
DE,675
204. CJ 4.6.1
CJ 5.6.4
LT 226
PO,249
CJ 15.6.1
CJ 30.6.2
CJ 10.7.8
206. DE,682
DE,708
CJ 8.7.9
CJ 9.7.3
CJ 1.8.8
207. DE,610
CJ 4.8.4
208. PA,339
CJ 3.8.9
CJ 9.7.6
CJ 8.8
CJ 19.8.1 ; 20.8.10
DE,371 ; PO,472
CJ 5.7.2
DE,595-6
CJ 22.8.8
CJ 22.9.4

251

PO,273
209. CJ 12.8.4
CJ 9.7.2
C,22r°; 9r°
DE,442-444
PA,231
DE,364
C,36v°
210. CJ 10.7.2
CJ 11.7.6
CJ 27.7.6
CJ 29.7.7
211. NV 108 (DE, Annexes)
CJ 9.8.7
CJ 17.7
C,33r°
LT 254
CJ 18.7 et DE,777
C,36r°
CJ 17.7
CJ 13.7.2
212. VT 75,230
DE,475
CJ 13.7.4
LT 254
LT 255
LT 257
PA,380, cf. LT 176
LT 258
LT 261
213. CJ 31.7.17,18
CJ 31.7.3 et
DE,732
CJ 31.7.4
CJ 31.7.11
CJ 11.7.5
PN 5
CJ 7.7.4
CJ 3.8.2
214. CJ 2.8.6
CJ 4.7.2
DE, *Annexes,* 465
CJ 31.7.7
CJ 10.8.5
DE,758
DE,745

215. DE,682
CV 1,8 (DE, *Annexes*)
CJ 18.8.2
CG,1189
CJ 28.8.1
CJ 28.8.6
C,25r° et
CJ 20.8.16
216. CJ 3.8.1
CJ 27.8.1
VTL 45
CJ 14.9.1
DE,766
CJ 31.8.5
CJ 19.8.8
CJ 29.8.3
CJ 28.8.7
CJ 28.8.3
217. CJ 28.9
DE,769
CJ 18.9.3
CJ 20.9.2
CJ 28.9.1
CJ 30.9
CJ 29.9.5
CJ 29.9.8
DE,773
218. CJ 30.9
219. Gaucher, *La passion de Th. de L.,* Cerf-DDB, 113
CJ 30.9
CSG,198
DE,773
220. LT 245
VTL 46
221. LT 244
PA,320
DE,661
PA,241
222. PN 24
CG,981
Balthasar, *Th. de L.,* Inst. Cath. Paris, 1973, 115
223. *Manuscrits autob.,*

Ed. manuelle, OCL, XIV, AL mars 1981, 3
225. DCL
PO, X
LT 150
226. PA, VII
PO,561
227. *Interventions de sœur Th. pendant la Guerre,* 1920, V
PA,211
228. VT 59,222
Six, *Cheminements de la Mission de France,* Seuil, 25
229. CG,107
230. *Introd. à la spiritualité de Ste Th. de l'E.-J.,* Vrin, 184
Le combat de Jacob, Cerf, 97
Op. cit. 121
Pour une Eglise servante, Cerf, 123
CJ 5.6.4
232. CJ 9.8.2 .
France Cath., n° 1823
233. *Voyage en France,* livre de poche, n° 5478, 176
234. Id.183
CJ 17.7
235. B,3r°

TABLE DES MATIÈRES

253

TROISIÈME PARTIE

AU CARMEL (1888-1897)

QUATRIÈME PARTIE

LA VIE POSTHUME OU «L'OURAGAN DE GLOIRE»

APPENDICES

Achevé d'imprimer en juillet 1982
sur les presses de l'Imprimerie Saint-Paul
55001 Bar-le-Duc, France
Dépôt légal : juillet 1982
ISBN 2-204-01923-2
N° Éd. 7564
N° 5-82-444

PUFFIN BOOKS
THE HOUSE IN NORHAM GA⬚⬚NS

'I like this house being cold⬚⬚⬚⬚⬚⬚⬚⬚liar, and I
think the aunts are t⬚⬚⬚⬚⬚⬚⬚⬚⬚⬚⬚I've ever
known.'

An enorm⬚⬚⬚⬚⬚⬚⬚⬚⬚⬚⬚⬚⬚⬚⬚umerous
anthropolo⬚⬚⬚⬚⬚⬚⬚⬚⬚⬚ouse, thought
Clare, in abs⬚⬚⬚⬚⬚⬚⬚⬚⬚uld you open an old
trunk and be ⬚⬚⬚⬚⬚⬚large bundle of bows and
arrows'), and w⬚⬚⬚⬚e home of two old ladies, may
seem like a stra⬚⬚⬚ environment for a young girl of
fourteen to be brought up in – but Clare adores her aunts,
and the house, with its odd and varied contents, is the
envy of all her schoolfriends. Nevertheless, Clare is going
through a strange phase in her life – she is bored and feels
that she is constantly waiting for something momentous
to happen. Or is it just that she's bad at being fourteen?

The discovery of a 'weird-looking slab of wood with some
kind of a picture on it' changes everything and heralds
the start of something that begins to take over Clare's life –
whose was it and what did it mean?

With everything centring on the house in Norham Gardens and its occupants, Penelope Lively skilfully weaves
time and memory together, the past and present becoming
one. A rich and haunting novel from the bestselling author
of *The Ghost of Thomas Kempe*.

Penelope Lively was born in Egypt. She read history at
St Anne's College, Oxford, married a don and has two
children. She lives in a sixteenth-century farmhouse,
where she has written several very distinguished novels
for adults and children, some of which have been short-
listed for the Booker Prize.

The House in
Norham Gardens

Penelope Lively

PUFFIN BOOKS

Puffin Books, Penguin Books Ltd, Harmondsworth, Middlesex, England
Viking Penguin Inc., 40 West 23rd Street, New York, New York 10010, U.S.A.
Penguin Books Australia Ltd, Ringwood, Victoria, Australia
Penguin Books Canada Limited, 2801 John Street, Markham, Ontario, Canada L3R 1B4
Penguin Books (N.Z.) Ltd, 182–190 Wairau Road, Auckland 10, New Zealand

First published by William Heinemann Ltd 1974
Published in Puffin Books 1986

Made and printed in Great Britain by
Richard Clay (The Chaucer Press) Ltd,
Bungay, Suffolk
Filmset in Monophoto Photina by
Northumberland Press Ltd, Gateshead,
Tyne and Wear

To my mother

I know not how it may be with others
   Who sit amid relics of householdry
That date from the days of their mothers' mothers,
   But well I know how it is with me
     Continually.

I see the hands of the generations
   That owned each shiny familiar thing
In play on its knobs and indentations,
   And with its ancient fashioning
     Still dallying:

Hands behind hands, growing paler and paler,
   As in a mirror a candle-flame
Shows images of itself, each frailer
   As it recedes, though the eye may frame
     Its shape the same.

'Old Furniture' – Thomas Hardy

Chapter 1

*There is an island. At the heart of the island there is a
valley. In the valley, among blue mountains, a man
kneels before a piece of wood. He paints on it – sometimes
with a fibre brush, sometimes with his finger. The man
himself is painted: bright dyes – red, yellow, black – on
brown skin. He wears pearshell, green beetles in his hair,
and a bunch of tangket leaves. The year is 1900: in
England Victoria is queen. The man is remote from
England in distance by half the circumference of the
world: in understanding, by five thousand years.*

Belbroughton Road. Linton Road. Bardwell Road. The houses
there are quite normal. They are ordinary sizes and have
ordinary chimneys and roofs and gardens with laburnum
and flowering cherry. Park Town. As you go south they are
growing. Getting higher and odder. By the time you get
to Norham Gardens they have tottered over the edge into
madness: these are not houses but flights of fancy. They are
three storeys high and disguise themselves as churches. They
have ecclesiastical porches instead of front doors and round
norman windows or pointed gothic ones, neatly grouped in
threes with flaring brick to set them off. They reek of hymns
and the Empire, Mafeking and the Khyber Pass, Mr Gladstone
and Our Dear Queen. They have nineteen rooms and half a
dozen chimneys and iron fire escapes. A bomb couldn't blow
them up, and the privet in their gardens has survived two
World Wars.

People live in these houses. Clare Mayfield, aged fourteen,
raised by aunts in North Oxford.

Clare came round the corner out of Banbury Road and the
history books and maths things and *Jane Eyre* in her bicycle

basket lurched over to one side with the string bag of shopping, and unbalanced her. She got off and straightened them and then pedalled fast, standing up, past the ranks of parked cars and the flurry of students coming out of the language school on the corner. She swung into the half-moon of weedy gravel that was the front drive of number forty Norham Gardens, and put the bike into the shed at the side of the house. Wind, cold January wind, funnelled up the chasm between number forty and the house next door, clutching her bare legs and rattling the dustbin lid. Clare stuffed the books on top of the shopping in the string bag and went up the front steps, quickly.

The front door was not locked. Old ladies lose front door keys. Clare went across the hall and through the green baize swing door into the kitchen. The house was silent. Silence reached away up to the top of the house, up the well of the staircase past the first floor and up to the attic rooms, spiced only by the ticking of clocks: the kitchen one, loudly insensitive, the grandfather clock on the stairs, discreetly chiming since before the Boer War, Maureen's Smith Alarm-o-matic, marking time by itself up there under the roof. Maureen would not be back for another hour or so. And the aunts – the aunts would be in the library, dozing quietly beside a fire that they would have forgotten to keep stoked. They were always in the library at half-past four. They migrated slowly through the house during the day: from their bedrooms to the breakfast-room to the study to the dining-room. I am the only person I know, Clare thought, who has a special room for having breakfast in. And a pantry and a flower-room and a silver cupboard and a scullery and three lavatories. She put the kettle on and had a conversation in her head with a person from outer space who was ignorant of these things. A flower-room, she said severely, is for arranging flowers in. A long time ago ladies who hadn't got anything much to do did that in the mornings. My great-grandmother, for instance. My aunts, on the other hand, never arranged flowers. They were a different kind of person. They always had things to do. They wrote articles and translated Anglo-Saxon and sat on committees. They are not ordinary aunts.

The kettle began to mutter to itself. Clare unpacked the string bag and saw that there was a note from Mrs Hedges. 'I put a steak and kidney in the oven for your supper, and I want it eaten, mind. See your Aunt Anne remembers her pills. The coal came and I paid him but it's gone up again. We owe the milkman one fifty.'

Three cups on a tray. Crown Derby. Very valuable. One cracked, one with an odd saucer. Would the milkman like one cracked Crown Derby cup instead of one pound fifty pence. Probably not. A situation when milkmen and coal men and electricity men are asking you for more money than you have got to give them is called a financial problem, in posh language. In simpler terms it is a gap on a piece of paper between what you have got and what people want you to pay them. Most people of fourteen are not bothered about that kind of thing. If, however, you live with your aunts and your aunts are around eighty years old and not very good at working things out or knowing how much things cost, though very good indeed in all sorts of other ways, then you have to be bothered. You have to fill the gap some-how.

The gap, in this instance, had been filled with Maureen.

'A lodger!' Mrs Hedges had said. 'They'd never hear of a lodger!' That had been a month ago now, when she and Mrs Hedges had sat one each side of the kitchen table and considered things. The Outgoings and the Assets, and the cracked guttering that must be repaired and the leaking kitchen sink that would have to be replaced.

'I'd mention it to them,' said Mrs Hedges. 'But you don't want to fuss them, at their age, and they've not really got the hang of decimals, have they?'

And so it had all been laid on the table, as it were.

'Mmm,' said Mrs Hedges. 'Sure there's nothing else? Just

9

their pensions and your little bit from when your mum and dad – from this legacy?'

'Nothing else.'

'No Securities? They'd have Securities, people like your aunts. Shares and that.'

'No. Not now. There were some, but the Bank Manager wrote last year and said he was sorry but they'd got smaller and smaller until they'd kind of disappeared. There was three pounds fifty pence left.'

'Shame,' said Mrs Hedges. 'Were they upset – the old ladies?'

'No. They've never been particularly interested in money.'

'They've not had to be. And they're a bit vague, now they're getting on, so it's up to us, not that I'd want anyone to be thinking me sticking my nose into what's not my business.'

'Anyone isn't thinking like that,' said Clare.

'Right, then,' said Mrs Hedges. 'Let's look at these Outgoings and see what we can cut down on.'

'Food. I could keep a cow in the garden. Grow vegetables.'

Mrs Hedges glared. 'I'm not laughing. You don't eat properly, as it is, any of you. All those tins.'

'They don't notice what they eat.'

'But you're a growing girl. Food's got to stay as it is. Clothes?'

'Jumble sales.'

Another year or two and you're going to want stuff like the other girls have, from boutiques and that. Fashionable stuff.'

'There's trunks of their old things upstairs,' said Clare. 'Long velvet skirts and floppy hats. Dead smart nowadays. I'll be terribly grand.'

'Get away with you. Holidays?'

'My cousins in Norfolk. That's free.'

'I'm an outgoing,' said Mrs Hedges. 'But you can't keep this place clean on your own, that's for sure.'

'So we can't cut down on you. Good.'

10

'Rates. That we can't do anything about. It's a mercy there's no rent to think of. They do own this house, don't they?'

'It's something called a Lease.'

'Ah,' said Mrs Hedges. 'Them. How long's it got to go?'

'Fifteen years, then it isn't their house any more.'

'Well, we won't worry beyond that.'

'Why not?' said Clare coldly. Aunt Anne is seventy-eight and Aunt Susan is eighty. She had looked away from Mrs Hedges and out of the steamy window to the coalshed and the dank brick wall and the cat prowling in the privet and the kitchen clock had ticked, loud and stupid. And Mrs Hedges had got all busy totting up the figures again and talking about Assets.

'Assets?'

'What have you *got*?'

'A house with nineteen rooms.'

The house squatted around them, vast, empty, unnecessary and indestructible. You had to be a fat busy Victorian family to expand enough to fill up the basements and passages and conservatories and attics. You had to have an army of bootboys and nurses and parlourmaids. You had to have a complicated, greedy system of living that used up plenty of space and people just in the daily business of eating and sleeping and keeping clean. You had to multiply your requirements and your possessions, activate that panel of bells in the kitchen – Drawing-room and Master Bedroom and Library – keep going a spiral of needs and people to satisfy the needs. If you did not, if you contracted into three people without such needs, then a house like this became a dinosaur, occupying too much air and ground and demanding to be fed new sinks and drainpipes and a sea of electricity. Such a house became a fossil, stranded among neighbours long since chopped up into flats and bed-sitting-rooms, or sleek modern houses that had a suitable number of rooms for correct living in the late twentieth century. It, and its kind, stood awkwardly on the

11

fringes of a city renowned for old and beautiful buildings: they were old, and unbeautiful.

Perhaps, Clare thought, you should knock down places like this when they are no longer useful. Reduce them to the brick and dust from which they came?

Or should you, just because they are old, not beautiful, but old, keep them? Houses like this have stood and watched the processes of change. People swept by the current, go with it: they grow, learn, forget, laugh and cry, replace their skin every seven years, lose teeth, form opinions, become bald, love, hate, argue and reflect. Bricks, roofs, windows and doors are immutable. Before them have passed carriages, and the carriages have given way to bicycles and the bicycles to the cars that line up now, bumper to shining bumper, along the pavement. In front of them have paraded ankle-length dresses and boaters and frock coats and plus-fours and duffel coats and mini skirts. Through their doors have passed heads, shingled, bobbed, permed and unkempt. Within their walls language has changed, and assumptions, and the furniture of people's minds. Possibly, just possibly, you must keep the shells inside which such things happen, in case you forget about the things themselves.

'That's twelve rooms more than you need,' said Mrs Hedges. 'One way and another.'

And at that point had flowered in Clare's mind the notion that if you had more rooms than you in fact needed there were, by the same token, and according to the convenient arrangement of supply and demand, people who needed rooms.

'They'd never hear of a lodger!' Mrs Hedges had declared. 'Not in a month of Sundays.' And she had been entirely wrong. She had not reckoned with the aunts' ability to review a situation. They, unlike the house, had not set hard in 1890. They had evolved with the century, taking on the protective colouring of different years, but without sacrificing personalities more forceful than the ebb and flow of opinion. All their

12

lives they had examined the times, decided what was sound, and discarded what was not. Fashion they ignored: the fascination of change sustained them. And it was perfectly sound, they at once declared, that there should be a lodger at Norham Gardens if circumstances required it.

And from that decision, to the arrival of Maureen with two tartan suitcases and some brown paper parcels, had been a short route by way of a postcard in the window of the shop in North Parade.

Clare added digestive biscuits to the Crown Derby cups on the tray, the teapot, bread and peanut butter for herself, and Aunt Anne's pills. Then she went through into the hall, bumping backwards through the swing door and balancing the tray against her arm while she opened the library door.

It was twilight in the library, partly because the January afternoon light had almost all leaked away by now, and partly because it was always half dark in there. The windows were curtained floor to ceiling in toffee-brown velvet: beyond them the garden stretched away bleakly to the wall at the end, the long grass flattened and ribbed with snow that had melted and then frozen again. Clare drew the curtains and turned on the light. Now it was almost cosy. There were books instead of walls – in bookcases as long as the bookcases lasted and then overflowing into piles and toppling columns. There were stacks of box-files, too, labelled long ago with dusty labels on which the ink had faded into obscurity, like invisible writing that refuses to be reanimated. And there were great mountains of paper, yellowing articles with titles like 'Kinship Structure among the Baganda'. And spears. Clare, putting the tray down on the table by the sofa, thought: I am also the only person I know who has spears on their walls instead of pictures. Arranged in a nice pattern.

A further thought struck her. 'Can I borrow some of the spears for *Macbeth*?'

The aunts were sitting on either side of the fire, in the leather armchairs that leaked tufts of some strange stuffing on to the carpet. They had been dozing, probably, and sat up now with a start, as though guilty.

Aunt Susan said, 'By all means. But they would not be at all authentic, you know. They come from Basutoland, not Scotland.'

'We're not that fussy. Thanks.'

Aunt Anne said, 'I hope they are not the ones with poisoned tips.' They studied the fan of spears for a moment, anxiously.

'No,' said Aunt Susan. 'Those went to the Pitt Rivers in 1939. I remember now.'

Clare picked up the shovel and put some more coal on the fire. She poked it and sparks showered away into the dark chimney. She kissed Aunt Susan and then Aunt Anne. Their faces felt soft and papery, like tissues. Their hair, seen in close-up, was thin and fine like a young child's, Aunt Susan's white and wavy, Aunt Anne's brown peppered with grey, pulled back into a knot behind her head. They had on their brown tweed suits, made by the tailor in Walton Street before the last war, and fur-lined boots. It was never really warm in the library, just a localized warmth around the fire.

'Had a good day, dear?'

'It was all right. We've got to decide about O levels. German, or Physics and Chem.'

The aunts looked at each other, and then at Clare, their faces puckered with incomprehension.

'Exams,' said Clare. 'I think I'll do Physics and Chem.'

The aunts brightened. They knew all about exams.

'Very sensible,' said Aunt Susan. 'A good grounding in the Sciences is right for a girl. Nowadays. Tea, dear?'

Aunt Susan's hand was oddly small now. It shook a little; the cup jigged in the saucer. They had shrunk, the aunts. People do that when they get old. In photographs of fifteen, twenty years ago they were taller by nine inches or a foot.

'But Clare will be on the arts side,' said Aunt Anne. 'Surely. History or English.'

'Nevertheless. For the mental discipline.'

14

'You may be right. But I see her as History. Or the Social Sciences.'

They looked at Clare with love and pride. Much was expected.

'Somerville, I think. Or Lady Margaret Hall.'

'The new Universities are well thought of now, I understand.'

Clare said, 'I don't expect they'll want me.' She put three lumps of sugar in her tea, and spread the peanut butter thick. You need sustaining, in January in the South Midlands when you've biked back from school with the wind against you and cars spraying slush up your bare legs.

The aunts smiled, disbelievingly.

'Or I might leave school at fifteen and work in a boutique.'

'A boutique?'

'A kind of shop with pop songs coming out of the walls. Don't worry. Joke.'

'She is teasing us,' said Aunt Susan.

'Taking advantage of our infirmities.'

They beamed.

'That's right,' said Clare. 'Seriously, though, I think I'll be a pop star. Then I can buy us all fur coats.'

'She means,' said Aunt Anne, 'a popular singer.'

Aunt Susan said, 'I am well aware of that. No doubt she would be surprised to learn that we've heard of pop art, too. Pictures of film actresses, repeated many times.'

'And tins of soup, perfectly reproduced.'

You never knew with the aunts. 'B double plus,' said Clare. 'Good, conscientious work. A maxi coat?'

'A garment to the ankles. That could be deduced semantically.'

'B plus. A discotheque?'

'An establishment selling gramophone records?'

'B minus. Write out corrections three times. A milk-bar?'

'A brand of confectionary.'

'C minus. See me in break.'

15

'Our turn,' said Aunt Susan. 'Who succeeded Lloyd George as Prime Minister?'

'I've forgotten just at the moment.'

'Gamma plus. The terms of the Munich Agreement?'

'I think I'll clear the tea and get on with my French homework,' said Clare. 'Match drawn.'

'Grimbly Hughes sent the wrong digestives,' said Aunt Anne. 'I'll pop down there tomorrow and have a word with Mr Fisher.'

Clare said, 'No, you won't. I'll do it. The roads are all icy.' Old ladies can slip on icy roads, and fall down. Anyway, it isn't Grimbly Hughes, it's the supermarket in Summertown. Grimbly Hughes hasn't existed for fifteen years, Mrs Hedges says.

'We put too much on her,' said Aunt Susan. 'She's too young to be bothered about grocers.'

They were concerned now: concerned, and cross with themselves.

'One is so incompetent, at our age.'

'Such a nuisance. Useless. I could take my stick, Clare, and go very slowly.'

'No,' said Clare. 'Anyway, think what good practice it is. For when I get married. If I get married. I'll know all about buying biscuits and ordering coal and having gutters mended. There is one thing, though. Could you help me with my Latin translation later, Aunt Anne?'

Aunt Anne glowed, useful again.

If I get married. P'raps I won't. P'raps I'll be busy instead, like the aunts. Except I'm not as bright as the aunts were. Are.

The aunts had not married. They had gone to university in the days when girls stayed at home to help their mothers or made a suitable match. There were pictures of them upstairs in the drawing-room, pretty and plump and determined in long black skirts and tight waists and leg-of-mutton sleeves and black caps and gowns. They'd got degrees and then more degrees and then they'd settled down in Norham Gardens and taught undergraduates from their old college and sallied forth to London every now and then to sit on Committees or take part in Enquiries. They wrote indignant letters to *The Times* and joined in protest marches and when the war came they fire-watched and took in evacuees. There had never been time for marriage.

Clare left the aunts in the library. They would sit there till suppertime now, reading and dozing, according to the pattern of their day. Now that they were old their lives had contracted. The house, which had always been their base, had become also their shell. It held everything they needed and they seldom went beyond it. The outside world came to them through newspapers and the windows and Clare and Mrs Hughes and they received it with interest but no longer tried to influence it. 'We have been useful in our time,' said Aunt Susan. 'Now it's our turn to sit and watch.'

In the kitchen, Clare put the tea-things away and got her books out. It was slightly warmer than usual because the oven was on with Mrs Hedges' pie in it, so she pulled a chair up and sat with her feet against the oven door, learning French verbs. The kitchen clock ticked and the pipes made the asthmatic wheezes and gurgles they always made, and water dripped from the crack in the sink into the bucket you had to remember to keep standing underneath. Outside, the evening thickened and darkened and became night. Down in the middle of Oxford bells rang. Cars came and went in Crick Road and Norham Gardens and their headlights sent yellow patches up the kitchen wall and across the ceiling and down the other wall.

The front door clicked open and slammed shut again. Then Maureen's head came round the baize door.

'Hello. It's perishing out, let me tell you. By the way, I could do with another blanket.'

Clare said, 'I'll get one. There's some in the chest in the junk-room, I think.'

17

They went upstairs together, Maureen talking loudly of her day. She worked in an estate-agent's office. Clare knew all about the life of the office, Maureen's views of the boss and the junior partner and the new young fellow who'd come last week and the girls all thought he was dishy but Maureen didn't fancy him, personally. Maureen was twenty-eight. She trailed an atmosphere of vague dissatisfaction, of undefined emotions which sometimes homed on such personal failures as her hair, which she thought was too wavy, and her weight, which was apparently seven pounds above what was correct for her age and height. She was extremely kind.

'Which is the junk-room, then?' said Maureen. 'Honestly, it's a proper rabbit warren, this place.'

'It's the attic room next to yours,' said Clare. They climbed the last flight. 'Third floor, Ladies Outfitting and Restaurant,' said Maureen. 'One thing, I'll lose a pound or two going up and down here every day.'

Before Maureen's inspection visit, Mrs Hedges and Clare had been worried about her possible reaction to Norham Gardens. As Mrs Hedges said, things were not exactly up-to-date. They need not have bothered. She had tried everything out in a methodical way, bouncing on the bed and poking the pillow and sitting down in the armchair. She pulled a face at the gas-fire, which had been there since about 1940 and was that kind with crumbling columns of stuff like grey icing-sugar. The gas-ring wasn't much better, but the electric kettle was newish.

'Bathroom?'

'It's on the floor underneath,' Clare had said. 'But there's a lavatory next door.'

They inspected the lavatory. Maureen giggled. Then she said, 'Sorry, dear, but it is a bit of a museum-piece, isn't it?'

Some of us prefer our lavatories in brown mahogany with the bowl encircled in purple flowers and a cistern called 'The Great Niagara'.

18

But the lavatory had not proved a serious obstacle. After looking round the room once more Maureen had said delicately, 'Are there any other – guests?'

'No. You'd be the only one.'

'Three fifty, you said?'

'Yes.'

'Front door key?'

'Yes. If I can find one.'

'I'll take it. I don't mind telling you, I thought there'd be a snag. I said to myself, if it's only three fifty then that means the toilet's outside or there's foreign girl students two to a room in the rest of the house and wirelesses blaring till all hours. I've seen some funny places, I can tell you, room-hunting.'

And Clare had said, 'Oh, have you?' relieved.

They went into the junk-room together, Clare groping for the light. These rooms on the top floor were the ones with the most ecclesiastical windows of all, bunched together in triplicate like those high above the central aisle of a church. The ones at the front squinted right over to the University Parks and the Clarendon Laboratory and University Museum. Maureen thought the outlook distinguished: it made you think, she said, looking at all that and knowing there's all those characters inside there getting on with whatever it is they get on with.

Clare found the light and the room came to life, trunks piled on top of one another, the shape of chairs looming under tattered dust-sheets, the ancient sewing-machine with its wheels and treadles looking like a blueprint for the industrial revolution, the huge tulip-mouth of the gramophone's loud-speaker, flowered china jugs and matching basins, a dress-maker's dummy, trouser presses, hat boxes . . .

'Good grief!' said Maureen. 'They don't believe in throwing things away, the old ladies, do they?'

'If you keep things you can go on being sure about what's happened to you.'

19

Maureen said doubtfully, 'I suppose that's one way of looking at it.'

Clare began opening trunks. Most of them were full of old clothes. Great-Grandmother's for the most part, elaborate constructions of silk, lace and whalebone. Maureen stared in amazement. 'Well! I wouldn't have thought they'd have been that dressy, your aunts.'

'These aren't their things – they belonged to great-grandmother. Their mother.'

'They're your great-aunts really, then?'

'Yes.'

'Stands to reason, of course. I hadn't been thinking.'

Clare heaved the top trunk down and tried the next. Maureen, fiddling with the handle of the gramophone, said, 'Have you always lived with them?'

'Since I was eight.'

There was a pause. Wrong trunk, again: this one was full of hats. Maureen said, 'What happened to, er . . . ?'

'There was this accident. They had to go in aeroplanes a lot, because of my father's job.'

'I see,' said Maureen, looking hard at the loudspeaker. Then she added, 'Shame.'

'I think the blankets are in this one. Could you help me lift off the one on top?'

It was a vast leather-buckled trunk with tattered labels on it that said 'P & O Line. Not Wanted on Voyage'. Across the lid of the trunk was scrawled, in white chalk 'Sydney to London'. They took one end each, to lift it down, and the hinges promptly burst off, bringing the lid with them. In no other house, thought Clare, in absolutely no other house, could you open an old trunk and be confronted with a large bundle of bows and arrows. And what looked like a set of very moth-eaten feather dusters and a lot of old coconut matting and a weird-looking slab of wood with some kind of a picture on it. 'Good grief!' said Maureen again.

20

Clare shook out one of the feather dusters and it became a head-dress, the colours all faded. A bit smelly. She picked one of the bows up, twanged it, and aimed an arrow towards the window.

'Do you think I could get the next-door cat, if I aimed very carefully?'

'Put it down, for goodness' sake,' said Maureen. 'You don't know where it's been. What are they, anyway?'

'They'll be something to do with my great-grandfather,' said Clare. 'He was an anthropologist. He went to queer places and brought things back.'

Maureen peered into the trunk with distaste. 'You can say that again.'

'He gave tons of things to the Pitt Rivers Museum. Have you ever been there? I expect these things were meant for there and got forgotten.'

'Well, fancy ... You mean they'd wear those things on their heads, the natives?'

'Mmn. There's photos somewhere, that he took. In the drawing-room desk.'

'And what would they have on otherwise?'

'Just paint. In stripes.'

'Well!' said Maureen. 'Rather you than me! Here, put the lid back on, I should think there'd be no end of germs and things in with that lot.'

Clare said, 'Hang on a moment . . .' She picked up the slab of wood, and stared at it. It was about three feet long, and roughly oval, but wider at the top than the bottom. And painted; black, red and yellow, but the colours were dimmed now with dirt, and faded. One had the feeling that once they had been sharp and bright. It had a head, this thing, and a body, but so stylized that perhaps it was just a pattern, a pattern of swooping lines and jagged decoration like fish-hooks or zig-zag edging, loops and swirls. But on the other hand perhaps it was not a pattern, and if it was not then the head had eyes, huge and blank, and a gaping mouth.

21

'That gives me the creeps,' said Maureen. 'It's nasty. Put it back, do.'

'Just a minute.' It was a painting, but it was also a carving, because the lines had been gouged into the wood before they were painted. It seemed to say something: if you understood its language, if this kind of thing, this picture, this pattern, was a language, then it must have been a shout, once, to someone. Now, up here in the attic, to them, it was a whisper, a whisper you couldn't even understand.

They closed the trunk up again, and found the blankets in the one underneath, and Clare left the slab of wood, the shield or whatever it was, standing upright against the old sewing-machine because for some obscure reason it seemed wrong to bury it in the trunk again. And it stood there staring with those round owl-eyes out into the night where sleet was spearing down from a purple sky, glinting in the flares of light from the street lamps.

Maureen went to her room to make cocoa on the gas-ring and wrote to her mother in Weybridge. Clare sat with the aunts in the library, where Aunt Susan read *The Times* and Aunt Anne wrote letters, to an old friend, to the cousins in Norfolk, and to someone she taught, once, a long time ago. Clare stared at the fire for a bit, enjoying the red caverns and grottoes, and then got tired of that and looked round for a book. That was something you could never run short of in this house. Mrs Hedges must have been doing some tidying – some stray columns of books had been re-arranged on to a window shelf, revealing a small bookcase Clare couldn't remember having seen before. It was presumably great-grandfather's, for the books were old, with that distinctive, by no means unpleasant smell peculiar to books published before about 1930. They had titles like *Travels in Uzbekhistan*, *Headhunters of Brazil*, and *The Watutsi of the Sudan: A Study*. She picked out one called *New Guinea: the Unknown Island*, partly because it had some pictures, and took it over to the fire to read.

22

Outside, snow fell on North Oxford: on the Parks and the river and the old, dark laurel in the gardens and the brick and iron of the big houses. It drove people off the streets, and later a wind got up and rattled the bare trees. A cat yowled among the dustbins in Bradmore Road.

Chapter 2

The tamburan is finished. It stands now in the men's house, its meaning secret and complex, its circled eyes of red dye staring past the bamboo and the casuarina trees towards the mountains. The valley is quiet now, at midday. The women are working in the gardens, using digging sticks. The men rest. They talk, and sleep, and sharpen stone adzes on a rock. They have no past: no history. The future is tomorrow, and perhaps the next day. There is no word for love in their language, but they mourn their dead and remember their ancestors. Their world is peopled with the ghosts of their tribe, and they live with spirits as easily as with tree and mountain and river. Their world is two-faced: what seems to be and what lies beyond appearance. A stone is a stone and a tree is a tree – but they are also the qualities of stones and trees and must be approached in a certain way. Objects, too, have spirits.

Clare stood at her window and saw that the snow had all gone. Indeed, it was hot and sunny outside and the grass, intensely green, had grown until it was two or three feet high. There was a clamour of birds: twitterings, song, and occasional harsh shrieks that recalled the aviary at London Zoo. There was a path down the centre of the garden, a parting in the grass, and the brick wall at the end had disappeared. At the same moment as she noticed this, she found herself down there, in the garden, with the sensation of having either jumped or flown, and knew also that she was dreaming. Both house and garden had gone now, and the other houses. Instead, there was a complex green landscape of trees and undergrowth above which lifted, some way away,

24

mountainous horizons, blue peaks soaring to heights lost among thick clouds.

It was beautiful, with the impersonal, unreal beauty of a poster in a travel agents'. There were large iridescent butterflies feeding among flowers at the edge of the path, and other insects. Stooping, she found herself staring at an immense spider hunched among stalks of grass. It was dark brown, both hairy and glistening at the same time. Repelled, she walked on. There was a feeling of detachment about the landscape, as though it were suspended in some way. It was impossible to know what time of day it might be – early or late – and it did not occur to her to look for the sun though she felt its warmth on her arms and face. She had a vague feeling of obligation, as if she were here for a purpose, and this kept her moving steadily along the path.

Presently a new sound interrupted the bird-noises, and there was a smell of bonfires. She realized that there were people ahead, concealed by the tall plants with long flat leaves that grew at either side of the path. Rounding a corner, she came upon them quite suddenly, in a clearing where there were low round huts, thatched, and open fires. Small, dark people they were, and there were children, squatting in the dust, and pig-like animals, and dogs. She felt uneasy now, but interested at the same time, and remembered that all she had to do, if anything unpleasant seemed about to happen, was to wake herself up.

She walked towards the people. They looked up and saw her, and began to chatter among themselves, watching her. Two or three of the men, who had been sitting by their fires, eating, stood up. She stopped, and one of them moved towards her, gesturing. It was hard to know if he was threatening her or not, but something about his face alarmed her, now, and so, by a deliberate effort of will, she woke herself. There was a sensation of surging upward, through fathomless seas, which lasted for no time at all, and she was in her own bed, awake, and the clock said twenty past two. She turned over and slept till morning, by which time the dream had lost any precision. She remembered only that she had had a dream in which she had known she was dreaming.

The snow that had fallen in the night melted a little and then froze again during an afternoon that ended even before the last lesson at school, with darkness clamping down at four. Clare cycled home through grey twilight spiked with car headlights. Somewhere outside, beyond the houses and streets, there would be a Christmas-card world of white fields and woods lying dapper in a still night, but in North Oxford the snow had turned to brown and grey and people hurried past with their heads down against the cold. The big houses brooded behind curtained windows, facing each other in stolid ranks.

Clare stopped in North Parade for tins of soup, and bread. When she got back to the house Mrs Rider from next door was banging snow and slush into the gutter with a broom.

'Hallo. I did your bit too, while I was about it.'

'Thanks,' said Clare.

Mrs Rider was a landlady. Her house swarmed with students. There were bicycle racks outside and typed notices in the hall about Rules and Wirelesses in Bedrooms and Use of Bathrooms. The house was a twin of number forty, but disembowelled. It had lost its panels of bells, its scullery and flower-room and silver cupboard. Instead there were bed-sitting-rooms with built-in cupboards, central heating, bathrooms on every floor. Only its outside remembered. A posse of students came down the steps, chattering and be-scarved, American, French, Chinese.

Mrs Rider said,'The old ladies keeping well, are they? I've not seen them about lately.'

'They're all right. Aunt Anne's got a bad chest so she's not going out much.'

'They'll be feeling their age,' said Mrs Rider. 'I know how

it is. I lost my mother in the spring. Eighty-four she was – wonderful for her age.'

Believe it or not, the fronts of late-Victorian gothic houses have no fewer than twenty-one windows, counting each panel of the attic ones as a single window. To number them correctly takes at least a quarter of a minute, demanding considerable concentration and quite banishing other thoughts from the mind.

'You're looking peaky, dear,' said Mrs Rider. 'Tired. Working you hard at school, are they?'

'Sorry?'

'I thought you weren't with me. There, you get along into the warm. You must be perished, with those bare legs.'

'Yes,' said Clare, 'they are cold. Goodnight.'

She put the bike away and went in at the back door. There wasn't much warm to get on into – inside felt much the same as out, though not quite so draughty.

Tea took longer than usual. The aunts were feeling spry and talkative. They sat on either side of the library fire, swathed in plaid travelling rugs used for family holidays in the Highlands half a century and a world war ago, and wanted to be told about things outside, beyond the library and the house and Norham Gardens. They wanted to know what Clare was doing in history now, and what the new French teacher was like, and how the school production of *Macbeth* was getting along.

'I took the spears. Mrs Cramp thought they were lovely, but she was a bit fussed about the points.'

'An interesting play,' said Aunt Susan. 'What are you doing about the ghosts?'

'Doing about them?'

'Well, are you presenting them in the flesh, or keeping them as a manifestation of Macbeth's state of mind?'

'We're having them real. Banquo, anyway. He's Liz wrapped up in white cheesecloth with splashes of red paint for blood.'

'That sounds most effective,' said Aunt Anne. Wisps of hair

had escaped from her knot, as they always did when she became excited in conversation, and fluttered around her face in the draught from the chimney.

Aunt Susan didn't agree. 'They are psychological ghosts. You shouldn't see them. They are an indication of Macbeth's private guilt and anguish.'

'Surely you are being too modern?' said Aunt Anne, retrieving hair. 'To the seventeenth-century mind ghosts were perfectly acceptable. Portents, maybe, expressions of guilt, if you like, but quite real and visible.'

The aunts argued, gently. The library clock whirred, clicked, struck five.

'What do people have now, then?' said Clare. 'Instead of ghosts?'

'Have?'

'Have in their minds, instead of ghosts. If they're in a state about something, like Macbeth?'

'I suppose obsessions would be the modern substitute,' said Aunt Susan. 'Neuroses of one kind and another. Burying anxiety in some kind of obsessive fancy.'

'Imagining something was going on that wasn't?'

'That kind of thing.'

'Do you remember,' said Aunt Anne, 'that poor friend of father's who thought people were in the habit of coming into his rooms at night to steal his papers? He built barricades to keep them out. It was all to do with some problem over his work. A mathematician, he was.'

'Surely he was a theologian. A man called Robinson.'

'No, no. You are confusing him with the chaplain.'

The aunts had retreated, as they sometimes did, to some time around 1930. To bring them back, Clare said, 'What happened in the end?'

'He recovered, if I remember rightly.'

'I s'pose he solved the problem. But what if you had one that couldn't be solved? That was so enormous it didn't have an answer.'

28

'Then,' said Aunt Susan, 'it would be part of the process of living. One's life tends to be littered with insoluble problems of one kind or another.'

'The lady who came to school to talk to us about Growing Up said everything is a matter of coming to terms and adjusting yourself. She was talking about sex, mostly.'

'If I may say so,' said Aunt Susan, 'she was entirely wrong. People are seldom adjustable. They endure. Or not, as the case may be.'

'I see,' said Clare. She got up. 'I'll have to go now. I've got homework.'

The aunts, by the fire, bargained with one another for pieces of the newspaper. The crossword puzzle was traded for the leading article. Clare closed the door and went upstairs to her room.

There was no paper in the drawer of her desk. She crossed the landing to the big drawing-room and went to get some from the desk by the window. It was bitterly cold in there, but she stood for a minute looking round at the stiff chairs and sofas standing against the wall or drawn up face to face as though locked in argument. This room had been little used for a long time now. It had been furnished and decorated for great-grandmother, who had given tea-parties here, and been At Home to her friends, and since then it had decayed quietly and privately. The curtains were faded in stripes, and the William Morris wallpaper had brown marks on it, and damp patches. The silk cushions had holes in them. The aunts' lives had not been spent in a drawing-room. They were people who lived in libraries or studies. All the same, it was full of their presence. They were here, like ghosts of themselves, preserved at various points in their lives. On the piano, with great-grandmother, in a silver-framed photograph, Aunt Anne a plump baby in white muslin, Aunt Susan a small girl leaning against her mother's knee, staring solemn at the camera. On the mantelpiece they stood together in the pre-served sunshine of some long distant summer, young and pretty, hair piled on their heads like a cottage loaf, skirts brushing the grass. And there they were again on the desk, in separate frames, looking appropriately resolute in academic caps and gowns. And here again, on the piano, older, at a half-way point, perhaps, between the children in the picture alongside and the two people sitting at this moment in the chairs on either side of the library fire downstairs: half-way, the shape of their faces a little different, some lines now around the eyes, standing in a row of people, dark-suited men and other ladies in sober, unsmart dresses. Beneath was a small silver inscription that said 'Members of the Hope-Robertson Commission, 1939'.

Clare rummaged in the bureau for paper. Here, too, the past survived time and change, petrified in letters, notes, diaries. The aunts, travelling in Italy in 1921, had written weekly to their parents, and here were the letters, bundled up and tied with white tape. Here was great-grandmother's recipe book – favourite meals recalled in a firm, sloping script. Here were letters from grandfather, killed as a young man in the First World War, and here were school reports on the small son who had never known him, who was Clare's own father. She had read all these, many times, and merely tidied them into a pile before closing the drawer. No paper in there.

Other drawers yielded more letters and notebooks and, in one instance, a fat brown envelope that burst and spilled out ancient photographs of unfamiliar landscapes and dark people with painted faces and elaborate head-dresses. Clare stowed them away again and found, at last, a nice fat wad of unused sheets of paper. She took them out and went back to her room.

The next day was Saturday. Clare, waking late, came down to find Aunt Susan alone in the kitchen, putting things on a tray.

'I am defeated,' she said, 'by an apparent dearth of marma-lade.'

'I expect we've run out. Where's Aunt Anne?'

'Her chest has been playing her up in the night. She thought she would stay in bed. Dear me, I haven't put the kettle on. Somehow a methodical approach has always escaped me when it comes to domestic things. I put it down to a pampered youth.'

Clare filled the kettle. 'I'll take the tray up. Look, it's been snowing again.' The garden seemed diminished by the snow, a red brick box packed with white, lined up in a row of red brick boxes. 'I don't like the snow.'

'Why ever not? It is usually exhilarating to the young. I remember *praying* for snow, quite literally, and then being consumed with guilt for bothering the Almighty over inessentials.'

'Did it work,' said Clare, 'praying?'

'Did it snow, do you mean? Presumably, in the fullness of time.'

'So you'd never have known if it was God or just the climate?'

'Exactly so. That always struck me as one of the ambiguities of prayer. We experienced religious doubts very early, Anne and I. I remember that we tried to test the matter scientifically when we were around nine or so.'

'How?'

'Oh, in small ways. We were much too scared to try tampering with anything really important. Meals, I remember – we would request a certain course of menus and wait anxiously to see what percentage of our demand was met. Above a certain proportion we felt must imply some kind of divine interference.'

'Chocolate pudding every day.'

'That kind of thing. Where do we keep butter knives?'

'In the drawer,' said Clare. 'But great-grandfather wasn't very religious, was he?'

'Dear me, no. He was interested in religion, of course, as an anthropologist. But mother was a firm believer in proprieties, and a regular attendance at the church was proper in those days, for one and all. There, I think that is all Anne will need.'

After breakfast Clare cycled into town – along by the Parks, bleak today, dotted with prancing dogs and children skidding on the icy grass, past the University Museum and Keble with a cold hard wind gusting at her back, and then round into Broad Street and the Saturday shoppers swarming the pavements in the Cornmarket. Women with children in push-chairs, and bikes, and shiny new cars, and pop music oozing from the open doors of the new boutique, and alongside all that the black tower of St Michael's which is one thousand years old. Places are very odd, when you stop to think about it – the way they manage to be both now, and then, both at once. Much the same, if you think about it, as people.

In Boots she met Liz, from school.

'What are you doing, Clare? You've been staring at that tin of talc for about five minutes.'

'Thinking.'

'About talc?'

'No, people. Come to the library with me.'

In the Public Library Clare interpreted to a bewildered librarian the aunts' long, illegible list of books they thought they would like to read. Liz, too, needed books. She wandered disconsolately along the shelves, complaining.

'How can I know which one I want to read?'

'You couldn't ever know that till you've read it. Shut your eyes and take the seventh book from the left.'

'*Woodwork for Beginners*. Great. Just what I wanted.'

And outside it was snowing again, the dun-coloured sky whirling over the Town Hall and the traffic and the towers and spires.

'Hurray!' said Liz.

Clare said again, 'I hate snow.'

'Why on earth? It's super.'

'It makes me feel shut in. I get all anxious.'

'Don't be daft. Come to Port Meadow this afternoon.'
'I might.'

There was ice on Port Meadow, where the river had flooded over into the fields and then frozen. It was too thin to skate on, and choppy with hummocks of grass, but there were gulls careering high above in a vast pale sky and boats on the hidden river that seemed mysteriously to glide through the grass. Pakistani boys played cricket on a spread of concrete, the ball cracking down into icy puddles, shouting to each other with Oxfordshire accents. Clare cycled with Liz and others, riding fast with scarves flying, through the small back streets beyond Walton Street. She came home on fire, her face aching against the cold, her throat sore from shrieking and laughing, and wanted suddenly to give the aunts a present because they had not been there too, but the shops were shut and anyway she had no money.

Back at Norham Gardens, making tea, she remembered the Christmas roses. At the far end of the garden, under the wall, there was a place where Christmas roses grew, left over from years ago when the garden had been cherished and cared for. They must be very persistent, Christmas roses. She put on wellingtons and went out into the dusk to find them. There they were, flowering under a coating of snow, pale green ones and mauve. She picked them all, the stems dripping down her sleeve.

It was a very grey dusk, quite colourless, like a photograph – white snow and grey houses and blue-grey sky and black trees. Here and there an uncurtained window made an orange square within the dark and solid outline of the houses. Next door, someone came for a moment and stood within one of the orange squares, looking out, a stark head-and-shoulder shape, like the shape of the piece of wood from the trunk in the attic. Clare thought of it, staring from where she had put it in her own attic, over the roofs and trees. You wouldn't be able to see that, though, from outside. Just the black of the

33

window pane. The windows of the house all glittered blackly, or sometimes white when they reflected the snow. Clare, going back across the lawn, could see herself in the kitchen window, a black figure advancing out of a blank white square.

Except that the square wasn't quite blank. Somewhere at the back of it, behind her, there were these spiny things sticking straight up, massed together, quivering slightly, like a forest of spears, or bows and arrows, and behind them, hidden among them, shapes, forms?

She looked back. Branches, of course, branches of trees, twigs, trunks. They'd gone from the reflection now, anyway, and there was only her, holding the Christmas roses, and the telephone wires singing in the wind, like voices, far away, shouting. She shook the water off the Christmas roses and went into the house. The aunts would be pleased. They would have forgotten all about the Christmas roses. She would arrange them in one of the Lalique vases and put them on the tea-tray, for a surprise.

Aunt Anne was feeling a bit better. She had come down.

'Christmas roses! Susan, she has brought Christmas roses from the garden!'

'An inspiration! Clever child.'

The roses, pale and unreal, like imaginary flowers, flopped over the edge of the vase and made blurred reflections of themselves on the surface of the library table.

'They must have been planted before the war.'

'During Munich. I remember perfectly. One kept coming in from the garden to listen to the news.'

When you are old you remember things quite well if they happened years and years ago: it is yesterday that becomes unclear, or last week. The aunts drank tea, and looked at the Christmas roses. Clocks ticked, the fire sighed and shifted. If there was a world beyond Norham Gardens, where urgent and consuming things went on, it seemed very far away. Clare thought: I am like the aunts, we are both at a time when nothing much is happening to us. They have finished having things happen to them, and I haven't started yet. We just wait. The aunts think backwards mostly, because that suits them best. Perhaps I should think forwards, but I can't because there is nothing to be seen for certain except O levels and August in Norfolk. I don't know what I will be, any more than I am sure what I am now. I am like a chrysalis, turning into something: not knowing what is frightening, sometimes.

'More tea, dear?'

I might be someone awful. A Hitler. So that it would be better to stop now. Or I might be someone very wise and good. A great poet. Probably neither, in the end, but somewhere in between, like most people.

'Yes, please.'

Waiting to find out what will happen is like being one of the stuffed birds in the thing on the mantelpiece, sitting inside a glass dome in the middle of a Sunday afternoon that is going on for ever and ever, having peculiar thoughts that you couldn't possibly tell anyone.

'Clare! You're in a dream, child!'

'A penny for them?' said Aunt Susan.

Clare poked the fire, and created chaos, in miniature: volcanoes were born, and died, landscapes disintegrated.

'Decimal or old?'

'A penny.'

Decimal coinage the aunts ignored. They were too old, they said, to be expected to come to terms with it. Like royalty, they no longer handled money: all necessary transactions were dealt with by Mrs Hedges or Clare.

'I've forgotten now, anyway.'

Clare read, the words moving in front of her eyes, their meaning pushed aside by thoughts. It was good this afternoon, on Port Meadow. Now I feel shut in again, somehow. As though everything had stood still and I couldn't make it move. I wish it wasn't winter. Now seems to go on for ever and ever, but it isn't, you know that really – it's rushing, in fact, rushing and rushing and you can't do anything about that either.

She stared at the aunts, tranquil in the firelight, and tried again to read. Presently the thoughts lost their insistence and the words won: a strange and distant world moved into the library at Norham Gardens, a world of forests and birds of paradise and inscrutable beliefs.

Chapter 3

*The people live and die in the valley. They are locked
away from the world by mountains: by the green moss-
forests and the high blue peaks. Time has stopped here.
Isolated, they have known no influences, learned no
skills. They know only the cycle of a man's life: birth,
and maturity, and death. Their lives are both simple and
deeply mysterious: they have never learned to bake
clay, but they have sought explanations for their own
existence. They celebrate the mystery of life with ritual.
The tamburan is a part of this ritual: it is no longer an
object, but a symbol.*

Sunday. The snow had melted around the house, but it lay
cleanly in the garden, drifted against walls and shrubs. Mrs
Rider's cat picked its way across it, distasteful, leaving a trail
of blue prints. The streets were quiet, the houses withdrawn,
seemingly empty, in their packing of dark trees. Only the Parks
exploded with sound: children squealing, dogs, snowballs,
people running.

Maureen came downstairs in a candlewick dressing-gown
and said her gas-ring was playing up. 'All right if I do myself
an egg down here?'

'Fine,' said Clare.

'Fancy some bacon while I'm about it?'

'Yes, please.'

They ate, each side of the kitchen table. Maureen was good
at bacon and eggs. Aunt Susan pottered in, looking for her
glasses, and had a conversation with Maureen about how
cold it was and about a winter Aunt Susan remembered when
there had been skating on Port Meadow for three weeks on
end. Maureen's relationship with the aunts was gingerly: she

treated them with a combination of respect, amusement, and bewilderment. 'I never came across anyone quite like them before,' she confided to Clare. 'You don't know how to take them, quite. But they're a couple of old dears, really, I'd say.' The aunts, on the other hand, had perhaps not come across too many people like Maureen, but that affected them not at all: they always remained themselves under all circumstances. Aunt Susan went away again, having found her glasses in the larder. Aunt Anne had stayed in bed again.

'Is she poorly?' said Maureen.

'Not specially. She gets colds in winter.'

'My gran did that. Shocking. Ever so fond of her we were.' Maureen smoked. Clare read.

'Novel, is it?'

'No. It's a book about New Guinea.'

'Where's that when it's at home? No, don't tell me – it's near Australia.'

'Mmn.'

'I'm not that keen on travel books, personally.'

'It's about the people, really, more than the place. They're still living in the Stone Age, you see. They were only discovered – oh, at the end of the nineteenth century, I think. Lots of different tribes. Hundreds of thousands of people – they're still discovering new lots.'

'Fancy.'

'They don't know about time, or history, or anything. They just kind of go on, living and dying, over and over again, without knowing anything about themselves. But they think their ancestors are terribly important. They worship them, really.'

'I like a nice romance,' said Maureen, 'personally.'

'My great-grandfather went there. He went on something called the Cooke Daniels expedition, in 1905. He was one of the first Europeans to visit some of the tribes.'

'Now, historical I quite like. So long as it's got love in it.'

'He brought all these things back for the Pitt Rivers museum here. Things these people made and wore,' said Clare.

'Explorer, was he? That sort of thing I quite like – jungles and crocodiles – good and steamy.'

'Anthropologist.'

'That's right,' said Maureen, yawning. 'You ought to try Jean Plaidy. She does a lovely romance. And the Nurse Duncan books. I like a nice hospital story.'

Liz came for tea in the afternoon. People liked coming to tea at Norham Gardens. They found the house extraordinary and entertaining, the aunts lovable, and they envied Clare for being allowed to do what she liked in the kitchen. They had mothers who resisted cookery experiments. Clare, of course, had Mrs Hedges, who had been known to react strongly, but her anger had to be confined to notes left on the kitchen table, which carried less force. Clare and Liz had baked beans and hot chocolate in the kitchen. Then they did their homework, one on each side of the table, cosy, with the wireless chattering to itself in the background.

'I've never seen a radio like that before,' said Liz. 'It's like in old films about the war.'

'You wouldn't. There aren't any others. The British Museum are always on at us, asking for it.'

'Idiot. Can I wind the lift up?'

Visitors were always fascinated by the lift. It sat in the corner of the kitchen, a mobile cupboard that, when you wound the handle at its side, lumbered up through the house, vanishing through a trap door in the kitchen ceiling and continuing on a rumbling progress through the house until it reached the top floor. It was a legacy of the days of cooks and parlourmaids and chambermaids.

The lift creaked up, laboriously, and down. 'Great!' said Liz.

'Step back into the past,' said Clare. 'In this house we preserve an older, finer way of life. Welcome to nineteen thirty-six.'

'What were the bells for?'

'If you were in the drawing-room and you wanted someone to bring you more coal for the fire you rang the bell and one of those round things flipped over and someone down here saw and rushed up to see what was wrong.'

'Gosh. You are *lucky*. Living in a weird house like this. Ours is the same as the one next door and the one opposite and about half a million others.'

'So's this,' said Clare. 'The same as the one next door.'

'At least they're both weird.'

'Ssh. I've got yards and yards of Latin to do. What's the future of moriar?'

'What?'

'They will die.'

'Moriarunt. It's passive. Daft – typical stupid Latin. It's something you do, not something you have done to you.'

Clare said, 'Is it?'

'Yes, of course. Which sentence are you on? Wake up!'

'Sorry. The general. Fearing the arrival of reinforcements from Gaul. Have you got my dictionary?'

'No.'

'I must have left it upstairs. Come up with me.'

Clare's room was on the second floor, opposite the aunts' room, between two empty ones.

'How on earth,' said Liz, 'do you decide which rooms to live in? With so many.'

'We move around with the seasons. Follow the sun. Face south in winter.'

'You don't.'

'Joke. The aunts have always had the back ones and I like this one because it looks out over the Parks.'

'It's even untidier than mine,' said Liz. 'And that's saying something.'

'Mrs Hedges calls it The Slump. She says it sends her into a depression just thinking about coming in here. So she mostly doesn't.'

'Lucky you.'

The dictionary was under a pile of jerseys and underclothes.

'Look at the Parks,' said Liz. 'The snow . . .'

The Parks were a wilderness, not tamed any more with cricket and football pitches, but bleak and pathless. The trees stood out, evergreens crouching black and the stripped winter outlines of beech and chestnut rattling and shifting in the wind. There was hardly anyone about – just here and there a hurrying pin-figure. The laboratories on the far side must have people in them, looking through microscopes, reading, writing, but they looked abandoned, left empty in the aftermath of some terrible disaster.

'You can't remember what it's like in summer,' said Clare.

'No. Willows, and long grass.'

'Punts.'

'People playing cricket. Ice cream.'

'You feel as though it was stuck at now, for ever and ever.' Clare stared out; there was so little moving, out there, that it could have been a painting or a stage-set. A background to some enacted drama.

'I read a short story about that once. The world gets stuck at winter, somehow, and it never gets any warmer and nothing grows and everyone dies.'

'I don't feel as though the world was stuck. Just me.'

'Can I see the hats?' said Liz.

Clare's visitors always wanted to see the hats, along with the lift and the china collection in the drawing-room and the old photograph albums in the study desk. 'It's super coming here,' they said happily. 'Like a museum where you're allowed to take everything out and mess about with it.'

'All right,' said Clare. 'Come on.'

Clare's great-grandmother, unlike her daughters, Aunt Anne and Aunt Susan, had been a lady of fashion. While her husband roamed the world in search of primitive peoples, and, back in Oxford, shut himself away with his books to puzzle out the relevance of their mysterious lives, great-

grandmother attended garden parties and theatres and entertained her friends to luncheon and afternoon tea and dinner
in the evening. The equipment that had been necessary for
all these activities, the dresses and capes and gloves and
boots, and, above all, the battery of elaborate hats, feathered,
ribboned, and flowered, lay still in trunks in the attic. The
aunts had never needed such things, but it did not occur to
them to get rid of them, and in any case when Aunt Anne
and Aunt Susan had needed something more ornate than the
baggy tweed suits they had worn all their lives, they raided
the trunks, and sallied forth to a wedding or a lunch inappro-
priately but, they felt, correctly dressed.

They had to move some bundles of old curtains and a heap
of cushions to get at the hat trunk. Mrs Hedges must have
been tidying again.

Liz rummaged, enthralled. 'Oh! I've never seen this one
before, with the long velvet ribbons. Gorgeous ...' They
propped a long mirror up against the wall and examined
themselves.

'You need piled-up hair for this kind. Ours is all
wrong.'

'Hang on – there are some comb things up here.'

'That's better. Gosh .. I wish I wasn't so spotty. I bet your
great-grandmother wasn't spotty.'

'That one has a dress to go with it. Wait a minute.'

The dress was pale lilac, encrusted with lace, cunningly
engineered over substructures of canvas and whalebone. Liz
struggled into it.

'It's no good. I can't fill it out at the top and it won't go
round me in the middle.'

'You're the wrong shape. They squeezed themselves in at
the waist, then, so that they bulged out either side.'

'I wish I looked like that. All majestic.' Liz peered disconsolately downwards, at the coffee lace bosom of the dress caving
in on her white cotton vest and bony chest.

'You never know. You might later on.'

'Some hope. Can I have that feather thing? How does it go? Just round and round you?'

Clare opened another trunk. Somewhere, she knew, there was an evening dress all decorated with sequins, and an ostrich feather affair for the head, that matched it. Liz would like that. Funny, really, great-grandmother accumulating all this stuff and great-grandfather going all the way to Australia to get things not so very different for the Pitt Rivers Museum. Great-grandmother, though, from what one heard of her, wouldn't fancy the comparison with primitive tribesmen.

Liz shrieked.

'What on earth's the matter?'

'What's that ghastly thing?'

'This? I'm not sure, really. Maureen and I found it the other day.'

'I saw it looking at me in the mirror. Like a face.'

It had slipped slightly: someone must have knocked against it. Clare put it straight again. It did not look quite as dingy as she remembered. The reds and blacks of the outlining seemed a little sharper, perhaps because she had switched an extra light on.

'Why on earth do you have it there? It gives me the shivers.'

'I don't know,' said Clare. 'I just felt I should. I don't know why, at all.'

'Help me get this off – I don't want to tear the lace.'

The door opened.

'Excuse me,' said Maureen, 'I thought someone had forgotten the light.'

Clare said, 'This is Liz.'

'Hello,' said Liz.

'Hello. What's this, then? Fancy dress parade?'

'They're my great-grandmother's things.'

Maureen fingered the material. 'Must have cost a bomb, that. You don't get cloth like that, nowadays. And those hats. You should try some of this stuff on a museum, or theatrical people – you'd get quite a bit for it, I should think.'

'No,' said Clare, 'that wouldn't be a very good idea.'

'Help!' said Liz, floundering in lilac silk.

'Your friend seems to be having a spot of bother,' said Maureen. 'Well, I'd better make tracks. I'm going to the pictures. With a girl from the office, in case you're thinking otherwise. Bye for now.'

They put the dresses away and went downstairs to finish their homework. Aunt Susan came into the kitchen and helped with the Latin translation. For people who could not (or would not) cope with decimals, the aunts were amazingly competent when it came to Latin. Aunt Susan unravelled six sentences of the most perverse construction, and glowed a little with self-satisfaction.

'One is not entirely useless yet.'

She could also, it turned out, help explain the complexities of Elizabeth I's foreign policy. Then she went away to do *The Times* crossword in the library.

'I love your aunts,' said Liz.

'They're all right.'

Liz was fetched by her father, in a car, and went away into the night. Maureen came down in a red coat with a fur collar, to meet her friend and spend the evening watching stylized violence at the Super. Clare and Aunt Susan sat by the fire, sharing a rug across their knees. It was very cold. Upstairs, Aunt Anne slept in the big front bedroom which had been hers for the last forty years. Outside, the temperature fell. Frost clutched the trees and bushes, and the slush on the roads hardened into ice. The cars in Norham Gardens passed with a hard, cracking sound.

There was a fresh fall of snow. It distorted the familiar landscape of houses and streets in a way that Clare found unsettling. She felt trapped by the leaden sky and the cold. The houses, picked out with snow along ledges and gables, seemed different – diminished, less secure. The trees, the chestnuts and flowering cherries and copper beeches of suburban streets, had become wilder: they hinted at Siberian forests and vast primeval woodlands. They no longer existed by courtesy, restrained by fence and wall and pavement, but dominated the place, as though they might expand and grow, splitting concrete, toppling brick. Looking out of the kitchen window, she saw Mrs Rider's cat transformed into a panther, crouched on the garden wall, waiting for the birds that hopped despondent in the snow. The wireless talked with gloomy satisfaction of freeze-ups and traffic chaos: somewhere out there, in the rest of England, lorry drivers were marooned on Shap Fell and angry commuters waited in trainless stations.

Maureen said it was silly to ride that bike to school, you could come a cropper on the ice, and Clare, not disposed to argue, went to and fro on the bus, huddled companionably against people buried deep in winter coats, trailing scarves and shopping baskets and school satchels. The conductor was West Indian, but when he spoke it was with the voice of Midland England, underpinned somewhere far beneath with an alien rhythm, a memory of sun and sea and bananas. He was possessed with cheerfulness, joking, smiling, nipping back and forth and up and down the stairs with the agility of a sailor riding unsteady seas. Doesn't he mind the snow? Clare wondered, the cold? or has he been here so long he doesn't remember being hot in the winter? And sitting there, squashed up against a woman, so close you could feel the warmth of her, hear her breathe, she thought, how odd you can be so close to someone and not know anything about them, nothing at all. She might be a murderer, or famous, and I wouldn't know. I only know about the conductor because I can see he's West Indian, and hear it. That's why people have to talk to each other, all the time. If you couldn't talk to people, tell them about yourself, you'd go mad.

School was all talk, of course, but in a different way. Being told, not telling. Mostly, it was a part of the long Sunday afternoon. You were listening, but a part of you was just sleeping through it, waiting. Not entirely, of course, because it was not without drama: you could, within the compass of a single day, go the whole way from despair to exaltation. But it was like the landscapes in the fireplace at Norham Gardens: worlds could disintegrate, but tomorrow, or next week, everything would be the same again.

You sat at your desk by the window, and heard about anguish and guilt, passion and grief, Macbeth, Heathcliff, Cathy. And beyond the door the dinner bell rang and people clattered down the stairs to play hockey in North Oxford. Wars were chalked up on the blackboard, and the death of kings, and disposed of in a shower of chalk dust, whole populations wiped out to make way for the declension of a Latin verb. Somewhere, there was a place where these things happened, a place of decision and disaster, but it could be contained between the pages of books and tidied away to make room for the real world of piano lessons and dinner tickets and home at ten to four.

The products of Australia, says Miss Hammond, are meat, and fruit, and grain. The climate is arid, the deserts waterless. Sydney exports tinned peaches. The aborigines eat frogs and lizards, believe that men can be killed by means of magic. 'In New Guinea,' says Clare, 'people think their ancestors are spirits. They talk to them, just like they talk to each other.'

Miss Hammond smiles. She likes people to show an interest. Yes, she says, the customs of primitive tribes are interesting. How did you know that, she says? 'I read a book.' And there's this thing in my attic, I don't quite know what it is, what it means, something my great-grandfather brought here. Liz and Maureen think it's creepy. I don't really. Beautiful, in a funny way. Sad, somehow, but I don't know why.

Outside, the white skies press down on the city. It snows.

There was a note from Mrs Hedges on the kitchen table: 'Your Aunt Anne doesn't look too good to me. I wanted to have the doctor in but she wouldn't have it. Do they understand you don't pay any more? Be a good girl and see she stays in the warm this evening.'

Clare took tea up to Aunt Anne, in bed. The gas-fire was burning low, a sulky blue: she turned it up. Aunt Anne looked small in the middle of the large bed, swathed in very old cardigans.

'How are you feeling?'

'Perfectly all right. Just a stupid cough. Susan is fussing.'

Clare said severely, 'You should have let Mrs Hedges get the doctor.'

'Quite unnecessary.'

'Tomorrow, then.'

'We'll see. I'll come down later.'

'No.'

'I am being bullied,' said Aunt Anne. She sounded tired.

Clare wandered around the room, touching the brushes on the dressing-table, picking up a photograph, drawing the curtains. There was nothing in the room less than twenty years old: only the view out of the window admitted intrusions where cranes and scaffolding broke the skyline of house, tree and lamp-post. A few streets away, a new college was being built. Bulldozers and cement mixers rumbled in the muddy landscape that had once been houses and gardens. Cycling past, a day or so before, she had noticed the solitary old tree allowed to survive beside the new building outlined in girders and concrete.

Aunt Anne said, 'What have you done today?'

'Nothing.'

'Nothing! An entire day with nothing done at all!'

'Well, I've done things – geography and maths and eating meals and coming home – but without really knowing about it, if you see what I mean.'

'Perfectly,' said Aunt Anne.

'Quite a lot of days are like that.'

'It's one of the trials of being young, I'm afraid.'

'You're supposed to be having a good time every minute,'

said Clare. 'Like people in advertisements – you know, floating through fields eating chocolate, or rushing about drinking coke on enormous beaches.' She examined the photograph by the bed: sometime long ago a person in a skirt to her ankles – Aunt Susan? – threw a stick for a dog, beside the sea. 'Actually it's not like that at all. At least I don't think it is.'

'Of course it isn't,' said Aunt Anne. 'Only very unperceptive people could suppose otherwise.'

'Mostly you're just waiting for something to happen. Or wondering what it'll be like when it does.'

'Exactly.'

'Would you like to be fourteen?'

'Not in the least,' said Aunt Anne cheerfully. 'I wonder if you could very kindly give me that unpleasant medicine by the wash-basin?'

'Perhaps I'm specially bad at it?'

'Bad at what?'

'Being fourteen.'

'I shouldn't think so. There is a rather regrettable tendency nowadays to fence people off according to age. The "young" – as though they were some particular breed. A misleading idea, on the whole. Perhaps you are just not good at being fenced off.'

'Oh. I see.'

'The same is done to us, of course. The old. This medicine is quite remarkably nasty.'

'Have a cup of tea, quick. Do you feel fenced off?'

'Only by the tiresome business of one's joints going stiff, and one's teeth falling out, and not hearing so well. Otherwise one is much the same person as one has always been, and the world is no less interesting a place, I promise you.' Aunt Anne heaved herself further up on the pillows, and drank tea. Her bun, never entirely secure, had come loose and long strands of brown hair streaked with grey lay around her shoulders. She coughed. 'Would you remind Susan, when

48

you go down, that according to my reckoning it is about my turn for the newspaper?'

Going downstairs, Clare thought, talking to the aunts is as easy as talking to people at school, in a different way. Liz, or someone. That's what Aunt Anne means by not being fenced off. They're terribly old, the aunts, but somehow I never think about that, except when other people go on about it. Funny, when you think how different the insides of their heads must be, so much fuller than mine, not just knowing more things, like which Prime Minister came after Lloyd George, but all the things they've seen and done and said. All that stays in people's heads, it must do, that's the difference between being old and young, in the end.

Lying in bed at night, in the hinterland between being awake and asleep, when things slide agreeably from what is real to what is not, it seemed to her that the house itself, silent around her, was a huge head, packed with events and experiences and conversations. And she was part of them, something the house was storing up, like people store each other up. Drifting into sleep, she imagined words lying around the place like bricks, all the things people had said to each other here, piled up in the rooms like columns of books and papers in the library, and she wandered around among them, pushing through them, jostled by them.

And later still, she returned to the place where the brown people had been. She found herself back there with a feeling that there was something she had left uncompleted, and hurried down the path towards the clearing with a determination that this time she must speak to them. They could not, after all, harm her in any way. It was a dream, and nothing in a dream is real.

Knowing this, she was interested to find that at the same time she could feel the heat of the sun on her arm, and smell the strong, slightly rotten smell that came from some orchid-like flowers that trailed from a branch. She thought, with amusement, that she must be one of the few people to have walked through a jungle in their nightdress. Something rustling in the undergrowth made her stop for a moment, and when it exploded on to the path in the form of one of the pig-like animals, she jumped. It stared at her for a moment, bristling, with little red eyes, and she was glad when it turned and trotted away into the bamboo again.

Coming suddenly into the clearing she was surprised to find it empty, the fires dead and the people nowhere to be seen. All the same, she felt certain that they were near. She went up to one of the huts and peered inside. Eyes met hers from the darkness, and as she became used to the gloom she could see them sitting there, watching her. She saw too that their faces were most elaborately painted, in reds, blacks and yellows, which she had not noticed before, though now it seemed the most important thing about them, and that their expressions beneath the paint were both frightened and sad.

And then a very curious thing happened. She spoke to them, and they replied, but no language passed between them. No language passed, but she was perfectly clear that they were asking her for something. They were saying that she had something to give them, and they needed it. This embarrassed and disturbed her, and the embarrassment turned to fear as they got up, one by one, and began to move towards her. But as her fear swelled to panic she realized that to escape the situation she had only to wake up, and did so, though a little less easily than before, with the feeling that she was extracting herself with difficulty from something, dragging herself upwards rather than simply floating free. In the morning she remembered nothing at all, except again, that she had dreamed, and that the dream produced a nagging sense of some obligation unfulfilled.

Chapter 4

*The man who made the tamburan sits before his fire in
the dawn. Pigs and children move around him. In the
trees birds of paradise are calling, and cockatoos. The sun
is not yet up and mist lies along the floor of the valley.
He eats yam, and stares into the fire. He lives in a world
of total insecurity: he may die in the next five minutes,
or tomorrow, or before the next moon. He has no
protection against the spears of his enemies, except his
own spear and arrows, nor any against the sorcery that
is a daily threat, except the protection of the ancestors.
The man, knowing that sorcery has caused his yam
plants to wither, consults the tamburan: accepting death,
and yet denying it, he is not separated from his grandfather or his great-grandfather. They live on, protective
and influential, represented by objects.*

'There's this fight,' said Maureen, 'in the caff. Only you don't
see all of it, not the blood and that. You see them get their
knives out, and their faces – the expressions. And there's loud
music. You don't see what they do, exactly. You're kind of
left to guess.'

'I see,' said Clare.

'It's not a good film if you're the imaginative type. It was
all right in a way, but I don't know if I'd want to see it round
again.'

'I've been to *Romeo and Juliet* at the Playhouse. You see all
the sword fight in that. I suppose there could be blood, if they
made a mistake.'

'They'd be trained,' said Maureen. 'You couldn't have a
mess, not with all the audience sitting there.'

'It was super.'

Maureen said, 'He's good, Shakespeare.' She began to collect the plates and run water in the sink. They had taken to breakfasting together in the kitchen every day now. The milkman came round the side of the house, clinking bottles, and Maureen watched through the side of the curtain, still running water into the sink and putting plates under the tap. She was interested in the milkman. She could fancy him, she said. The male world was divided, as far as Maureen was concerned, into those you couldn't fancy at any price, and those you could, given certain circumstances that were never quite specified. Maureen never went so far as to do any positive fancying.

The milkman went away and Maureen said, 'There were these two fellows came up to us after – me and my friend, that is. They said would we like a drink. They'd got a nerve, I'll say that.'

'Did you fancy them?' said Clare with interest.

Maureen snorted. 'No, thank you very much. I'm not the type that lets herself get picked up.'

'Suppose the milkman said would you like a drink? Other than milk, I mean.'

'I'd be making myself cheap.'

'Oh,' said Clare, disappointed. A romance between Maureen and the milkman would have been fun. One could have stood around at the edges, as it were, feeling involved at one remove.

'My friend's good-looking,' said Maureen. 'Twenty-three, she is.' The plates were being slapped down on the draining-board now, a bit too sharply. 'She's got a boy friend. But he's in Leeds this week. That's why she came to the pictures.'

'Oh, I see.'

'They'll be getting married at Easter. A white wedding, she's going to have.' One of the plates, slapped too hard, cracked in half. 'I'm sorry about that. I'll pay for it.'

'It doesn't matter,' said Clare. 'We've got masses more.'

She watched Maureen tidy her hair and put on lipstick, ready to go to work. 'I like your jersey. You look nice in blue.'

Maureen did not answer, pursing her mouth at the mirror, armouring herself against the morning. She put the lipstick in her bag, picked up her coat and said, 'They're a new line at Marks.' She inspected her reflection again. 'Oh well, hope springs eternal. See you later.'

Clare drank tea, slowly, reluctant to go outside and start the day. She flicked over the pages of a magazine Maureen had left on the table, reading here and there. Maureen's magazine offered solutions to everything: acne, period pains, split ends, depression. From every page girls smiled or frowned – despondent on Monday with greasy hair, radiant on Friday with a new boy friend, all uncertainties resolved by change of shampoo. They trooped from one bright picture to another, uniformly young and pretty, in a world where everything was clear and new. They whooped through misty landscapes in their underclothes, rose like Venus from the sea, hair streaming in the wind. On one page a girl sat sleekly on a bar stool, sipping from a tall glass, watched admiringly by spruce young men, having fun. 'One day,' the caption warned, 'you'll be too old for it': behind, a size smaller, the barman watched unsmiling, too old.

The kitchen clock whirred and clicked for a quarter to nine. Clare put the magazine on the dresser and collected her coat, scarf, satchel of books.

She could hear Aunt Susan coming downstairs, slowly, one step at a time. She'd be holding on to the banisters, looking out for the loose stair-rod. 'Broken limbs are a perfect nuisance at our age. One must just be that much more careful.'

They met in the hall.

'How's Aunt Anne?'

'I don't like this cold. We must have the doctor, Clare, and never mind the expense. I've told her to stop being silly.'

'You don't pay any more,' said Clare. 'Not for years. We explained, Mrs Hedges and me. It's all free.'

Aunt Susan said 'Yes, dear,' in the voice that meant she wasn't taking something in.

'I'll go to the surgery on the way to school. It's always engaged if you telephone.'

'We like a lady doctor,' said Aunt Susan.

'I don't think they've got one. I'll ask, though.'

The surgery was crowded. Every chair was filled. People eyed each other with suspicion, guarding the order of precedence, jumping as the doctor's bell rang. A baby wailed. Small children stared and fidgeted. A man in a donkey jacket and mud-stained boots tucked a cigarette stub into the corner of his mouth and read *Good Housekeeping*, turning the pages with huge fingers. There was a smell of people: sweat and clothes and soap and tobacco.

The receptionist said, 'Surgery's full for this morning. Are you an emergency?'

Am I? Not in any obvious way.

'I don't want to see the doctor. My aunt's ill. Miss Mayfield. Forty Norham Gardens.'

'No home calls,' said the receptionist, 'except for emergencies and the elderly without transport.' She allowed herself a faint, triumphant smile.

'She's that,' said Clare, 'the elderly without transport.' Game, set and match.

The triumphant smile went away and became a thin, resentful look. The receptionist wrote down the address, with a sigh. She had smeary glasses and a large spot on her chin that had been carefully powdered over but still showed. Perhaps, Clare thought, she was in love with the doctor and thought she must protect him from hordes of hysterical, demanding patients. Or perhaps she was just nasty.

'It'll be afternoon. His list's overloaded already.'

'All right.'

'Or evening. I couldn't say.'

Clare went. People, bundled into coats and scarves, were coming up the doctor's gravelled drive, bringing him coughs and septic fingers and sleeplessness and indeterminate pains. That receptionist would keep the numbers down, though: you'd have to be pretty fit just to get past her. The really frail patients she presumably finished off, just by looking at them.

The north wind was driving straight down Banbury Road, bleak and untamed, all the way from Yorkshire and Scotland and beyond that still. The sky was white, the trees black and spiny against it, the branches dazzling to look at, like an optical illusion. It was nine o'clock. Wednesday. The third week in January.

At four o'clock Banbury Road was precisely the same, except that the ice on the pavement had slackened once again into slush. The sky was as white, the trees as black. The cars whipped back and forth, and in the greengrocer's people told each other what a shocking winter it was, and how there'd be more before it was over. Clare bought oranges, and a steamed pudding in a tin.

Back at Norham Gardens, Mrs Hedges was in the kitchen, surprisingly, drinking tea. 'I thought I'd just stop in for the doctor, till you got back. Your Aunt Susan doesn't always hear the bell.'

'Thanks,' said Clare. 'The receptionist person didn't want to let him come, but I said she was the elderly without transport.'

Mrs Hedges poured a cup of tea. 'Here, you look perished. They think they're God Almighty, that type. You've just got to take no notice.'

'Won't your husband be wanting his tea? And Linda.'

'They'll have to wait, won't they?' said Mrs Hedges. 'Do them no harm. Maybe Linda'll have thought to light the fire, for once. You don't look well to me, you know. Washed out. Is anything wrong?'

'No.'

'Bags under your eyes. Been going to bed at all hours, I don't doubt.'

'Not really. I have these dreams.'

'What dreams?'

'Dreams, just.'

'I'm bringing you that tonic Linda had last winter,' said Mrs Hedges firmly. 'Run down, you must be.'

'Thank you,' said Clare. 'Do tonics stop you dreaming?'

Mrs Hedges put her coat on, and woolly gloves. 'That I couldn't tell you.'

'What I really need is a tonic that makes you better at Latin.'

'Miracles, you're asking for. How's your Miss Cooper getting on, by the way?'

'Maureen, you mean. She washes her hair on Fridays and her best friend's getting married at Easter. In white.'

'Well, you're hitting it off together, that's obvious. It's the old ladies that have surprised me. You'd never think they'd take that easily to a lodger. Not living the way they've been used to.'

'They're not fenced off,' said Clare.

'They're not what? Oh, never mind – I know you, I'm not getting involved in one of your conversations where everything sounds back to front, or I'll be here all night.' Mrs Hedges rinsed out the cups under the tap and went to the door. 'Goodnight. And you get an early night, mind.'

'Goodnight. Thanks for staying.'

The front door banged. Mrs Hedges went away to Headington, her husband, and Linda who worked in Boots and would marry her boy friend of two years' standing on March the eighteenth. Clare spread homework over the kitchen table. Five minutes later the front door bell rang.

The doctor was in the hall as soon as the door opened. 'Which room?'

'Upstairs,' said Clare, confused. He set off up the stairs at a gallop and she had to take two steps at a time to keep up with him. He was on the landing, looking round impatiently, before she reached the top. 'This one?'

He went in, closing the door behind him, and Clare, going downstairs again, realized that she had hardly even seen him, would not recognize him again. Doctors are busy people. Do not waste your doctor's time. If that receptionist was having a love affair with him it must be conducted at breakneck speed. Like trains whisking past each other in a tunnel.

Aunt Susan, in the library, had heard the bell. 'Was that the doctor?'

'Yes. I took him up.'

'I think I'll have a little chat when he comes down. Will you bring him in here, Clare?'

Clare said, 'Yes,' doubtfully, and went out into the hall again. Three minutes later the doctor came down, pushing a stethoscope into his bag and rummaging for a prescription pad. He came to rest at the hall table, writing feverishly.

'Here, get this along to a chemist in the morning. Two teaspoonsful before meals. And here are some tablets.'

Clare said, 'Is she all right?'

'What? Oh, nothing to worry about. Better stay indoors while this weather lasts.'

'She's rather old.'

'Quite,' said the doctor. 'Splendid old lady. Quite a few years to go yet.' He ripped the prescription off the pad and handed it to Clare, moving steadily towards the front door. 'All right, then?'

'Yes.'

'Good. Splendid. Your grandmother, is she?'

'Her name's Miss Mayfield,' said Clare.

'Quite,' said the doctor. He was ticking off addresses on a typewritten list in his hand. 'Tell me, is Crick Road the one off to the left? I'm new to this practice.'

'Yes.'

'Splendid. Goodnight then.'

He was already half-way out of the door. You cannot suggest to someone moving at that speed that it would be nice if they came in for a little chat. Clare said, 'Goodnight,' to the back of his overcoat going down the steps, and closed the door. She went back into the library.

'I'm afraid he was in rather a hurry.'

'What a pity,' said Aunt Susan. 'It would have been nice to get to know him. What did he say?'

'He said there was nothing to worry about. And he left a prescription. I'll get it tomorrow.'

'That's a relief, then. I don't like these colds Anne gets. Did he seem a competent man?'

'You couldn't really tell,' said Clare.

'Is something bothering you, dear?'

'No.'

'Then that's all right,' said Aunt Susan. She unfolded *The Times* and began to read the leading article, holding the small print close to her face. Once she said, 'This business in Ireland is horribly distressing.' Her handbag slipped off her lap on to the hearthrug, but she did not notice. She breathed in little puffs, like someone who has run up a flight of stairs: there was just the sound of her breathing in the room, and the fire whistling, very quiet, and the clock ticking. Ticking and ticking. Clare got up and Aunt Susan said, still reading, 'We might have our supper in here, don't you think?' Her reading glasses had slipped down her nose and rested on the bony tip. In old photographs, the aunts had plump faces. Now, the plumpness had splintered into wrinkles. Their faces were hatched all over with lines, like old china, and underneath you could see the shape of the bones. If you touched their skin, it was very soft, like fur, and thin.

Clare said, 'Yes, it'll be warmer.' She went into the kitchen and wrote about the causes of the Civil War, for forty minutes precisely by the clock.

There was a note at the bottom of her English essay, a terse

B, and then Mrs Cramp's neat red words marching across the page, saying, 'Not one of your best pieces of work, Clare. Some careless mistakes. See me after lunch.'

Mrs Cramp had four children in a village somewhere outside Oxford, and had strong feelings. She had been known to weep over *Romeo and Juliet* even on a wet Friday afternoon among the desks and blackboards of formroom D. She also voted Labour and became heated about South Africa and Enoch Powell and Rhodesia and could with great ease be diverted into long discussions about almost anything except clothes which she said were boring. She had untidy brown hair that forever escaped from a roll at the back, and somehow knew a great deal about everyone she taught. For this, and other things, she was liked. Clare liked her. If one had had a mother, someone like Mrs Cramp would have done.

Mrs Cramp was sitting behind the formroom desk with a pile of exercise books in front of her.

'Oh, Clare, yes – I wanted a word about your essay. I liked it, you know, but it was rather puzzling – so many careless mistakes, not like you at all, really. You usually write so carefully. This seemed to have been tossed off in a high passion. Had you enjoyed writing it?'

'In a way,' said Clare.

'Mmn . . . Let's see, now . . . Yes, here – "I stood in front of the house which loomed above me like a sort of memorial". Good word, memorial, but "sort of" is shocking English. Either it was a memorial or it wasn't.'

'It was,' said Clare.

'Then say so. And I don't like this bit much either: "The bulldozers flung themselves upon the walls and gnawed at them and I saw them collapse in a cloud of dust and with them all the things that were mine and as I rushed forward it seemed to me that my own foundations were giving way too and I wouldn't any longer know who I was or what I had been." A disorganized sentence, that. You should have broken it up into two, perhaps. And here . . . "I stood in the rubble where the house had been and found that I didn't know what time it was or anything or even my own name" – not "or anything", that's messy – and here, "I rushed hither and thither trying to find things that were familiar and would help me to remember what had gone before – pictures, letters, anything". "Hither and thither" is too literary, I felt. "Here and there" would have been better.'

'Yes, I see,' said Clare. 'Thank you.'

'But don't go away with the idea that I didn't like the essay, because I did. In many ways it was the best. Most people wrote very straightforward things about getting married or having their first baby.'

'You just said "Imagine a day in your own future and describe it, as though you are looking back".'

'Yes. Nobody else wrote about their house being knocked down, though. It did convey the idea of memory being something that people can't do without. And the house was well described. Were you thinking of your aunts' house?'

'I'm not sure really.'

'How are your aunts, by the way? That was the other thing I wanted to talk to you about. I keep meaning to look in and see them – and have a chat about you.'

'Is something wrong with me?' said Clare.

Mrs Cramp laughed. 'Not that I know of. Just to talk about O levels and that kind of thing. Is everything going all right?'

'Yes, thank you,' said Clare.

Mrs Cramp looked down at the essay again. 'So what I really wanted to say was that you must remember that language is an instrument, Clare. An instrument to be used precisely. Nobody can say what they mean until they use words with precision. But you know that really, I think.' Suddenly she picked up a red biro and put two crosses after the B at the bottom of the essay. 'There, I was being too hard on you, I think. It was really rather good – carelessness aside. It had a sense of time in it, and of what it's like to get older, which most of the others didn't have. Is it something you've thought about lately?'

Chalk dust swirled in the light from the window. Hairpins jutted dangerously from the back of Mrs Cramp's head. Clare said, 'It's what nobody ever talks about. We have lessons on sex and the reproductive system about once a term. People go on about that till you get a bit bored with it, actually. What they don't tell you is how you keep changing all the time, but while you're doing it you don't really know. Only later.'

'Yes, I see,' said Mrs Cramp, stabbing hairpins back into her hair. Outside, people were shouting in the playing-fields, their voices very loud and high. 'The trouble is it's very difficult to explain. To put into words. I'm not sure I'd know how to, for one. It's much easier to draw diagrams of people's insides.'

A bell rang. People clattered in the passage. Mrs Cramp stacked the exercise books and said, 'Bother – you'll have to go.' As Clare moved to the door she said, 'You look tired. What time do you get to bed?'

'Quite early,' said Clare. 'We haven't got a telly.'

'I see. There isn't anything wrong, is there?'

'I don't think so.'

'You must say, you know. To me. Or someone.'

'Yes,' said Clare. 'Thank you.'

'Language,' said Clare to Liz, 'is an instrument. You have to use it precisely. Like a screwdriver or something. Not just bash around vaguely?'

'What *are* you on about?'

'But the trouble is that people don't. They say things like "quite" and "rather" and "ever so many" and "by and large" and "much of a muchness" and "quite a few". Now what do you suppose a person means when he says "quite a few"?'

Liz said, 'It would depend what he meant quite a few of. Bananas, or miles, or people living in Manchester.'

61

'Years.'

'Then it could mean anything.'

'Quite,' said Clare.

Mrs Hedges' note, propped against the teapot, said, 'See your Aunt Anne takes her medicine before dinner and last thing. Tonic for you by the sink. Apple pie in the larder.'

The tonic tasted of old hay. One felt much the same after it, moreover, neither healthier nor more intelligent, or in any other way altered. Never mind: Linda, after a winter of it, had been promoted to Senior Sales Assistant and got engaged to her boy friend. Clare put the cork back in and arranged the bottle carefully on the kitchen shelf. Doing so, she caught sight of her own face in the brown-framed mirror that had certainly hung there since 1920 something. What a pity mirrors couldn't remember faces they had reflected before. There should be some way of peeling back layers – finding the aunts, years ago, great-grandmother, parlour-maids, cooks ... The shadow of the lampshade, falling down one cheek, gave her a striped face, half light and half dark, and all of a sudden there came back to her something that had been lurking at the back of her mind all day, irritating her like the forgotten second line of a poem.

She'd dreamed in the night, again, she remembered now – dreamed she was standing at the top of the stairs when the doorbell had rung, and she'd gone on standing there for a moment, and the house had been absolutely still and silent around her. It had been like a shell, quite without life, and she'd realized that this was because the clocks had stopped, all of them. And then the bell had rung again and she'd gone down to answer it. She had opened the front door and there'd been a man there, one of the small brown men, and she had had the impression that there were more of them beyond him, somewhere outside. His face had been a painted mask, the eyes and forehead white, the cheeks yellow, the mouth red-circled, and stripes running down from hairline to jaw.

Bold, bright stripes. He had said nothing, but had stared at her, and all of a sudden she had been afraid. She'd been afraid, and at the same time she had realized she was dreaming, and had fought the dream, in panic, struggling against something that seemed, strongly this time, to hold her back. There had been a moment of drowning, and then of surging upwards, and she had woken, remembering the dream, but forgetting it again until now.

She stood looking at her own face, not seeing it, thinking about other things. This house. That painted shield in the attic. The aunts. Then and now. Yesterday. Tomorrow. Outside, the snow thawed a little and dripped from the gutters. Mrs Rider's randy tom yowled along the garden walls.

Chapter 5

The brown children play in the morning sun: they quarrel, chase lizards, throw stones. One day, in a few years, they will become adult. Their childhood will end abruptly, with ritual and ceremonial, and they will be men and women. Their world is a precise one: they know what they are, there is no confusion. In the same way, nothing is hidden from them: they see birth, and death. They find a rat in the bamboo, and kill it. The ghosts of rats have caused pigs to die in the village: the children hang the body of the rat on a tree to warn the rat ghosts that the tribe knows what they are up to. They attend to the rat ghosts, and chew sugar-cane, and quarrel, and sing.

On Saturday morning the sun came out. It was as though a white lid were tipped aside, and behind it was this pale blue sky and wintry sun, shining benignly on the snow and the brick and black trees and gothic windows. 'Ever so pretty,' said Maureen, 'like Switzerland.' She hitched the belt of her candlewick dressing-gown and stared into the garden. 'I've sometimes thought I'd fancy a winter sports holiday.'

'The Lower Fifth went,' said Clare, 'and the Sixth. They all brought back photographs of the ski instructors. They looked like men in knitting patterns – square faces and very white teeth. All exactly the same.'

'I know that type,' said Maureen. 'Very matey and out for what they can get. No thank you very much.'

'There'd be the skiing too.'

Maureen shot a suspicious glance across the table. 'I daresay. All the same, I think I'll stick to my two weeks on the Costa Brava. You know where you are with Spain. There's the front door.'

'I'll go,' said Clare. The front door was still bolted with the chain up. It was Mrs Hedges who had insisted on the chain. 'It's not as though you've got a man in the house,' she'd said. 'And there's a lot of break-ins nowadays in North Oxford.'

'But we've got the spears,' said Clare, 'and the assegais in the drawing-room. I could hurl them from the upstairs windows, or over the banisters.' Mrs Hedges hadn't been amused. And now Maureen had discovered the chain, and endorsed Mrs Hedges' back-to-the-wall outlook. They retreated at night as though into a fortress.

Clare fought her way through the defences, and got the door open.

He was standing on the top step, looking straight in front of him, so that their eyes met as soon as the door was opened. They were brown eyes, expressionless. And the stripes ran down his face, thick and black, down his cheeks, from somewhere on his forehead to his jaw.

She said, 'No,' out loud. 'No, no,' but she couldn't move or shut the door. The man moved his head, and the stripes didn't move with it but dropped down on to the step and lay there in the sunshine. 'Kleenezee brushes,' he said, and stooped down to open the brown suitcase at his feet, and the bare branches of the clematis over the front door put their black shadows on his hand instead. 'Best quality brushes and brooms. I'd like you to see our new line. Scrubbing-brushes.'

He had a moustache. No paint. No stripes. Just a moustache.

'Twenty-two pence. The small ones are fourteen.'

'I'd like one of the small ones.'

'Yes, madam. Thank you. No brooms today? Mops?'

'No, thank you. Not today.'

She went back into the kitchen.

'Post?' said Maureen.

'No, just a man.'

'What sort of a man?'

'A man with a striped face.'

'A *what?*'

'Never mind. Look, I've bought a scrubbing-brush.'

'Congratulations,' said Maureen.

There was something that had to be done. It was just a question of looking something up. Checking. Clare was well trained in looking things up. The aunts were great checkers. Dictionaries at Norham Gardens always lay open on tables, having just been used. Books had well thumbed indexes. Always check your references, back your arguments with facts. Very well, then.

The picture was towards the end of the New Guinea book. She had marked it with a match. It was a black and white photograph, so there was no colour to help, and the line of shield-things that the men were holding was rather distant, but even so the pattern looked very like the pattern on that thing upstairs. And then there'd been something very similar in one of those old photos in the drawer of the desk in the drawing-room, she felt sure. To check properly, you needed to see all three together.

She spilled the photos out on to the desk. They were brown and yellow instead of black and white, and rather blurred. Evidently great-grandfather had not been an entirely success-ful photographer. Clare had looked at them before, but with-out great attention. Now she studied them carefully, one by one. They had writing on the back, she noticed for the first time. 'Cooke-Daniels exped. 1905' it said, on each, and then went on, more specifically, 'Sanderson, Hemmings, self, and porters' or 'Fly River Valley, Br. New Guinea'. Sanderson, Hemmings and self were all whiskery, stern-looking figures, dressed as though for a day on the grouse moors: the porters were naked except for a grass apron and half-moons of shell hung around their necks. The Fly River Valley was a smudgy brown pool in a darker brown bowl. She made a pile of the ones she had looked at: 'Tribesmen from Port Moresby area,

Aug. 14th 1905' lined up as though for the end-of-year school photograph, but staring at the camera with eyes ringed in black dye, set in faces striped and etched, below elaborate, towering head-dresses: a single man with black eyebrows and a sad, wise face, feathers tucked in his hair – 'Man from Quaipo tribe, useful informant on cannibal practices': children with pot bellies and spindly legs – 'Kamale boys immediately before initiation ceremony, men's house in background': a bearded man in plus-fours and tweed jacket between two dumpy, naked ladies with high mounds of black curly hair – 'Self with women from Manumanu tribe'. And there at last was the one she had thought she remembered. A man, the usual aproned, shell-necklaced figure, stood by a blurry forest that she presently identified as bamboo: beyond him, half-hidden by one of his legs, was the shield thing. On the back, great-grandfather had written, 'Tribesman from interior with completed tamburan', and below that he added, 'Specimen obtained for collection, Sept. 1905, excellent condition'.

Clare put the rest of the photographs back in the envelope. Then, with the book and the remaining photograph, she went up to the junk-room.

The first thing you noticed, going in there, always, was the smell. It was not unpleasant, not really a musty or stale smell, but somehow the smell of some other time, as though the air in the room, like other things, was of 1890, or 1911, or 1926. Going into the room, it was you who became displaced in time: the room was quite at home. Clare picked up the slab of wood and carried it to the window to look at it carefully. The colours seemed to have got brighter since she had taken it out of the trunk – perhaps it was something to do with exposing it to the light. The reds were quite scarlet now, and the black very sharp, and the yellow very clear. Who had made it? Why? What would they feel about it being here, now, in an attic somewhere in the middle of England? She looked from the shield to the picture in the book and saw that

67

the ones the men carried in that were not, after all, the same: similar, but not the same. She held the photograph to the light, and saw that in this case the pattern was identical – the circled eyes and swooping lines that made a thing that was both a pattern and the suggestion of human form. This was the one in the photograph, or, if not, another exactly the same. Once, a long time ago, this thing had stood by a plantation of bamboo, beyond the legs of a man wearing a half-moon of shell around his neck. He must be dead now, like great-grandfather.

She stood at the window, holding the shield and the photograph, looking from one to the other. Outside, a wind got up suddenly and made the telegraph wires, or the bare branches, sing with that odd noise she had heard before when she picked the Christmas roses, as though, far away, people were shouting.

Liz and Clare lay on their backs on Liz's bed, head to tail. Outside, lorries changed gear on Headington Hill, and the afternoon inched onwards.

'What's the time?'

'Guess.'

'Ten past three.'

'Not as good as that. Five past.'

'What shall we do?'

'Go out?'

'Too cold.'

'You always want it to be Saturday,' said Liz. 'And then when it is, it's dead boring.'

'Mmn.'

'My mum's always going on about how time flies. That's the last thing it does.'

'I know.'

'It's different for them, I s'pose.' Liz drew a hank of her own hair across her face and squinted into it. 'I've got split ends.'

'You can buy stuff in bottles to cure them. And depression and nerves and feeling tired in the morning.'

'I know,' Liz yawned. 'What we need is stuff in a bottle to make us about eighteen.'

'No.'

'Why not?'

'You'd go mad or something, if you suddenly woke up and found you were older.'

'I don't see why.'

'Because you wouldn't know what had happened in between – you can't manage unless you've got all that inside your head.'

'All right,' said Liz. 'If you say so. All the same, I wish I wasn't me now, if you see what I mean.'

They played cards, sitting cross-legged on the bed. Downstairs, Liz's mother clattered in the kitchen, busy, her time planned and allocated.

Aunt Anne came downstairs that evening, the first time for a week. She sat by the library fire in her chair and the room was once more properly furnished with aunts. Clare lay on the floor among ancient velvet cushions, icy draughts licking around her legs, and read. Aunt Anne was quiet, reading *The Times*, the same article again and again because she kept mixing the pages up. Aunt Susan was in one of her sharp moods, chatty, wanting to know things.

'Where did you go today?'

'To Headington. To Liz's house.'

'Liz. Let me see, now – round face and hair to the shoulder-blades?'

'No. That's Shelagh. Liz is thin face and long hair.'

'They all are prolific around the head. What did you do?'

'We were bored,' said Clare. 'Mostly.'

'Ah, that desperate boredom of youth. The everlasting afternoons. Almost a physical pain. One forgets what it felt like.'

'Were you and Aunt Anne bored?' said Clare, surprised.

'Frequently. We used to sit in the schoolroom *watching* the hands of the clock, screaming silently.'

'Where was everybody else?'

'The boys were away at school. Mamma would be out visiting. Father in his study. In any case, they would not have considered it their affair. Governesses were hired to deal with boredom.'

'Aunt Susan?'

'Yes dear?'

'Do you remember great-grandfather going on that expedition to New Guinea? The Cooke something expedition?'

'Not very well. I was only nine at the time. I remember that Mamma was very anxious, and much relieved when he returned. *The Times* did a series of articles about the expedition and of course father was much in demand as a lecturer. It was the basis for most of his future work, that expedition.'

'Yes. What happened to all the stuff he brought back?'

'It all went to the Pitt Rivers. It is a very important part of the collection.'

'All of it?'

So far as I know.'

'There are still some things upstairs, in a trunk. Head-dresses, and arrows and that kind of thing.'

'Really,' said Aunt Susan. 'They must have been over-looked. Perhaps they were not of great interest. He did keep a small private collection, of course.'

'I think,' said Clare, 'that I might go to the Pitt Rivers tomorrow. I haven't been there for a long time.'

'That would be a good idea. I wish I could come with you, but my tiresome leg has been playing up again.'

If the Victorians can be said to have rampaged, they did so to greatest effect in the few acres of Oxford beside and immediately south of the University Parks. Stylistically, they achieved some of their most startling flights of fancy here.

There is Keble College, red brick sprawling so copiously that one feels the stuff must have got out of control, unleashing some dark force upon a helpless architect. Or the houses that survive as tenacious Gothic islands amid concrete cliffs of new University Departments – there seems to be something sinister at work here, some unquenchable life-force. Clare, cycling past in the teeth of a shrill wind, looked at them with the eye of a connoisseur, measuring their turrets and ecclesiastical front doors against her own. Not quite so good. If you believe in something, you should commit yourself up to the eyes, go the whole way.

They had gone the whole way with the Natural History Museum. Total commitment, unswerving belief. Here is a building dedicated to the pursuit of scientific truth built in a precise imitation of a church: how suitable that the debate on evolution should have taken place here, that Huxley should have confronted the bishops within these walls. Clare left the bicycle leaning against the railings. Some immense mining operation was going on next to the Museum, screened by fences: yellow bulldozers, manned by men in steel helmets, rumbled in and out, like a re-incarnation of the fossil dinosaurs within the museum. Perhaps the scientists, tired of expanding upwards, were retreating underground now, into subterranean laboratories. They want to be careful, she thought, around here. They don't know what they might stir up.

She went into the Museum with a feeling of coming home. It was a place she had always liked. It was like entering a Victorian station, St Pancras, or Euston: but a station furnished with fossils and pickled jellyfish and whale skeletons hung absurdly from the glass roof. There should be trains shunting, steam oozing around the gastropods and belemnites: instead there were flights of school-children dashing from case to case, and students on camp-stools, drawing vertebrae and rib-cages. There was Prince Albert, in a marble frock-coat, presiding over pareisaurus and halitherium, all fossilized together, and there too were Galileo and Newton and Charles Darwin, five steps behind and slightly smaller, like figures on an Egyptian frieze, as befitted mere scientists, and commoners at that. Clare patted Prince Albert's foot and thought: when I'm seventeen, in about a hundred years' time, and I fall in love, I'll have assignations here. 'Meet you under the blue whale' I'll say, 'or by the iguanadon', and we'll melt at each other, like in old films, all among the invertebrates.

There was no time today, though, for the reproductive systems of squid, or the evolutionary process, or volcanic activity. She went through the doors at the far end, down the steps, and into the Pitt Rivers Museum, where the feeling of coming home was stronger still. The Indian totem towered over the central well of the place, all thirty-odd feet of it, managing somehow to retain a whiff of unfathomable mystery amid its surroundings of glass cases too close together and creaking floorboards. A memory of prairies and rivers and forests and mountains. If you wanted to be alone, the Pitt Rivers would always be a good place to come to: there would be three small boys staring respectfully at the shrunken heads, and a man in a dirty mac who looked as though he had strolled in from some seedy spy film, and the attendant, and nobody much else. You could wander alone and unremarked for hours among the stone axes and the Maori masks and the feathered head-dresses and shell necklaces. And the painted wooden shields.

There were three, she remembered, on the stairs. She went straight to them, and they were the same and yet not the same. The reds and the blacks and the yellows were there, and that distortion of human form, and the sense of a language so alien as to be impenetrable. Like a child's drawing of a man and yet, also, far more profound. Scientists, Clare remembered reading in a newspaper, had fired a rocket into outer space equipped, among other things, with a drawing of a naked man and woman, just in case there was something out there that might pick it up and wonder what kind of creature was responsible. It seemed touchingly optimistic: suppose the something thought only in terms of mathematics, or electronic communication, and was quite unfamiliar with the idea of a picture? And even if it recognized the symbolism, whatever would it think? These creatures are not very good artists. These creatures have no clothes. It would be as baffled as one felt here, up against processes of thought which were symbolic to an extent no one could follow, and yet were ancestral to one's own most basic instincts. Or so they said.

They were a different shape, too, these, and smaller, but certainly of the same family. They looked at her from the dark wall, projecting remote meanings, and told her nothing. One of them was labelled 'Carved and painted board, probably from one side of the entrance to the men's part of the Longhouse. Brit. New Guinea. Cooke-Daniels expedtn. dd. Major Cooke-Daniels 1905'. It wasn't the one in the photograph. Perhaps there were others elsewhere. She went upstairs and creaked around the next gallery, among bone needles and spears and implements for making fire. No more wooden things.

She went down into the central hall again, and studied totem and wicker head-dresses and models of ships. And then she found another of the carved wooden things. It was in a case by itself, with a prim label saying that it was a war-shield, and the holes at the edges were probably for attaching the skulls of slaughtered enemies to. Very jolly. There, indeed, were the skulls. And it came from New Guinea, the label said, and was really very like the one in the attic, though again with small differences in the patterning. Clare had the feeling of being on the brink of understanding something. She went back to the ones on the stairs, and stared at them again.

Somebody came up the stairs, and stood beside her. She didn't turn, because she was busy looking.

Presently the person said, 'It's a fine collection they've got here. These ceremonial shields.'

'Yes. I s'pose so.'

'The African ones too are good. Are you studying shield-patterns? I saw you go from these to the others and then back. Looking at them for so long.'

He was tall and thin, all legs and arms, wearing jeans and a windcheater, with a file and some books under his arm. His voice was very deep and the English slightly accented, but not very, as though a long time ago he had spoken some other language.

Clare said, 'Not really. It's just I've got one at home.'

'That's a funny sort of thing to have at home.'

'It's a funny sort of home, I suppose.'

He laughed. A contagious laugh, from the stomach. She found herself smiling at him. He had very dark brown eyes, and a bloom on his black skin like the bloom on fruit, grapes or plums, as though he was exceptionally healthy.

'Not so funny. In my home we have ceremonial spears and my father's tribal dress, though he doesn't wear it any more.'

'It's funny for North Oxford,' said Clare. 'Where's your home?'

'Uganda. A little village one hundred miles from Kampala. John Sempebwa.' He held out his hand.

'I'm called Clare Mayfield.' They shook hands, John Sempebwa's enormous, quite engulfing hers. He laughed again, for no apparent reason.

'You're not a student, then?'

'I'm still at school,' said Clare.

'Excuse me, I thought you were older.'

Clare glowed. Older? Me? A student!

'I am studying anthropology,' he said. 'With Professor Sims.'

'My great-grandfather was an anthropologist. That's why we've got things like this at home. I say – I wonder – do you know anything about these things – these shields?'

He looked at the shield, and then at the label, and shook his head. 'It comes from New Guinea. I don't know anything about New Guinea. I am doing my thesis on witchcraft practice among the Baganda. I could tell you about that. Or kinship structure. Would you like to hear about my relationship with my deceased aunt's husband?' Again the rich laugh. 'Excuse me, I forgot you were not an anthropologist. I am used to people asking me this kind of thing. Even the detribalized African can be useful, you see.'

'What's a detribalized African?'

'Me,' said John Sempebwa. This time Clare laughed, and he joined in. The attendant, parading the floor with clasped hands, looked disapproving.

'What is it you want to know about this thing?'

'I want to know what it means,' said Clare. Her voice came out very loud and abrupt.

Two schoolboys on either side of the case stared at her. 'It's not just a thing, is it? Not like we have things – teapots or vases or book-ends. There's something else in it as well as what it looks like.'

'It's symbolic,' said John Sempebwa. 'This kind of thing is always symbolic. In Africa you get masks, costumes ... The patterns represent different tribes, and clans within the tribe, but more than that they are concerned with magical belief, that kind of thing. It is very complex, very difficult to understand. I couldn't tell you about these things, I'm afraid. What are they for, anyway?'

'The ones here are shields. Ceremonial shields. But mine is different. It's a different shape.'

'Perhaps you should bring it here? To show them?'

'Mmn. Perhaps.'

'You are worried by it, somehow?'

'Not really. Just – oh, just it bothers me a bit.' Knowing it's up there all the time. Like – like a letter you can't get open. Not understanding it.

'Things that are strange can be very puzzling,' said John. 'When I first came to England I could not understand the underground system in London – red lines, black lines,

Bakerloo, Northern line, Charing Cross, Earl's Court.' He laughed delightedly. 'I went round in circles, or in the wrong direction. Confusion! Then I saw it is all quite simple.'

'I hate it,' said Clare. 'All that hot wind.'

'Every face a strange one. Nobody knowing anybody else. That is alarming until you get used to it.'

The attendant was ringing a bell. 'This place closes at four,' said John. 'You have to leave your researches for another time.'

They walked together out of the Museum. Outside, the cold was like water: you walked into it as though into a tank and were immediately porous, icy trickles creeping under cuffs and collars, parting the hair, seeping through buttonholes.

'I hate your winter,' said John. 'It gets into my soul.' He laughed. Laughter, for him, seemed not always to indicate amusement.

When they reached Clare's bike he held it for her to get on, flourishing it like a bouquet: Clare, unused to such gallantry, dropped her gloves in the mud. They scrabbled together to recover them.

'Which way are you going?' said John. He, too, had a bike.

'Norham Gardens.'

'May I ride so far with you? I go north too, but far north, beyond the roundabout.'

'Yes, please,' said Clare.

The wind was coming straight down from Iceland again, blowing smack at them so that they cycled as though trying to run up an escalator, losing as much ground as they gained. They had to turn their heads sideways to breathe, bawl at one another to be heard.

'What?'

'I said it's going to snow again. Have you many brothers and sisters?'

Clare shouted, 'No. I haven't got any parents. I live with my aunts. They're very old.'

'Cold?'

'OLD. Aunt Anne's seventy-eight and Aunt Susan's eighty.'

The wind dropped for a moment, deflected by a building, and John's voice came out loud and distinct. 'That must be good. To live with old people.'

'Yes. Yes, it is.'

'But here you do not respect old people as much as we do. In my country we admire the old. We take advice from them. Here it is the young who are admired.'

'Oh,' said Clare. 'Are they?'

'Of course. Haven't you noticed? They are made to feel important. Their opinions. What they say, what they want. You push your old people to one side. You let them be poor.'

They were going round into Norham Gardens now, and the dry hard wind was getting softer, and filling with snow. It drove into their faces, lay unmelting, in huge flakes, on John's black hair. To look up at the sky was to look into whirling confusion: the sky poured with snow.

John said, 'Is this what you call a blizzard?'

'I think so. This is where I live. Would you like to come and have tea with my aunts?'

Chapter 6

The valley is a place without a past. The tribe do not know how long they have been there: a hundred years, a thousand, five thousand. Their future is entrusted to the spirits of the ancestors, who care for them and watch over them. One day, strangers come to the valley and the tribe welcome them as these spirits, returned with rich and wonderful gifts. They are honoured, and given all they ask for.

'Another cup, Mr Sempebwa?' said Aunt Susan.

John's large hand swamped the thin, cracked Crown Derby. He sat in front of the fire, his long legs folded like the limbs of a deck chair.

'Tell me, how do you think things are in Tanzania under this man Nyerere?' Aunt Susan was enjoying herself. She had become brisk, like she was five years ago. Tea had gone on for ages. John ate peanut butter sandwiches and two packets of digestive biscuits and talked about Africa, and Aunt Susan asked questions and made comments and poured tea. It was just like Aunt Susan, Clare thought, to be hopelessly muddled about money and forget what year it was and lose things all the time and yet to turn out to know all about what happened in Kenya last month or what the Prime Minister of Uganda was called. That was the aunts all over.

At last John said he must go. In the hall, putting on his coat, he said, 'Your aunt is a very well-informed lady.'

'Yes. It's just everyday things she's a bit vague about. Gutters, and things like that.'

'Gutters?'

'You know – the things round the top of a house to catch the rain. They're very expensive to get mended.'

'Most schoolgirls wouldn't know about that kind of thing.'

'I'm a detribalized schoolgirl.'

John's laughter brought Maureen out of her room, peering down the well of the staircase.

'Would you like me to look at this New Guinea shield of yours before I go?' he said. 'Then I could perhaps look it up in the anthropology library and let you know about it.'

'Yes, please.'

Up in the attic, he was astonished. 'What's this?'

'A linen press. You put sheets and things in it and screw it up and it squashes them flat.'

'And that?'

'A gramophone. With a loudspeaker. It doesn't work.'

'It is certainly of historic interest,' said John politely. 'This is your shield?'

'Yes. Only it's not a shield.'

He studied it. 'I can remember the design. I am trained for remembering that kind of thing. I'll look it up.'

'Thanks.'

They went downstairs again. Maureen's door opened, and closed.

'Goodbye. Thank you for inviting me to tea.'

'I'm afraid it wasn't very posh.'

'It was very nice. I liked meeting your aunt.'

Outside the snow still came down in wild confusion, picked out by the street lamps. It defied gravity, snowing from right to left in front of the house, and ten yards back from left to right. Beyond the garden wall it spouted upwards, snowing in reverse.

'Christ!' said John. 'Excuse me.' He swamped his head and shoulders in a huge striped scarf, and got on to the bike. 'Goodbye.'

'Goodbye,' said Clare. She watched him go into the

darkness, heading north, his raincoat flapping over the back wheel of the bicycle, and closed the front door.

'I saw your friend,' said Maureen. 'The foreign one.'

'Oh.'

'It's interesting,' said Maureen, 'getting to know foreign people. We had a German girl in the office once. Mind, that's not quite the same. Known him a long time, have you?'

'About half an hour, when you saw him. We picked each other up, I think.'

'Well!' said Maureen. 'I wouldn't have thought you'd do that. Did you go to the pictures on your own, then?'

'It wasn't the pictures. It was in a museum.'

Maureen reflected. 'I suppose you'd get a different type in a museum. All the same, I wouldn't think your aunts would fancy that kind of thing.' Severely.

'Oh, they did. Aunt Susan gave him three cups of tea and talked to him for nearly three hours.'

'Well!' said Maureen again.

The blizzard roared all that night. The Norham Gardens houses stood four-square against it like battleships and it screamed against the brick and threw tiles down on to cars and tarmac and snapped branches from the trees. And then it raged away south, leaving one side of each building furred over with driven snow. Tongues of snow licked up the sides of fences: each sill and gutter was laden. The postman posted snow through the front door with the letters. The wireless dwelt on traffic chaos, stranded snow-ploughs and helicopters raining hay upon Exmoor to hungry sheep.

The letters, damp and blotched, were a brochure from a travel firm and a postcard from cousin Margaret in Norfolk. The travel firm wanted the aunts to enjoy a fun-packed fortnight on the fabulous Costa del Sol: cousin Margaret, on the other side of a photograph of Norwich cathedral, hoped they were all surviving this foul weather and would like to pop down to see them on Monday night, between the dentist and a school play. Uncle Edwin sent his love and would they forgive the scrawl, everything being a mad rush as usual. Tonight that was. Oh, dear. Clare put the Costa del Sol in the wastepaper basket, and propped cousin Margaret's card on the kitchen mantelpiece. Doing so reminded her of Mrs Hedges' tonic. She took an extra large spoonful. It felt like the kind of day on which one might need hidden resources. She'd slept badly, too. Blizzards, disintegrating bedclothes, and other things.

The spare room would need to be tidied out for cousin Margaret. She'd have to leave a note for Mrs Hedges. It was unlike cousin Margaret to make a sortie from Norfolk in mid-winter. In fact, come to think of it, one couldn't remember ever having seen cousin Margaret out of summer. August, windy beach picnics, jam-making, wasps, thunderstorms: that was cousin Margaret's rightful background. It seemed inappropriate that she should turn out to have a mobile, winter existence as well. In between summer visits to Norfolk, Clare realized guiltily, she hardly ever thought of cousin Margaret and cousin Edwin and all the little cousins, and their large scruffy house and weedy tennis court and their cosy, faintly excluding family life. They were a family in which everyone had nicknames, and in which conversations took place in a private jargon that had to be de-coded, with amiable condescension, for visitors. One was forever tripping over one's own mistakes – not knowing the code word for areas of house or garden, or ignorant of some custom or ritual, being put right by kindly six-year-olds, amazed at the ignorance of outsiders. How did they manage, the little cousins, beyond the confines of the family? Or did they colonize, so to speak – establish extensions in the outside world, make conversions, baptize into the faith? Converts, though, like visitors, would always be kept conscious of their position as temporary, courtesy members of the family – not of the blood. And how did cousin Margaret manage, on expeditions like this, adrift from her anchorage? It was impossible to imagine: cousin Margaret seemed an undetachable part of her own house, as integral as the smell of cooking, children and dogs.

Clare left a note for Mrs Hedges explaining about cousin Margaret. The aunts were not up yet, so she explained to Aunt Susan, who seemed pleased at the idea of a visitor, through the bedroom door. Then she went out into cold, storm-battered streets, and to school.

On the way home it occurred to her that cousin Margaret should perhaps be treated to something more elaborate than soup and scrambled egg. Much eating was done in Norfolk: huge stews, joints, puddings. Well, Norham Gardens couldn't rise to that, but chops would not be unmanageable.

She had to wait in the butcher's, standing in a line of muffled ladies, hunched against the cold, staring at bright lights and meat. The shop glowed with meat: dark drums of beef, rosy pork, skeins of pink sausages that delicately brushed the butcher's head as he reached into the window. Somebody here had an eye for style. The window display was ready to be painted, a mortuary still-life, cutlets fanned out seductively, edged with plastic parsely, spare ribs flaring in a circle, steaks lined up with military precision. The butcher was a huge man, his self-confidence as hard as a rock. He brandished cleavers and juggled with knives, at the other end of the counter his assistant clubbed unresisting steak: jokes flew between them over the heads of the customers. The customers were sheep, only one rung up from the meat. The butcher patronized them. 'Next young lady?' he roared, and the middle-aged housewives shuffled forward, obediently amused. 'Now then, what's for you today, and how's your old man?' Behind him the pig carcases hung from hooks, as docile as the customers.

'Next, please? Yes, my love?'

Clare pointed to the pink and white fan of chops. 'Four, please.'

'Two for you and two for him. Dinner for the boy friend, is it?' A mammoth wink.

Clare shrank into her coat. Snails must feel like that, pinned down by the blackbird's steely eye.

Everybody was staring at her. The neat pig-halves and divided sheep swivelled on their hooks to get a better look.

'What's his name then? Who's the lucky fellow?' Stab! went the blackbird's yellow beak. Thump! the butcher's cleaver, splitting bone.

'How much is that, please?'

'Forty-four to you. And give him my compliments.' The snail, wincing, glowing pink, crawled out, forgot her purse, had to go back, spotlit by eight pairs of eyes, fell over someone's foot, got stabbed again, escaped.

Outside, Liz was stowing library books into a bike basket. 'What's the matter?'

'I've just become a vegetarian.'

'Oh. Why? Listen – come down into the town with me.'

'No. I can't. I've got cousin Margaret.'

'You make her sound like a disease.'

'She might be,' said Clare. Liz went away into the dusk, swallowed up among the cars.

Back at Norham Gardens the aunts, of course, had forgotten all about cousin Margaret. Aunt Anne had been feeling poorly again and had gone back to bed. Aunt Susan, in front of a waning fire, was sitting surrounded by brown cardboard boxes from which spilled pamphlets and yellowing papers.

'Is that you, dear? I am having a tidy-up. Do you know that in 1932 Anne and I went to nineteen committee meetings and lobbied our MP four times? He was a tedious man, I remember. And we marched from Hyde Park Corner to Trafalgar Square, about unemployment. Here is a photograph in *The Times*.'

'Which is you?'

'The second blur from the left, I rather think.'

'It doesn't do you justice,' said Clare. 'Cousin Margaret will be here tonight.'

'So she will. How nice. We had better eat in the dining-room. I wonder if you would mind fetching my thick tweed coat from upstairs.'

'I've got some chops. Why are butchers such noisy men?'

'I suppose it's a job that blunts the sensibilities.'

'Bossy too.'

'A legacy from the war. They wielded enormous power. People would suffer any humiliation for a pound of offal or a sausage.'

Clare banked up the fire, and cleared bundles of letters and papers from one of the chairs, in anticipation of cousin Margaret. The tidy-up was having the effect of slowly engulfing the room in paper and newsprint. Aunt Susan was having a lovely time: she drifted from her chair to the bookshelves and back, disembowelling files and boxes.

'Dear me, here are all my old lecture notes. And Anne's correspondence with the Webbs. How interesting.'

Cousin Margaret arrived by taxi off the London train at half-past six. Her travelling, and winter, persona differed from the static summer one only in being embellished with a hat, uncomfortable shoes, and dabs of powder and lipstick.

'Lovely to see you, Clare dear. How are the aunts? Goodness, I'd forgotten what a morgue this place is. What a pity they can't move into something smaller.'

They went upstairs. 'How's school? Everything going all right? Bumpy and Sue-Sue sent their love – the big ones are all back at school, of course. I've just been down for the play, you know, that's why I'm here, really. And of course I wanted to see you and the aunts.' Cousin Margaret stripped herself of hat and coat and vanished into the bathroom. Above vigorous sounds of washing came more news of cousin Edwin, children, the school play, the Christmas holidays.

'... so with Dodie and the Sprockets we were fourteen for dinner, and then we all played charades in the dark. You must come, another Christmas, Clare – I don't like to think of you being dull here with the aunts. What? Oh well, that's fine, then. I just thought it might be all a bit *elderly* for you. They're a bit out of touch now, aren't they, poor dears.'

They visited Aunt Anne, in bed. More news, more names. Visits to pantomimes in Norwich, school prize-givings, village concerts. Aunt Anne smiled, bewildered. 'Tell me,' said cousin Margaret, going downstairs, 'how *is* she? I thought she was rather quiet.'

'The doctor came. He said it wasn't anything to worry about.'

'Of course she is seventy-seven. Or is it seventy-eight?'

In the library, Aunt Susan had recaptured the other chair. She beamed happily from a sea of old envelopes.

'Goodness!' said cousin Margaret. 'You could do with a proper spring-clean in here. You must let me give you a hand. I love throwing things away. How are you, Aunt Susan?'

They kissed. Cousin Margaret sat down. 'Lovely to see you all looking so well. Well, you'll be wanting to hear all our news. Oh, Clare, I meant to tell you – poor Wooffy did die. We were afraid she was going to.'

Wooffy? Dog? Cat? Or the old nurse?

'So we got a new little bitch right away. I didn't want the children to get morbid about it.'

Must be the dog. Hope so, anyway. 'I'm so sorry,' said Clare. 'How sad.'

'Do you know, Margaret,' said Aunt Susan, 'I have just come across a whole lot of old letters from Beatrice and Sydney Webb. We served on a committee with them once, you know. Do you remember meeting them here when you were a small girl?'

Cousin Margaret spread plump legs to the fire.

'I can't say I do, Aunt Susan. There were always such a lot of odd bods around in the old days, weren't there? Oh – and we had another tragedy. Mr Patcham got into a fight in the village and we had to have him put to sleep.'

Aunt Susan looked startled.

'He was dreadfully bitten. It must have been that horrid tom from the pub. One does go through such anguish with animals. Sue-Sue cried for days.'

'Would you like a glass of sherry, cousin Margaret?' said Clare.

'My dear, I should love one.'

The sherry, sandwiched between copies of *Hansard*, had not been opened, to Clare's certain knowledge, for over five years, but cousin Margaret drank it with gusto. Maybe it was stuff that improved with age.

Aunt Susan said, 'Clare is a pillar of support these days. I don't know what we should do without her.'

'Oh, good,' said cousin Margaret. 'Splendid. I had wondered, if perhaps ... Never mind. I say, I *wish* you could see Bumpy – he's lost both his front teeth. He looks a perfect scream.'

Aunt Susan nodded and smiled. She was beginning to look quenched by all this information. The papers and envelopes made drifts around her feet, stirring sometimes in response to draughts from the chimney. Cousin Margaret gulped sherry and handed out news: cousin Edwin had a filthy cold, poor darling, council houses were to be built on the church field, Sue-Sue was growing plaits, there had been a *coup d'état* in the Women's Institute.

'And what about you, Clare dear? I want to hear everything you've been doing. By the way, we're expecting you in August – you will be coming, won't you?'

'Yes, please,' said Clare. 'Thank you very much.'

'They are very pleased with Clare at school,' said Aunt Susan. 'We hear very good reports.'

'Oh well, I expect she's got the family brains. Lucky girl. But you mustn't just swot, Clare dear – people get so narrow-minded like that, don't they? Oh – did I tell you Sal's going to France for a year when she leaves school? It would sort of open her out, we thought. To a family.'

'A family?' said Clare.

'Yes. In the country. Six children, and lots of animals and things. It sounds lovely.'

'I expect she'll love it. Being opened out in a family.'

Something slipped off Aunt Susan's lap. Clare picked it up. 'What's this, Aunt Susan?'

'Oh, I was going to show you. It's part of the diary father kept in New Guinea. On the expedition, you know. The other volumes seem to have got lost, but I came across this one, and I thought it might interest you.'

Brown, loopy handwriting. Crossings-out. A squashed insect between two of the pages. 'Yes. Yes, I'd like to read it very much. In fact I'd love to.'

'Clare was looking at things father gave to the Pitt Rivers,' said Aunt Susan. 'She brought back a most interesting young man. An African. We had such a pleasant talk.'

'Sue-Sue loves museums,' said cousin Margaret. 'We took her to the V. and A. you know, last holidays, and she was so funny. Do you know what she said? She was looking at the costumes and...'

Clare got up, stealthily, and backed out of the room. The flow did not abate. It seemed mean, leaving Aunt Susan defenceless like that, but then she did have a capacity for just shutting herself off if the turn of events was unpromising, and would no doubt do so now. She went into the kitchen, where the chops lay inert upon the table. Right, then, let's be having you. Next young lady please, and how's your father?

They ate in the dining-room. Great-grandfather and great-grandmother presided, remote behind the glass of their portraits. Great-grandmother, in red silk to the floor, most elegantly curved fore and aft, leaned against a marble pillar and contemplated an ostrich feather fan. Great-grandfather, stern and whiskered, sat with open book (no, volume) upon his knee, deep in thought (back in the Fly River valley, perhaps, with Sanderson and Hemmings?).

'Wasn't she gorgeous?' said cousin Margaret. 'Aunt Violet.

It's Sargent, isn't it, that portrait? Jolly good chops, I must say.'

Aunt Susan looked over the top of her spectacles at the portrait: the positions seemed reversed, juggled about by time, she the mother, the young woman in the red dress the daughter. 'Yes. It was exhibited at the Royal Academy, I remember. Poor father was made to go to the opening view. Not the kind of occasion he cared for at all.'

'That dress is in one of the trunks in the attic,' said Clare.

'All mother's things were kept.'

'That I cannot understand,' said cousin Margaret, helping to clear away. 'The way they've never ever thrown away a single thing. It's stuffed, this place, like a museum.' The baize door bumped softly behind them as they went through to the kitchen. 'Heavens, Clare, how do you manage with that stove? And the sink!'

'They're all right if you're used to them.'

'I couldn't live without my Aga. Shall I wash, and you put away?'

'Thank you.'

'There was something I rather wanted to talk to you about.' Cousin Margaret ran water on to the plates, swabbing with practised energy. 'Just while we've got the chance.'

'Yes?'

'It's just that you're always welcome, you know, at Swaffham. You must feel you can always come to us. As family, you know. Edwin and I did want you to be sure about that.'

'In August?'

'Actually I meant any time. If anything happened, you know.'

'If anything happened?'

'Yes.' Water spat from the tap, spun off the plates. 'Eventually.'

Eventually. Quite a few. When your mum and dad – er. 'Do you mean,' said Clare, 'if the aunts died?'

Cousin Margaret turned the tap on violently. Above rushing water and clatter she could be heard to say things about how of course one didn't, and naturally one hoped, and there was no reason to.

'Thank you,' said Clare. 'It's very kind of you and cousin Edwin. Very kind.'

'And of course it is such fun for the young down there. You know – the Pony Club and the Young Farmers and all that.'

'Yes.'

'Sal has a marvellous time in the holidays.'

'Yes.'

'Hunt Balls, in a year or two. We do feel it must be a bit dull for you here.'

'Actually,' said Clare, 'it isn't dull at all. I like this house being cold and dusty and peculiar and I think the aunts are the most interesting people I've ever known. If they are out of touch, like you said, then I think I'd rather be too, if being in touch is what I think it is. I've always liked living with them and I wouldn't like to live anywhere else. When you talk to the aunts they listen, and I listen back at them. The only thing that's wrong is that they're old, and as a matter of fact I don't see what's wrong with that anyway.' She dropped a plate: it smacked down on to the floor and lay in three neat pieces.

Cousin Margaret blinked. She stared at the plug and said, 'Yes. Quite. Yes, I do see what you mean.'

Clare picked up the bits of plate, looked at them, and put them in the dustbin.

'We keep breaking things these days,' she said. 'Maureen broke one of these the other day.'

'Maureen?' said cousin Margaret, brightly.

'She's somebody who lives here now. In one of the top rooms. We had a Gap – I mean a financial problem – so I decided to let one of the rooms. Mrs Hedges got it ready and I found Maureen in the Post Office window.'

Cousin Margaret blinked again. She wiped her hands on

the kitchen towel and said, 'Well, I must say, you do seem awfully sensible about things, Clare.'

'Oh,' said Clare. 'Good.'

'I wouldn't have thought the aunts would have been all that keen on the idea of a lodger, that's all.'

'They don't mind.'

'Don't they? Oh, I see. Perhaps we'd better go through and join Aunt Susan?'

'Yes,' said Clare. They went through the baize door again. In the hall cousin Margaret stopped in front of the mirror and prodded her hair. She was looking very pink. 'I must say,' she said, 'you do seem to cope awfully well. I sometimes wonder if perhaps Sal is a bit ... Of course, being one of a large family is marvellous, but ... Oh well. But, Clare, do get in touch if ever, well, if ever you have any problems.'

'Yes,' said Clare, 'I'll get in touch. Thank you, cousin Margaret. Thanks very much.'

Later, lying in bed, with the house huge and silent around her, everyone stowed away into separate rooms, the aunts, Maureen, cousin Margaret having a bath, with sounds of distant splashing, she opened the diary and began to read.

'Aug. 10th 1905. Port Moresby. This morning we reached the settlement here, which is the seat of our Administration, and are lodged, as comfortably as one might expect, at the Residency. One cannot but admire the efforts of the Administrator to bring the advantages of British justice to the natives of Papua, beset as he is on all sides by difficulties, not least of which is the lack of co-operation of the tribes who are in a state of constant tumultuous warfare with each other, and who indulge in headhunting and cannibalism. Their chief intercourse with Europeans has been hitherto with missionaries, several of whom, I am informed, have met with a fate upon which it is pleasanter not to dwell. The heat is great, and the insects a torment. Sanderson and Hemmings are anxious to depart as soon as possible for the interior. A letter awaited me here from Violet, who writes that Eights Week was most agreeable, in good weather, with Christ Church head of the river. Little Susan wrote too, in a good firm hand, and a nice attention to spelling.'

There was a blob of wax on the page at this point, as though great-grandfather had tipped the candle over. The next entry was nearly a week later.

'Aug. 16th. We have spent several days now in exploration of the Kemp-Welch basin, having secured the services of porters in Port Moresby, as well as the protection of some native police, most kindly supplied by the Administrator, and for whose presence we have indeed been grateful, the massacre of unwary travellers being apparently common in these parts. The terrain is most inhospitable and we advance but a few miles each day, being impeded by the luxuriance of the vegetation, which consists for the most part of dense forests of eucalyptus, mangrove swamps, and plantations of bamboo, pandanus and sugar-cane around the native villages. The tribes in this part are the Kamale, Quaipo, and Veiburi, and are extremely unwilling to enter into friendly intercourse – I have met with great difficulty in persuading them to talk. However, some men of the Veiburi tribe were more forthcoming than most and with the aid of an interpreter I was able to make some useful notes about burial customs, taboos and spiritual beliefs. Hemmings has some fine bird of paradise skins, and Sanderson is well pleased with his botanical specimens. I have obtained some good examples of the stone adzes used by these tribesmen, and am most anxious to secure further items, in particular the ceremonial masks and shields of which I have heard, and of which the finest, I believe, are to be found in the Purari River area.'

At this point a half page had been left blank, to accommodate an insect, squashed and unidentifiable. Had it tormented great-grandfather and been summarily dealt with?

The diary proceeded. Sometimes the entries were long and detailed, sometimes brief, a mere few words noting the position, or date, as though great-grandfather had been too exhausted after a day contending with mangrove swamps and native hostility to do more than flop on to his camp bed. Hemmings developed a fever, and they had to halt for several days on the coast, where great-grandfather busied himself collecting accounts of tribal superstition. 'These are a people deeply imbued with spiritual beliefs,' he wrote. 'For them the invisible world is as real as the visible, believing as they do that all living creatures possess souls and spirits, which, after leaving the mortal frame, wander hither and thither during the hours of the night. So easy and unaffected is their converse with spirits, in particular the spirits of their ancestors, that to become for long involved with their ways of thought is to feel one's own rational foundations begin to shake. The world of scientific truth seems at times as remote as my own study in Norham Gardens.' Hemmings recovered, though the poor fellow had lost much weight and was a dreadful yellow colour, and the party embarked in a small steamship for the Fly River where they spent a few days chugging along the swampy river, largely for the benefit of Sanderson, who wished to make a collection of the orchids and creepers that grew on the banks. Any natives that were to be found fled in confusion on sight of the steamship, or rained arrows upon them from the shelter of the undergrowth so that great-grandfather was under-occupied and spent the time organizing his notes and complaining of the humidity. The high point of the expedition, for him, was yet to come.

The party left the Fly River and made their way to the delta of the Purari. This was the moment for which great-grandfather had been waiting. 'At last,' he wrote, 'I approach the principal of my objectives, namely the acquisition of one of the fine ceremonial shields manufactured by the tribes of this area. Similar to those brought out of the Sepik River valley by Herr Muller, and which I have been shown in Hamburg, they are known as tamburans, or kwoi, and play a crucial role in the spiritual life of their makers.' The Purari river proved even more uncomfortable than the Fly, hot and swampy, and obscured most of the time by dense curtains of mist (which reminded great-grandfather of family holidays on the west coast of Scotland). The small steamer kept going aground, so that they were obliged to get out and make their way along the bank. 'It is the most unpleasant walking,' said great-grandfather, with some understatement. 'Beset as we are by such hazards as snakes and black leeches which fasten themselves upon the skin and suck blood until they are detached, when festering sores almost invariably ensue. At times we are driven to walk in the river itself, in which there are alligators.'

However, after a few days of this, they reached more open country, and the foothills of the mountainous interior, beyond which lay huge unexplored tracts of land. They began to climb. Great-grandfather described graphically the long haul through dripping rain-forests, and their relief as they reached the summit of the mountain ridge and found beyond a wide and pleasant valley. And here, at least, were the native settlements they had been expecting, the remote and isolated peoples never before encountered by Europeans.

Great-grandfather was excited and impressed.

'Our first contact with the inhabitants came at midday today. We approached a small settlement of grass-thatched huts and as we did so a detachment of male tribesmen came forward to meet us. They were naked except for a posterior pendant of grass, a marine shell of a half-moon shape suspended from the neck, and ornaments of cassowary and bird-of-paradise plumes in the hair. Their faces were most wonderfully painted and decorated. Observing them to be armed with bows and arrows as well as spears, and indeed, to be about to fire upon us, we shouted and waved, attempting to indicate that our intentions were friendly. As we drew nearer, they lowered their weapons, and began to chatter and exclaim among themselves with much wonder and astonishment. They allowed us to come up to them, whereupon they touched our faces and hair with much amazement, as though they could hardly believe that we were flesh and blood. Our clothes, too, astonished them, and our equipment – they gathered around us, touching and examining, expressing their wonder and surprise with small clicking noises of the tongue. all hostility seemed to have evaporated.

'And then, with great excitement, I perceived the very thing I was so anxious to acquire. A little way apart from the other huts stood a rather larger structure, and there at either side of the entrance were three or four examples of the ceremonial shields, hung upon the walls. We were all struck at once by the power and presence of these objects, and indeed with their not inconsiderable artistic merit. Brilliantly coloured, in red, black and yellow, they have a patterning which is undoubtedly of an anthropomorphic nature. It seems possible that they were originally images of the ancestors, and retain some kind of precious symbolism, the exact nature of which it is hard to ascertain. We expressed our desire to examine the shields more closely, which, with some little reluctance they allowed. Finally I could contain myself no longer, and, with the aid of my interpreter, explained my wish to possess one of the shields, offering in exchange anything they wished in the usual currency of tobacco, beads and cloth.

'This threw them into some confusion: they seemed, while unwilling at first to comply, to feel that they might not refuse, and after more discussion they allowed me to select one of the tamburans. We camped that night in the village and were treated with great ceremony and deference, almost, it seemed, as though we were members of the tribe. In the morning, as we prepared ourselves to continue our journey, the leaders came to us and said farewell with great solemnity, assuring us that we should see them again, and once more wondering at our possessions and asking us to send them such things for their own use. Indeed, it was a strange and touching thing to have witnessed the first contact between a savage people and the representatives of western culture: we went on our way much impressed by the encounter and pleased with our kindly reception, so unlike the naked hostility usually met with among the tribes of New Guinea.'

It was late. The hall clock chimed twelve. The house was quite quiet now, and the street outside. New Guinea was the other side of the world: great-grandfather had died nearly forty years ago.

Clare turned out the light and lay staring at the ceiling for what seemed a long time. She heard the hall clock strike one, and must have fallen asleep soon after because when, later, she woke again her watch said ten past two. In the interval she had dreamed, and for a moment, in a half-awake state, confused the dream for reality. She had got out of bed, she thought, just before, because it seemed to her that the house was in some way disturbed, not by noise but a strange intensity of feeling. Her watch had stopped, and so had the hall clock – indeed the silence, as she went downstairs, was insistent. She stood in the hall for a moment, and as she did so the dining-room door opened – of its own accord it seemed – and there was great-grandfather, standing by the sideboard looking out of the window. Behind him, the tamburan was propped against the wall. The portrait of great-grandfather had gone: there was a whitened patch on the wallpaper where it should have been. Great-grandfather looked towards Clare – she noticed what a worried expression he had, and how his beard was yellower at one side than the other (she thought, in a detached way, that this must be something to do with smoking a pipe, and the angle at which he smoked it). He drew the curtain, and now Clare could hear a noise from somewhere outside – shrill, high-pitched chanting or singing – and she saw that the brown people were out there again, lots of them. Great-grandfather looked out at them, and seemed to say something. The dream ended, and Clare, waking abruptly, took several moments to re-adjust herself, lying in the darkness listening to a car in the street outside, to the wind rattling the window, to the clocks.

Chapter 7

The tribe work in their gardens, shelter from the rain, eat, sleep, are born, grow up, and die. They talk to the ancestors, and remind them that they await a share of the riches they now enjoy, up there beyond the clouds. The ancestors are benevolent, and will provide.

'You look peaky, my dear,' said cousin Margaret, having a good breakfast before the journey home. 'You ought to have a better colour, at your age.'

Snow dislodged itself from the gutter, and flopped past the kitchen window.

'Plenty of fresh air.'

'Yes,' said Clare.

'And lots of sleep. Eight hours at least.'

'Perhaps that's what it is.'

'Well, I must press on.' Cousin Margaret gathered herself, checked train tickets, purse, gloves. 'I'll just pop up and say goodbye to the aunts.'

On the stairs cousin Margaret and Maureen passed each other, said 'Good morning' brightly, and examined one another without turning their heads, eyes slanted sideways. Maureen went out into the street and cousin Margaret could be heard upstairs, whisking round the aunts like an amiable wind, set on a course that allowed for no deflection. She came down, carrying a suitcase that leaked a yard or so of dressing-gown cord.

'Well, goodbye, my dear. We'll see you in August, then?'

'Yes,' said Clare.

'And I hope Aunt Anne's cold clears up.'

'So do I.'

'Oh, of course it will. A day or two in bed . . .'

'Give my love to Uncle Edwin.'

'Yes. Keep in touch, won't you? Have a lovely holidays, when they come. I must rush, or I'll miss the train.'

Clare, wheeling her bike out of the drive, saw cousin Margaret turn the corner into Banbury Road, a confident figure bundled into coat and hat, bolstered with unswerving convictions that all was well with the world, whatever anyone might say to the contrary. A bus loomed in the grey morning light, and cousin Margaret broke into a trot and vanished, the dressing-gown cord leaving a thin line behind her on the snowy pavement. Clare got on to her bike and headed north.

She was doing homework in the kitchen when the doorbell rang. It was John Sempebwa.

'Hello.'

'Hello. Is this a convenient time to call? I found out something about your shield.'

She took him into the kitchen. 'Sorry about the mess.'

'Not at all,' said John. 'It is homely.' He pulled a chair out from the table and sat down. 'What are you writing?'

'An essay on the causes of the Civil War. It's my history homework.'

'Do you like history?'

'Yes. There's so much of it, though. To get straight about. What comes when.'

'That's because you live in a country with a lot to remember.'

'Oh,' said Clare. 'Is that a good thing?'

'It must be. New countries look for historians before they look for doctors or tax collectors. Let me tell you what I've found out for you.' He took a notepad out of his pocket. Clare hooked her feet over the rung of her chair and leaned forward a little.

'It's something called a tamburan, or a kwoi in some parts of New Guinea. It doesn't have anything to do with fighting –

97

it's a ceremonial shield. They used to make them and then hang them in a place called the men's house which each village had, all around the walls.'

'Like family portraits,' said Clare.

John laughed. 'In a way. The same idea, certainly. Continuity. Preserving the life of the tribe. They are symbolic, of course, like I thought, but no one seems very clear about what the patterns mean. The article I read said "From several considerations, especially from their anthropomorphic nature, it appears possible that they were originally images of ancestors". Anthropomorphic means . . .'

'I know,' said Clare, 'like people.' Circles for eyes, a kind of mouth . . .

'Sorry. I'm sounding like a schoolmaster.'

'It's just that I've been reading a book about New Guinea, and that word came in, but it didn't really say anything about the shields – the tamburans – but it did have a picture of some rather the same.'

'So now you know what it is you have upstairs,' said John. 'Quite interesting. You should take good care of it – there aren't many around, this article said, except the ones in the Pitt Rivers and a few in museums in Australia and New Guinea. They used to set a lot of value on them, the tribes, because of what they represent, and they weren't keen on letting anyone have them.'

'My great-grandfather got this one. From a tribe who'd never seen European people before.'

'Clever gentleman. How did he persuade them to give it to him?'

'I'm not sure really. I think they didn't quite understand who he was. Him and Sanderson and Hemmings.'

'Perhaps you should take the one upstairs along to the Pitt Rivers. It's obviously important, from an ethnological point of view.'

'I think they want it back,' said Clare.

'I thought you'd always had it here. Upstairs.'

'Not them meaning the Pitt Rivers. Them. The people who made it.'

John looked bewildered.

'Never mind. It doesn't matter. Do you know – in this book I've been reading it says they've still been finding new tribes right up till a few years ago, in remote valleys where nobody'd ever been. Tens of thousands of people nobody'd known existed, just living there sort of in the Stone Age still, not knowing anything about the rest of the world.'

'I shouldn't think it's very nice when they find out.'

'No. They get diseases they hadn't had before and want things they didn't know they wanted and some of them go kind of mad. It's very sad, reading about it.'

'Cultural disintegration,' said John.

'What?'

'Something that happens to people if you suddenly destroy their traditional way of life. They can't cope.'

'The trouble was,' said Clare, 'the old way was awful too. They were all killing each other all the time. You can see they couldn't let that go on, the people who found them.'

'Exactly. Very difficult. There was an article about that problem too in the library. About them expecting the ancestors to come back to them in aeroplanes, bringing riches. They stop making tamburans, by the way, as soon as they've jumped into the twentieth century like this. They seem to forget how, or why they did it.'

The kitchen clock whirred and clicked and struck six. 'Excuse me,' said John, 'I must go. I'm room-hunting. I've missed two today already and I've heard of one in Park Town. If I don't hurry someone will take it before I get there.'

'I thought you lived beyond the roundabout?'

'I did. My landlady gave me notice. I have to go next week. Well, goodbye.'

'Hang on . . .' said Clare.

'What?'

'Just hang on one minute. I have to ask the aunts something.'

'All right – but I must go. Give my regards to your aunts.'

She went out into the hall, the baize doors swinging behind her, and into the library before she could give herself time to think of should I? or what would they say? or shall I?

'Aunt Susan?'

'Yes, dear.'

'Do you remember John who came to tea the other day?'

'Certainly.'

'Could he come and live here?'

Aunt Susan let her glasses slide an inch or two down her nose, and laid down the newspaper she was reading. 'Has he nowhere to live?'

'Not from next week. His landlady gave him notice. And we've got nineteen rooms.'

'Have we really?' said Aunt Susan. 'Yes, I suppose we have. Another lodger? Mother would have been appalled. Absolutely appalled.'

'Please.'

'I would have liked to see what Anne thought, but she is having a nap, and in any case I don't want to worry her with things at the moment.'

'He wouldn't be any bother. I know he wouldn't.'

'Well,' said Aunt Susan, 'all things considered, I don't think we can do otherwise. But tell him the room is free.'

'No. He wouldn't come if we did that.'

Aunt Susan looked at her. 'Possibly you're right. Ten shillings a week, then, do you think that would be too much?'

'No. Thanks, Aunt Susan. See you in a minute.'

'Well!' said Mrs Hedges. 'It's getting to be a proper guesthouse, isn't it? How much are you asking him?'

'Three fifty, same as Maureen. It couldn't be less, or she'd have minded if she found out.'

Mrs Hedges nodded. 'That'll take care of the builder's bill, in a week or two.'

'He's not really part of the gap,' said Clare. 'He's a friend, more.'

'Still, it all comes in handy. That little room at the back, on the second floor, would be best, I should think.'

Great-grandmother's writing-room, it had been once, and the function had survived thereafter, in the name. 'Mother's writing-room', the aunts had always called it, though it had for far longer housed junk, relations, refugees from Germany before the war, and now, old newspapers. Clare pulled a pile of them out of a cupboard and read headlines about Korea and Malaya and a general election. There was a picture of Churchill, and George the Fifth. And a photograph of a street in some bombed city, with one-dimensional houses beyond whose glassless windows lay a moonscape of rubble and destruction. She tidied them all on to one shelf, to make some space for John's books, and considered the rest of the room. What had she written in here, great-grandmother? Thank-you letters, invitations, replies to invitations? In the back of a bureau with spindly legs that wavered under pressure, unlike the aunts' sturdy, masculine desks in the study, Clare found yellowing cards, printed with flowing italic script. Professor and Mrs Mayfield had been At Home to their friends on November 15th 1911, at eight o'clock in the evening. A Buffet Supper had been served, and there had been Music. Poor great-grandfather – he would have been more at home on the Fly River, battling with the mosquitoes. And here was a bundle of great-grandmother's housekeeping bills, meticulously checked and annotated (how cheap everything had been – a whole month's groceries, for goodness knows how many people, only ten pounds odd). And a long list of names, Dr and Mrs This, Professor That, the Miss Thoses – what did great-grandmother have in mind for them? Christmas cards, tea, supper, lunch? And here were more yellow cards, on which – goodness! – Mrs Mayfield requested the pleasure of the company of Blank on June 9th 1912 at a Dance in honour of her daughters Susan and Anne. The aunts! Dancing! Had they enjoyed themselves? What had they worn? Clare made a mental note to find out about that, and tidied the contents of the desk away. The desk itself, with silent apologies to great-grandmother, she removed to another room. It was far too flimsy for John, who could have the nice solid table from the sewing-room. The wallpaper was unsuitable – an elaborate affair of tiny blue roses intertwined with other flowers and miles of realistic blue satin ribbon – but nothing could be done about that, nor the curtains, which were of the same inclination. John, used to migrating from room to room, probably wouldn't notice. But how would he get on with great-grandmother – with her remote presence, almost extinguished by time, but surely still faintly clinging to this room, her thoughts, her feelings, her opinions, flickering out from 1911? There could hardly be two people further removed from one another. How odd, how very odd, that the same room should, eventually, have held them both: great-grandmother, in silk and whalebone, her mind furnished in the nineteenth century; John, in jeans and sweater, born thousands of miles away, speaking another language.

Maureen said, 'I don't mind sharing the toilet with him. I mean, I just wanted to make that plain, in case you were thinking I was that type. It doesn't bother me. Not at all.'

Clare saved the matter of the Dance until the weekend, when Aunt Anne, whose cold had been improving steadily all week, got dressed and came downstairs. Mrs Hedges had made a cake in celebration, and Clare, in a fit of ambition, had iced it, and adorned it with glacé cherries. The icing, too thin, had lurched down the sides, carrying most of the cherries with it, but the aunts were much impressed. They had never known how to do things like that.

'How clever,' said Aunt Anne. 'Does it take long to cook?'

'You don't cook it. You mix it up and slosh it on. Most of that sloshed off again.'

The aunts peered. 'The cherries remind me of that hat of mother's,' said Aunt Susan. 'I remember sitting behind it in church, with my mouth watering unbearably. It was like a still-life of fruit salad.'

'I remember,' said Aunt Anne. 'But it had roses, too. You couldn't have eaten the roses.'

'I don't see why not. After all, violets are eaten, when crystallized. I should think certain roses would be delicious. The old-fashioned, scented ones.'

'Not "Peace", or "Queen Elizabeth" – they would be hideously tough.'

'You may be right. Fit only for soup, perhaps.'

Really, the aunts were getting quite out of hand. Clare calmed them down with cups of tea and then said casually, 'Did you enjoy yourselves on June 9th? June 9th 1912?'

They were satisfactorily astonished. And bewildered.

'I have no idea,' said Aunt Susan. 'What were we doing?'

'Dancing.'

'Dancing! Surely not!'

'I know!' said Aunt Anne. 'The dance mother gave for us. You were nineteen and I was seventeen. But how could she know about that!'

'I get these vibrations,' said Clare. 'I close my eyes and think myself backwards. Back and back into the past. It's like drowning only nicer. And then I know anything I want to. You have to be frightfully sensitive, of course.'

'Naturally,' said Aunt Susan. 'Only a mind of the greatest refinement . . .'

'She has been at that bureau of mother's. There are old invitations in there.'

'What a pity,' said Aunt Susan. 'I was enjoying the stream-of-consciousness idea.'

103

Clare gave Aunt Anne a look of reproach. 'Anyway, did you?'

'No,' said Aunt Susan. 'To be frank. My dress was too tight, I remember, and I had to dance with the college Chaplain, who was immensely fat, and the Bursar, who trod on my feet and talked endlessly of his mother-in-law.'

Clare said, 'Bother.'

'Why?'

'I thought it would have been like women's magazines. You whirling round and round in the moonlight in his strong arms, his breath warm on your cheek.'

'Absolutely not,' said Aunt Susan. 'It was in the college dining-hall, which is rather harshly lit.'

'I quite enjoyed it,' said Aunt Anne. 'I had my hair up for the first time, and felt extremely mature.'

'Of course it was mother's first attempt to marry us off. Suitable young men had been summoned.'

'Poor mother.'

'It was her one defeat.'

The aunts chuckled. There was a whiff of ancient rebellion in the sober atmosphere of the library.

'Did they propose?' said Clare. 'The suitable young men?'

'Have you no sense of delicacy?' said Aunt Susan severely.

'Sorry. I say, are you going to give a dance for me? When I'm mature?'

'I hadn't realized the tradition persisted. But of course we will.'

'Outside the back door, I think,' said Clare. 'We can move the dustbins. People can overflow into the garden. We'll floodlight it from the kitchen window. The gramophone with the loudspeaker from the attic will do for music. Do you think it would be all right if I wore great-grandmother's red silk dress?'

'I can think of no better use for it,' said Aunt Anne.

'And my hair up. If we can get it there.'

'We will persevere until we do.'

We won't really, Clare thought. But it's a nice joke. I like jokes with the aunts. She lay close to the fire, her face burning, and stared into it: incandescent interiors, gushing flame, logs grey-plated with ash, roaming shadows. I like fires. I like being here, just now, just at this moment. This is one of the times I wouldn't mind stopping at, for ever, or for longer, anyway, if you could kind of freeze yourself. But you can't. It's like being on a train, and seeing a lovely quiet country station with flowers and cows in long grass, and not being able to get off at it.

Thinking of this, she was seized with a feeling of panic, as though everything were slipping from her – the fire, the room, the aunts – and there was no way she could hold any of it. She rolled on her back and stared at the ceiling, overwhelmed with sudden desolation.

Aunt Susan looked down over the top of *The Times* and said, 'I think we should tell Anne what we have done.'

'What? Oh, yes, we should.'

Aunt Anne said, 'Let me guess. There has been a domestic disaster. You have broken mother's Crown Derby tea-set.'

'No. On the contrary, we have done something constructive. We have asked a young African student to come and live here. You will like him. He has the most interesting things to say about the problems of emergent societies.'

Aunt Anne's surprise and faint misgivings turned, with only a little persuasion, to interest and anticipation.

'We shall be quite a household,' said Aunt Susan. 'I hope he will get on with – what is she called? – Maureen.'

Sunday came, and John with it, his possessions slung around a bicycle in paper bags and parcels tied with string. The bicycle joined Clare's in the shed at the side, and the house absorbed him, as it had absorbed so many other people. Another set of thoughts, and experiences, and attitudes had joined all the others whose misty imprint surely still lingered somehow behind the yellow brick and gothic windows.

Yearnings of late Victorian housemaids, boredom of the aunts, cloistered in the schoolroom, the despondency of governesses ... Great-grandmother's busy pursuit of an appropriate and well-ordered life, the heady breeze of the aunts' resolution to determine their own futures ... Friends, relations, students ... And, faintest of all, the alien flavour of remote, half-understood things known only to great-grandmother. The shadows of another world and another time.

Chapter 8

The ancestors do not come again to the village. Time passes: much time. The old men of the tribe die. Babies are born, and grow up. The boys become men, and the girls women. The tribe are alone, with the yams and the sugar-cane and the pigs, and the cockatoos in the forest trees, and the blue and scarlet birds of paradise.

'I suppose he'd be well thought of, in his own country?' said Maureen.

'I s'pose so.'

'I mean, when he goes back, he'll be one of the high-ups?'

'He'll be a professor, one day, Aunt Susan says.'

'That's what I thought,' said Maureen. Her face was set in a hard scowl, as though she was working out an impossibly difficult sum in her head, and getting it wrong. She banged out her cigarette, and lit another. 'Well, I'd better be off. Time and tide wait for no man. Be seeing you.'

Something had happened to Maureen. She was dislodged, as it were, from certainty, like a person who has moved suddenly from bright sunshine into twilight, and has to grope a little. Her face had a shrouded look, as though on top of her real expression she had tacked another: a faint, fixed smile. If she and Clare were alone together, everything was as it had been, but when John was present, which he often was, since he was a prodigious eater and found his way frequently to the kitchen, she changed. Her voice pitched itself a tone lower, with the words carefully pronounced and separated, as though prepared in advance. She was like someone ordering things from a shop, over the telephone. She called Clare 'dear', and established traditions, small definitions of how things were done here. Breakfast was at eight-fifteen, the bread (everybody's) was in the bin, the marmalade (hers) was on the dresser, we prefer China tea, the chair with arms is Maureen's. 'Do sit here, John,' she would say, 'this side,' pulling up the other one. Her bosom was hitched just a fraction higher under the new blue sweater, her face more closely powdered. The candlewick dressing-gown no longer came down to breakfast, nor the hair curlers. Talking to John, her voice took on an edge, a hint, a whisper of graciousness, and then faltered with unease. 'I expect you're in a hurry to get off to your classes. Lectures, I mean to say, that is. Let me pour you some tea – milk and sugar?' Lighting a cigarette, she would check the glowing tip, blow out the match with a delicate puff, turn her head away to exude smoke, and hold the white stick between first and second fingers, the hand drooping a little, finger-nails newly painted. When she left the room, there were ponds of fragrance in the air where she had been – 'Tweed' and Boots bath oil.

John said sadly, 'I'm afraid Miss Cooper doesn't like me.'

'No,' said Clare. 'It's that she doesn't know how to arrange you in her mind. You know how librarians put books under History or Poetry or Gardening? She doesn't know where to put you, so she's in a fuss.' Having said that, she was amazed. How do I know that? Maureen's nearly thirty. But it's true.

'You may be right,' said John. 'I've interfered with her social perspectives.'

'I wish you wouldn't use words like that.'

'Sorry. I've upset her cataloguing system.'

'That's better, I suppose.'

'I'm a book about electrical engineering, but written in blank verse.'

'Actually,' said Clare, 'she feels you're probably cleverer than she is, and you're a man, so that puts you in one kind of order, but then you're black, and foreign, so that puts you in another, which gets her all muddled.'

'You are a very odd girl – did you know that?'

108

'Yes.'

'You don't need to look as though you'd done something wrong. Personally I think people are better if they are odd. Your aunts are odd too. You're rather like them, in fact.'

'Am I?' said Clare, delighted. 'Honestly?'

'Of course. You have the same way of going to the middle of things. Not bothering about pretences.'

'My aunts are thought eccentric. That's what our relations say. Polite word for odd.'

'That is because most people are more comfortable with pretences.'

There was a silence, filled with the clock and the pipes and a car revving in the next-door drive.

'I'm not,' said Clare.

'You're very fond of your aunts, aren't you?'

'You can't pretend things are something different, like Maureen's magazines.'

'How long have you lived with them?'

'Everything bright and shining and easy if you use the right shampoo.'

'Here,' said John, 'I thought we were having a conversation. Me saying something and then you answering and then my turn again. That kind of thing.'

'Like tennis?'

'Exactly.'

'Sorry. I got stuck for a moment.'

'I have to go anyway,' said John. 'Work to do. See you later, maybe.'

'Right you are. It's your serve, next time.'

The production of *Macbeth* at school was nearing fruition. Since it was clearly too cumbersome to present the play at full length Mrs Cramp and those responsible had reduced it to a series of the most vital scenes. Clare had no leading part but appeared at various points as a soldier, attendant, or guest at the banquet.

'Actually,' she said to Liz, 'I'm not just any old guest. I'm Lady Macbeth's mother.'

'But it doesn't say anything about Lady Macbeth's mother.'

'Never mind. It doesn't say she wasn't there, either. And you can act better if you know who you are. You can't be very convincing if you don't even know what your name is, can you?'

The dress rehearsal took place before a rapt audience of the ladies from the kitchens, the caretaker and his wife, and anyone else with nothing better to do. Clare, standing in front of the cloakroom mirror, could hear the distant sounds of murder from the stage.

'That's Liz done for,' said someone. 'Poor old Banquo.'

'Mmn.' Clare stared at her face. She rubbed the make-up stick all over her, grease-paint or whatever it was called, and it glowed like a bad case of sunburn. How old would Lady Macbeth's mother have been? Quite old, anyway. She took a stick of black stuff and etched black lines on her forehead, and two black crescents at the side of her mouth. Then she found a finer, grey stick, and drew in smaller lines around her eyes. Grey powder for the hair. She sprinkled it liberally and contemplated the result. A strange, distorted Clare looked back at her. Me in fifty years' time? No, some mad clown, more like.

'How do I look?'

'A bit weird.'

'Old?'

'Not really. You can still see the proper you underneath. P'haps it'll be better from further off.'

Liz, murdered, came back into the cloakroom and shed her costume, peeling off jerkin, hose and doublet like the shell of a chrysalis, to expose a real Liz in vest and pants beneath.

'Is it going all right?'

'Ghastly ... Honestly, Susan dropped the knife and was hunting all over the floor for it and everyone keeps forgetting their lines. What *have* you done to your face? I say, what's happened to the tube of blood?'

'Don't you like my face? You can see different layers of me now.'

'What? Oh, *there's* the blood – you were standing on it all the time. Here, help me get into the cheesecloth.'

Aunt Susan, regretfully, decided that she had better not come to the play. Aunt Anne was not so well, again, and should not perhaps be left on her own. Both aunts were apologetic and disappointed, on their own behalf and because they felt Clare should have family support. 'It's all right,' said Clare. 'John wants to come.'

She considered inviting Maureen as well, and then decided against it. It was not so much that they did not get on as that John's presence somehow induced in Maureen a state of tension that gradually spread to anyone within range. Indeed, even inanimate objects seemed to be affected. In the airing-cupboard, their possessions confronted one another uneasily, John's socks hanging in a row on the hot-pipe, bright reds and greens and purples blossoming in the dark like some irrepressible tropical growth, while on the other side Maureen's white bra and pale blue pants and limp tights were marshalled beyond the boiler, discreetly gleaming and holding their own in an atmosphere of discord. Clare had arranged the clothes horse as a partition in case violence broke out.

Consequently, it was John alone who represented Norham Gardens at the first night of *Macbeth*. Clare, peering through the central gap of the stage curtains, could see him in the middle of a row of parents, looking detached but by no means discomfited. He observed everything with interest. He too, it had been revealed in the kitchen that morning, had acted in Shakespeare.

'When?' said Clare, pouring tonic into a tablespoon.

'At my first school, in the bush. I was a soldier in *Julius Caesar*. My only line was "Hail Caesar", and then we all

111

cheered. Those of us who could not speak much English cheered in our own language. It was very effective. The production took place in the market square and everyone in the village came.'

'Did they know about Romans, and all that?'

'No,' said John, 'but our English master had a firm belief in culture. Your culture. Anyway, everybody enjoyed it. What is that stuff you are taking?'

'Tonic. It strengthens you.'

'My mother used to give me strengthening medicine when I was young. She bought it in the market at Kampala from an Indian grocer. It said on the bottle that if you took it regularly you would be able to strangle a lion with your bare hands.'

'Did you ever try?'

'I came to England instead,' said John, and laughed.

The audience steamed a little in the warmth of the school building. It must have started snowing again: moisture glistened on people's hair and shoulders. Clare, cycling up from Norham Gardens in the darkness, had seen the glow of light from the city reflected in a heavy, orange-looking sky that seemed oppressively close, lurking somehow just above the tops of houses and trees. There was a feeling of suspense, as though, off-stage, something waited.

And Clare, off-stage in the gym, waited through the incantations of the witches for her first scene. People milled around her. Mrs Cramp rushed to and fro, inspiring an atmosphere of crisis. Someone had lost part of her costume. The curtains kept threatening to stick. Macduff had a nose-bleed. Clare, costumed for the banquet scene, sat on a pile of mats while people came and went – ordinary, familiar faces and shapes oddly translated into the shadow of something else. Not the substance, because in no way were these really Shakespeare characters, or even actors, but the shadow of such a thing faintly cast upon faces seen every day, talking, eating, singing, yawning. Faces distorted by make-up, but perfectly recognizable beneath, familiar voices inexpertly proclaiming thoughts and beliefs that could hardly be more inappropriate to a lot of people aged about fourteen leading uneventful lives in the South Midlands. In rehearsal, it had usually seemed funny. Now, for some reason that Clare could not isolate, it no longer was. It was vaguely sinister, as though the pretence might really distort people in some way, unhinge things, as it were, so that you would no longer be sure what was, and what was not.

'Clare! Come *on*!'

Filing on to the stage, with the audience only dimly visible as motionless shapes in the darkened hall, intensified the feeling. Which was real, us or them? Us, up here, all got up in greasepaint and funny clothes, or them, down there, in winter coats and macs and umbrellas hung on the backs of the school chairs? The stage lights isolated the actors, shouldered the audience aside into darkness, made them the unreal observers.

The guests, seated at the table, murmured among themselves. Clare's neighbour, mouthing nonsense, was not Jennie Sanders, who lived in Eynsham and was good at Art, but a stranger, with lined and painted face. Other faces swam in the glare of the lights, haloed and somehow duplicated by an effect of spotlighting. Voices boomed. Banquo's ghost arrived, sat at the table, and was studiously ignored by the other guests. 'Rhubarb, rhubarb,' said the stranger who was Jennie Sanders.

Clare said conversationally, 'Good heavens! there is Banquo's ghost.' The neutral murmurs around turned to murmurs of reproof. Someone said, whispered, 'Shut up, you idiot, we're not supposed to be able to see her – him.' Above them, Macbeth and Lady Macbeth argued out the same point.

'It would be much more interesting if we did,' said Clare. 'Then there'd really be something to talk about.' Beyond her, in the wings, she could see Mrs Cramp making curious gestures, soothing the air with her hands like a conductor

113

restraining an over-active orchestra. She mouthed something: 'Don't talk so loud,' it looked like. Jennie Sanders,
under her paint, was registering alarm. 'Or perhaps they did,'
said Clare thoughtfully. 'Perhaps that's the whole point. They
all saw it, Lady Macbeth specially, but they pretended not to
so Macbeth would get in a proper old state.' Around her, the
guests were gabbling feverishly. Macbeth raved at the ghost
and the ghost got up and left the stage while the guests
politely looked the other way. It loitered in the wings, stripping
off cheesecloth and becoming Liz again. A disastrous dinner
party drew to a close. The guests filed off the stage.

Behind the scenes, Clare was accused by some of frivolity
and others treachery. She hardly heard them: their painted
faces, saying things, floated around her. Mrs Cramp appeared
and said, 'You were a very convincing guest, I must say,
Clare. A bit overconvincing, maybe, but never mind,' and
then, 'Are you feeling all right?'

Clare said, 'Can I go home? Would it matter if I didn't come
on in the last scene?'

'Of course you can go, if you're not feeling well.'

'I'm all right.'

It was snowing hard. She could hardly see where she went,
standing up on the pedals of the bike and pushing forward
into the whirling darkness. When she got to Norham Gardens
she threw the bike down on the gravel anyhow and left it,
wheels still spinning, running up the steps and into the house.
She went straight upstairs to the attic, bumping into Maureen
who was coming out of the bathroom with a towel wound
turban-wise round her head. The kwoi, or tamburan, or
shield was where it should be, propped up staring out of the
window, and the window was shut, and outside the window
it was snowing and through the snow there was a noise, men
shouting, far away, and it seemed odd no one else could hear
it, only her. She picked up the shield and went downstairs
again, past Maureen, who seemed to be saying something,
and into the kitchen. She opened the back door and put the

shield outside, and then she closed the door, and locked it, and switched out the kitchen lights, and went upstairs to bed.

In bed, hours later, or maybe minutes, she heard footsteps on the stairs, down, and up, and down again. Maureen and John talking. Then someone knocking at the door.

'Come in.'

Maureen had a tray in her hand, with a jug that steamed, and a cup and saucer.

'I've done you a hot drink. Ovaltine.'

'Thanks very much.'

'A lady rang from the school. One of the teachers. She was a bit worried. She said she thought you weren't feeling well. And John missed you somehow. He came home on his own.'

'I'm afraid I forgot about him,' said Clare. 'Please could you tell him I'm sorry.'

Maureen sat down on the end of the bed. 'Yes. He was worried too. He's a nice boy, I'll say that.' She looked at Clare. 'Do you think you're running a temperature?'

'No. It isn't anything like that.'

'Nerves,' said Maureen. 'You get nerves, at your age. My mum says I used to carry on like nobody's business. I don't remember, personally.'

Clare drank. She said, 'I'm a nuisance, aren't I?'

'You can get that idea out of your head for a start,' said Maureen. She fussed round the room for a moment, straightening the curtains, tucking in an end of blanket.

'Think you'll be all right now?'

'Yes. Thank you, Maureen.'

'The teacher said she thought you ought to stop in tomorrow. Not bother with school. Have a bit of a rest.'

'Oh, did she?'

She must have slept very late, because when she woke both Maureen and John had left the house and there was a bright,

115

hard light through the curtains. It would have been too late for school anyway. Presently there were sounds of the aunts getting up, and then the front door banging as Mrs Hedges arrived. After a few minutes she came upstairs, with a piece of paper in her hand.

'Your Maureen left me a note. Thoughtful, that was. You've not been well, she says.'

'It wasn't anything. I just felt a bit odd at the school play and decided not to stay to the end.'

Mrs Hedges drew the curtains. Then she studied Clare. Lying in bed, just woken up, unbrushed and unwashed, it is not possible to create an impression of great health or vigour. 'You look off-colour,' said Mrs Hedges. 'I've seen this coming. A good check-up, that's what you need. I'm ringing the doctor. You can pop along to the surgery this morning.'

'No,' said Clare feebly.

'Yes,' said Mrs Hedges.

'What is it of me that needs checking?'

'Blood pressure and that, I should think.'

'Oh,' said Clare. 'I see.'

'You get yourself dressed, and I'll do you some breakfast. And put something warm on, it's freezing out. By the way, one thing I can't understand – that wood thing from the attic, I found it outside the back door.'

'I put it there,' said Clare.

'Threw it away?'

'Not exactly.'

'Well, I've put it back upstairs. You can't go throwing out things without asking the old ladies. You never know with things, in this house – it might be valuable.'

The doctor, behind his desk, studied a brown card, that, Clare could see, said she had been born on September 11th 1959, had been vaccinated and injected against this and that, had sprained an ankle, had a boil on her leg, two styes, measles, and chicken pox.

116

'What's the problem?' he said. 'There's a message that you've been a bit off-colour.'

Clare thought. Finally she said, 'I don't sleep very well at night.'

'Ah,' said the doctor. 'Headaches?'

'No headaches.'

'Bowels all right?'

'Fine.'

'Waterworks?'

'Fine too.'

'Everything all right at school?'

'Everything's all right at school.'

'No problems, then?'

'Not really.'

'But you've been feeling off-colour.'

Your doctor is a busy man. Do not waste your doctor's time.

'Sometimes I think I hear things,' said Clare. 'When other people don't.'

The doctor came out from behind his desk. Something cold and shiny was produced through which he peered into Clare's ears, first one, then the other. Clare held back her head, helpfully. 'No infection there,' said the doctor.

He put the steel thing away. 'Anything else?'

'Sometimes things look funny. Striped, when they're not.'

A torch was whipped from the doctor's pocket. 'Head back, please. Ever had an eye test?'

'Last year.'

The torch shone dazzling in the corner of Clare's eye. Beyond it she could see the doctor's face in intimate close-up, every line enlarged, blown-up, one eye squinting at her, gazing down into her eye. And what was he seeing? Her soul, perhaps. A little, soft, wriggling thing deep in the middle of her.

'All in order there,' said the doctor, putting the torch away.

'Oh,' said Clare. 'Good.'

The doctor returned to his desk. He read the brown card through again, while Clare observed that he wore a tie with small cars on it. Old cars with no tops. So the doctor was interested in vintage cars. Now I know more about him than he knows about me. Fifteen love to me.

'Hmm,' said the doctor. 'Yes. Well now – er, Clare – I can't find anything much wrong with you. I think this not sleeping thing will pass off, you know. I expect you've been getting a bit bothered about exams or something, eh? I don't like giving sleeping pills to people of your age. Have a hot drink before you go to bed, and try to relax, see. Read a book – you know, something light, that kind of thing. Unwind.'

'Yes,' said Clare. 'I see. Thank you very much.'

'Splendid,' said the doctor. He tapped the bell on his desk. They smiled over each other's shoulders.

'Goodbye,' said Clare.

'Goodbye,' said the doctor.

'Well?' said Mrs Hedges.

'I'm all in order. Splendid, I am.'

Mrs Hedges whipped a pile of dust into the dustpan and stood up. 'He gave you a proper going-over, did he?' she said suspiciously.

'Ears, eyes, everything. Mrs Hedges . . .'

'Yes?'

'Don't tell the aunts I went to the doctor.'

'You don't want them getting bothered?'

'Mmn.'

'You're a good girl,' said Mrs Hedges, 'one way and another. Feeling all right in yourself now, are you?'

'Perfectly. I don't think I'll go to school, though.'

'That's right,' said Mrs Hedges. 'You take it easy. They put too much on you these days, if you ask me, at your age.'

She walked down into the town. The pavements were crunchy with ice, the sky high and white all over, the trees

118

skeletal, mere outlines of themselves. It was as though nature and growth – the world of blue skies and unfurling leaves – had retreated for ever, leaving things to brick, stone and concrete. She wandered through the streets, her cold hands stuck in her pockets, and stared into shop windows. In one, plaster dummies leaped and postured and an artificial sun beamed upon artificial daisies: Get the Young Look for Spring, ordered a banner, draped between the sun and the daisies. In another, strings of paper snowflakes danced above the heads of a smiling, symmetrical family – father, mother, boy and girl – 'Beat the Freeze' said the father, 'Go electric!' Advice and instruction battered her from windows and hoardings. Compare our Prices: Go Electric: Shop at the Co-op. A bus stood throbbing at the traffic lights: orange letters at its rear urged her to Hop on a Bus.

Unwind. Take a day off. Hop on a bus.

The bus station was Siberia, swept by freezing winds funnelled from the north. Cigarette cartons spun in the gutters: newspapers flapped like desolate birds. But the destinations on the buses held out a promise of other things – of some distant, indestructible rural summer. Birds, grass, flowers. Chipping Norton, Burford, Stow-on-the-Wold. Clare selected Burford, because she remembered hearing the aunts speak of it, and climbed on to a bus occupied by women with shopping baskets, and a few small children. Presently a driver came, the bus quivered into life, moved out of Oxford along grey streets.

It snows more heavily outside cities. Beyond the houses the fields were ranged one beyond another in pure, receding squares of white. Snow was piled against the dark hedges, too, untrodden and unfouled. From the top of the bus Clare looked down upon small grey villages huddled around church spires. Landscape curved around her in a huge circle, hillsides delicately crested with trees, rivers looping between the blunt winter shapes of willows, white fields furrowed with brown where snow had melted on the plough. The horizons seemed

119

huge, reaching away into unseen white distances, as though England were some great continent, the bus and its passengers moving ant-like through it. And then the scale would be reversed as they came into a village and the bus towered above cottages and Clare, through a shield of steamy glass, looked down into windows that presented the blank wooden backs of dressing-tables. They followed the rim of a shallow valley where a river wound through flat fields, shining, and small golden stone buildings shouldered out from hedges and hillsides. They swung round a corner, the bunchy women gathered themselves and stood rocking as the bus came to a stop. Everyone got off.

The shops in Burford gave neither instruction nor advice. They had discreet and neutral windows beyond which lurked single, old, expensive pieces of furniture. Although people walked the pavements, there was a feeling of desertion as though this were a place from which, a long time ago, everyone had gone. The rows of parked cars glittered strangely in the wide street that seemed to descend straight into a bowl of fields and hills, neatly punctuated by the church spire at the bottom. Every building was old, many were beautiful: they seemed to be there together in sad abandonment like textbook illustrations of the past. Clare bought a bun from a warm stuffy shop that consoled with its notices about Typhoo Tea and Green Shield stamps. She walked down towards the church, eating.

The names began in the churchyard, cut deep into tombstones and elaborately carven memorials behind rusting iron railings. She wandered among them, reading of Eliza Matthews, of This Parish, Dearly Loved, who Departed this Life on July 7th, 1786, of Thomas James Hammond, Husband and Father, and Jane Parsloe, Infant Daughter. She went into the church and names clustered on every wall, a precise, enduring, stone record of the people who had lived in this place. Here were insistent memories, the determination of people that they should not be forgotten, and the determination of others not to forget, the whole matter carefully reduced to the scoring of elaborate script upon stone, marble, lead and brass.

Clare, her hands in the pockets of her school coat, her face stinging from the cold, moved slowly round the church, staring at one inscription after another, giving her attention to the whole chronicle of wood merchants, burghers and benefactors of the poor, of husbands and fathers, wives, mothers and children. She felt an obligation to listen. It would be nice, she thought, to be a person living in this place and sit every Sunday beside these names, especially if maybe they were the same as your own name, or people you knew. You would feel settled, if you were a person who did that. She stood in front of a marble slab shaped like a shield that told her of Susan Mary Partredge, A Loving and Dutiful Daughter, Devoted Mother and Beloved Wife, and thought it curious that two different lots of people so very far removed from each other should wish to preserve their feelings about what had gone before in such a similar way. Only here they put it into words, not shapes and patterns and colours.

She went out into the churchyard, through the silence and into the street again. She stood by herself at the bus stop, and waited to go home.

Chapter 9

In other parts of the island, the motor-car has arrived, and the tractor. Houses are built, and roads constructed. A war is fought, with aeroplanes and guns. There are new things on the island now: money and Coca-Cola, and Lucky Strike cigarettes, and paraffin and rifles and penicillin. The tribe know nothing of this. Sometimes they see and hear things that are strange, but they have always known the world to be an uneasy and unpredictable place, so they placate the spirits and plant their yams at the proper time.

'I'm sorry about last night,' said Clare. 'Leaving you at the school like that.'

John was in his room – great-grandmother's writing-room – sitting at the desk. Books were ranged around him in untidy heaps. 'Don't worry,' he said. 'Are you feeling better now?'

'Yes, thank you. What did you think of the play?'

'It was interesting,' said John politely. 'I liked the ghost.'

'She's my best friend. Liz.'

'Please give her my congratulations.'

Clare sat on the bed. There was a photograph of John's parents, framed, on the bedside table, and another of a whole row of brothers and sisters, diminishing in size from a tall schoolboy in shorts with long legs and bony knees to a plump and broadly smiling baby. She said, 'Do you miss them?'

'Yes. Very much.'

'Your clock's wrong.'

'No. It is set the same as Kampala time.'

'So that it doesn't feel so far away?'

122

'That's right,' said John. 'What have you been doing today? I hear you had a day off from school.'

'First I went to see the doctor and he looked inside me and said I was all in order. And then I took a bus into the country and read the names on the walls of a church.'

'I visited Westminster Abbey last year. There are a great many names there. Famous names.'

'These weren't famous,' said Clare. 'Just names. I'd better go and get the supper with Aunt Susan.'

'So ...' said Aunt Susan. 'How did the play go? I quite forgot to ask.'

'All right. They were rather cross with me. I started talking in the banquet scene.'

'Surely you were supposed to? As a guest.'

'I said I could see Banquo's ghost. You aren't supposed to do that.'

Aunt Susan let her glasses slide to the end of her nose and looked over the top of them: a sharp, querying look. 'Why?'

'I don't know really. I was feeling a bit peculiar. I expect it's the weather.'

'Nonsense. Only the very weak in spirit allow themselves to be directed by weather. Is there something on your mind?'

'No.'

'Perhaps you need a change. Why don't you do something interesting at the weekend? Go somewhere with a friend.'

'Liz has got her grandmother coming to stay.'

'Someone else, then. Go to London for the day.'

'London?' Trains, traffic, shops, Piccadilly Circus, Buckingham Palace, all that ...

'Why not? See if your friend John would like to escort you. Show him the sights.'

During the day, working mechanically through the things that had to be done – go to school, go here, go there, do maths, Latin, history, eat, run about – the idea bloomed a little in her mind and became attractive. An outing. An occasion. She hoped John would like the idea, not have engagements, or, even, not wish to do something with her. She wrote in her otherwise empty diary (a Christmas present from Norfolk, labelled 'From the children, with love', in cousin Margaret's writing) – 'To London', and underlined it neatly. The day rolled on, and away: she felt lethargic, glad to have the dictation of the school day around her which removed any obligation to make decisions, think what to do next. It was a relief to obey bells, and the clock. Nobody mentioned her misdemeanour at the play: like the play itself, it had vanished into the past and no longer mattered particularly. Mrs Cramp asked if she was feeling better, and hoped she had rested at home yesterday. Yes, said Clare, I rested at home yesterday, and I am quite all right now.

Once, the chronology of the day failed altogether. Sitting at her desk, waiting for whatever came next, she could not remember whereabouts they might be. She said to Liz, 'Is it morning or afternoon?'

'Morning, silly. Half past eleven.'

She had, for a moment, felt suspended in time. Untethered. Everything had been as usual – the formroom, the blackboard, the games pitch framed in the window – but she herself had seemed to be unrelated to everything else. To know that it was half past eleven was to lurch, with relief, into place again.

'Have you ever done that? Not known what time of day it was?'

Liz considered. 'Not lately. I used to when I was small. I remember rushing to my mother to find out if it was before lunch or after.'

'Why do you think it matters so much?'

'I don't know. It's just unsettling, somehow. You don't know where you are.'

With some diffidence – was she being impertinent, perhaps? – she put the suggestion about London to John that evening. To her relief, he thought it was a good idea.

'Where shall we go?'

'I don't know,' said Clare. 'What have you seen in London?'

'The Houses of Parliament. Oxford Street. Paddington Station. Big Ben. Trafalgar Square. The Ugandan High Commissioner's office.'

'And Westminster Abbey.'

'Yes. Westminster Abbey.'

'We could go to the Zoo,' said Clare. 'If it's cold they have nice stuffy places there. The Lion House, and that kind of thing.'

'Are you trying to make me feel at home?' said John gravely. They both laughed.

It did not snow again that week, but it became no warmer. The old snow lay around in dirty heaps, tinged grey or brown. In the garden it had flattened into a skin of ice over the grass, and the grass pricked through it here and there, looking artificial. Clare, listening to weather forecasts with an interest beyond the immediate present, heard that milder weather was expected over the weekend, and was pleased. They would not have to spend all their time in the Lion House.

There were white skies on Saturday, but no wind, and no snow. They had an early breakfast, supervised by Maureen, who was faintly disapproving. Clare, filled suddenly with compunction, thought perhaps she should have been asked to come as well, and asked if she would like to. But Maureen was going to help her friend look at material for wedding-dresses. Only the under-occupied, she implied, could be involved in such frivolities as day trips to London.

The station was bleak, an unpromising starting-point. Bleak with newness, rather than the expected squalor of stations. Tickets were bought from a man so quarantined behind glass that even money and tickets were swivelled on a metal plate rather than passed from hand to hand. It would be dreadful, Clare thought, to start some huge, important journey from here. Travel could never seem momentous under such circumstances – it reduced everything to the stature of a day-trip. As they stood waiting she thought of trains in old films, oozing steam, lumbering slowly away, so that the heroine's face could vanish gradually, irrevocably, into white clouds. You couldn't have a tragic farewell with brisk, matter-of-fact trains of today, whisking commuters and day-trippers through tidy landscapes. She thought of John, leaving home for three years.

'How did you come here?'

'By 'plane.'

Undramatic, too, surely? 'Did all your family come to see you off?'

'Thirty-seven people.'

'Heavens! Was there a lot of crying?'

'Naturally,' said John, with pride.

The Thames valley unrolled on each side of them, trim with whitened fields and black hedges. The back gardens of houses ran down to the railway, offering the traveller a view, that seemed intrusive, of other people's domesticity – washing on lines, children's toys, plaster gnomes, greenhouses. The houses became closer together, the gardens diminished, and were no longer there. The train arrived at Paddington.

'I think,' said John, as though he had given the matter much serious consideration, 'you should show me something very old. Something to do with English History.'

Clare thought, and suggested the Tower. They studied the map of the underground, argued about routes, and found that Clare was more efficient in this area than John. This, for some reason, entertained John vastly. They travelled to the Tower laughing, so that people stared at them, and looked away in embarrassment.

They walked by the river, in a grey pearly light, with a cold wind coming at them from the water, channelled up from Southend, Foulness, the open sea. The city blinked and snapped around them, light answering light, window to window, car to car. The flat slabs of new office blocks, factories, flats, rose among spires and domes. Clare tried to remember fragments of text-book history for John – the Romans, Wat Tyler, the Great Fire – confused herself and him and started them off laughing again. They leaned over a wall and watched the river run brown below them, lining its shore with a scum of oil and rubbish. John found the Tower smaller than he had expected. Inside, he bought a guide book and insisted on establishing their precise whereabouts at every step.

'Wait. We have to go next to the Bloody Tower, or I shall lose my way on the map.'

Clare, preferring to wander undirected, found herself alone from time to time, and would come upon him as though upon a stranger, a long, gawky figure in a leather jacket, studying suits of armour with the intensity of someone who might be required to answer questions on the subject.

They finished the Tower, and emerged at the other end. 'Now where?' said John. 'The lions?'

They made their way to the Zoo deviously, with many changes of route, swaying on the tops of buses, plunging into the hot gale of the Underground, walking. They ate hamburgers in a warm steamy café, and talked. About John's brothers and sisters, about the moon, currently being re-visited by the Americans, about the aunts, about hamburgers, and whether they are best fat or thin, with or without onion. Fed, and warmed, they found themselves another bus, and travelled to the Zoo, to what seemed an elegant fringe of the City, green with grass and trees, the houses huge, trim and withdrawn.

The Zoo, at first, appeared to have been abandoned, by animals, at any rate. People drifted across wastes of grey tarmac, staring hopefully into empty cages, or at inert heaps of fur or feathers bundled away under straw. Pigeons and sparrows gobbled the offerings of small children. From time to time jungly shrieks rang out across the flowerbeds and wire-netting.

'Do *all* animals hibernate over here?' said John.

The monkey house, warm and stinking, was more active. They moved slowly past the cages, reading names and countries of origin. The monkeys swarmed, screamed, stared with sharp, unfathomable eyes. A group of middle-aged women stood in front of the orang-utans and shrieked with laughter. They became almost hysterical, tears rolling down their cheeks. The orang, hunched against the bars, looked immeasurably ancient, a pile of wrinkles from which glittered black, watching eyes.

Clare said, 'Why do animals make people laugh?'

'Perhaps they aren't really laughing. In Uganda people sometimes laugh at road accidents.'

'Do wild animals look different?'

'Smaller,' said John.

They left the monkeys and went to look down into a concrete pit. A brown bear, like a shambling mat edged with claws, wandered up and down, sniffing at empty crisp packets and iced lolly sticks. Clare said suddenly, 'I've seen that before.'

'That bear, particularly?'

'One like it, anyway. Seeing it made me remember – I must have been here with my parents, when I was very young. I can remember not being high enough to see over the railings, and someone lifting me.'

'Was that long before they died?'

The bear sat down on its haunches, licking its paws. 'You're one of the first people I've heard say that. Just like that. Usually they said, "When your mum and dad – er, . . ."'

'I thought you didn't like pretences.'

'I don't. But people mostly do, and I don't know how you stop them. You end up pretending yourself.'

'Do you remember them well?' said John.

'Oh, yes. My mother was rather like Aunt Susan, only much younger, of course. She had the same kind of pointed nose. She used to wear a pink dress I liked very much. My father was very tall – or perhaps it was just me being small

128

then, but I remember always turning upwards to look at him. It's funny, but the part of him I remember best is his trousers. Hairy ones, or grey flannel.'

'Did you go straight away to live with your aunts?'

'No. I was six and I lived for about three years with my mother's sister – Aunt Mary – because she had children too. But then they went away to America and the aunts had been asking for me to come to Norham Gardens for a long time, and I wanted to, so I did. I always liked the aunts best, really.'

The bear, its toilet completed, reared suddenly on to its hind legs, turning its snout up to them.

'You feel you ought to give it something,' said Clare.

'He looks extremely well fed to me. Can we find somewhere warm? This is a very cold place.'

The Reptile House was pleasantly warm – quiet, too, and unsmelly. The snakes, in glass tanks set in the wall and lit from within so that they shone in the darkness, individual glowing cases, slithered in their own silent world, tongues flickering like dry flame, or hung in coils around sculptural branches.

'We have those at home,' said John, pointing. A bright, patterned snake lay against the glass, basking in the sun of a sixty-watt bulb.

They moved to the next tank. 'Chameleon,' Clare read, 'Northern Africa and the Middle East.' The chameleon was at the top of a small dead tree, motionless, holding up a limb that ended in a two-fingered foot, like some heraldic creature frozen in mid-movement. With infinite slowness it placed the foot upon a twig, inched forward, hauled up another leg. It seemed, behind its glass, to be living at a different rate, another dimension of time, its hands and feet clenching and unclenching with slow deliberation, its eye swivelling to observe the twig, the floor, the watchers. Did people, to it, seem like the background of a speeded-up film, dashing hither and thither in a frenetic state of near collision? Clare, leaning forward to examine it more closely, saw that its eyes, in fact, swivelled independently so that it stared at the same moment up and down, in front and behind. Its world must be a globe, a bubble of light and colour where nothing was concealed, where there were no beginnings and no ends, no before and no after. It seemed, like the orang, to be of great antiquity, crouched there on its twig with tilted profile and tail curled in a delicate spiral; antique, bloodless, and quite remote.

'You seem very fond of this creature,' said John.

'Not really. It's just the odd way it can see in all directions at once.'

'Must be interesting.'

'No,' said Clare. 'Awful. Let's go.'

The elephants, by comparison, were endearing. They were inside, well away from the cold in a building that displayed them like actors in a lavish production. They swayed and shuffled against backgrounds as cunningly lit and structured as a stage-set. Even so, it was possible to establish some kind of relationship with them: their trunks groped towards the audience as though seeking not food but reassurance of some kind. Here, people gazed more than they laughed.

'I like elephants,' said Clare.

'Most people do.'

'They look a million years old, too.'

'No,' said John, reading a label. '"Samantha, female African elephant, born at London Zoo 20.1.61".'

'So she's never even been to Africa.'

'No. She's an immigrant, born here.'

'Goodbye, Samantha,' said Clare. 'We've got to catch our train.'

It was twilight when they got to Paddington, and night when they reached Oxford again, black winter night spiked with the flat light from street lamps, shop windows and cars. The train had rushed them through a darkness so dense that, pressed up against the window with no prick of light to define distance, it might have ended a yard or two away, or reached

130

back beyond the train for ever. Travelling in space must be like that, Clare had said to John, and this had led on to other things. How people could ever have thought the world was flat. How they could ever have arrived at the idea of infinity. ('It's frightening,' said Clare, 'it's the most frightening thing in the world. Beyond the world, I mean. There, that's why.') What they thought the sky was.

'It would be much more obvious,' said Clare, 'to think of it as solid. A kind of upside-down bowl. And the sun moving. Like the Greeks thinking it drove across the sky in a chariot.'

'There are tribes in South America who believe you can catch the sun in a net. Or that you must re-light it with burning arrows after an eclipse.'

'Like whistling for a wind.'

'Primitive tribes,' said John, 'can't bear the idea that things are uncontrollable. Fate and time and disaster. Magic has to counteract magic.'

'But it doesn't. You can't ever stop things happening if they're going to.'

'Ah,' said John, '*you* know that. People have been telling you about history for years.'

'Does being told about history help?'

'Knowing about time does. Being able to remember.'

Back at Norham Gardens, they drank hot soup in the kitchen, and thanked each other for the day. It had, Clare thought, been one of the best days for ages, but now that it was over she felt tired, and a silence had grown up between them. John read the newspaper, frowning at something, withdrawn into a world of other, adult, preoccupations. Clare thought of homework she had not done. Presently they said goodnight and parted.

Clare went to see the aunts in the library.

'Well – there you are! Did you have a good journey?' said Aunt Susan. 'On these nice clean new trains?'

'Didn't you like steam trains?' said Clare, with an obscure sense of disappointment.

131

'Not particularly. Smuts got in your eyes, and dirt permeated everything. One's clothes were filthy by the end of a journey. I hear Oxford station is much improved, too.'

'They keep the people who sell tickets behind glass, like snakes in the Reptile House.'

'Indeed?' said Aunt Susan. 'I should rather like to see that. And did you enjoy yourselves?'

'Yes, thank you. It was a lovely day.'

In bed, she turned the light off and left the curtains open. She had always liked to watch the light from passing cars roam across the walls and ceiling. There was a vague satisfaction in listening for the hustle of tyres on the road, the swelling whisper of sound, and predicting the exact moment at which the yellow beam would slide through the window, creep up and across, and vanish again. She lay, half asleep, and saw it happen, once, twice. The third time it was not the headlights of a car at all, but sunshine. The sunshine gradually filled the room and she knew that somehow the winter must have passed, without her realizing it, and spring have come, or even summer. She got up and dressed, putting on some clothes that were lying across the end of the bed. They must, she thought, have belonged to one of the aunts, because as soon as she had them on, and examined herself in the mirror, she realized that she looked very like the photograph in the drawing-room, where they stood together on a lawn. There was a blouse with a high tight neck and elaborate sleeves ending in neat buttoning at the wrist, a full, heavy skirt, clamped firmly at the waist with a heavy belt, and rather uncomfortable shoes. Standing in front of the mirror, she knew that she must put up her hair, and did so, finding to her surprise that it was quite easy, with thick, long hairpins that were lying about on her dressing-table. This done, she went to the window. The street was very quiet and empty except for a cat sprawled in the shadow of the wall opposite. She could hear some children playing in a garden, and from the Parks, the wooden click of a bat hitting a ball. This made her want to be out of doors, in the sunshine, and she went quickly downstairs. The house had a feeling of activity. She saw no one, but there was an impression that behind the closed doors there were people doing things. Going out of the front drive, she looked back and saw a window opened, and a feather duster vigorously shaken. There were clatterings in the kitchen.

She walked along Norham Gardens and round the corner to the Parks. The new buildings in Parks Road had all gone, and in their place were houses like her own. One, indeed, was still being built. Workmen in cloth caps were bricklaying and trundling wheelbarrows along wooden ramps. Walking past them, she said, 'Good morning.' The one nearest her looked up and said, 'Morning, miss.' There were no cars. A milk-cart, drawn by a brown pony, came past Keble and went round the corner into Museum Road, clinking and spraying a cloud of dust from the untarmacked road. Indeed, everything was very dusty – the leaves on the young trees and the newly planted hedges that edged the gardens. The place had a feeling of incompletion, as though it were waiting for things to happen to it, which was strengthened by the noise the workmen were making, and the scaffolding that stuck up beyond the trees in Banbury Road.

The Parks, on the other hand, were drowsy with heat and summer. The long grass brushed her skirt and she would have liked to take off the heavy shoes but for an obscure feeling that to do so would draw attention to herself. There were quite a lot of people about – women wearing clothes like her own, and men in blazers and flannel trousers. Two of these, passing her, smiled briefly and raised their hats to her. Flat, straw hats. Clare, confused, looked away and walked on towards the river. The game of cricket that she had heard from the house was being played on the pitch at the centre of the Parks, watched by a small crowd of people sitting on deck-chairs, or lying about on the grass. As she passed, the

133

batsman hit a four and there was a flutter of applause. A man shouted, 'Well played!'

The river was dappled with sunlight. The willows poured down into it, the water snatched gently at the bank here and there, ducks cruised, upended, and surfaced again, tails twitching. There was a blue haze between the water and the trees, a misty light in which clouds of midges hung motionless, like smoke. A punt, poled by a tall man with drooping moustache, came downstream, carrying two young women who lay on cushions talking and laughing. On the far bank, brown cows grazed in the water-meadows, their tales swishing the meadowsweet and buttercups.

And beyond the cows there was a disturbance of some kind. There were people there, moving to and fro, half-seen behind a line of stunted trees. There were dark shadows at the edge of the green, at the edge of this tranquil world, and Clare, standing on the river bank and staring over the glassy surface of the water, knew that it was her they wanted. And as soon as she knew this, she was filled with a sense of great urgency. She must get to them before it was too late. Before they went, or before they were unable to tell her what was wrong. She looked round for some way to cross the river. The little arched bridge that she remembered was not there, but further along there was a raft-like object, a flat wooden platform with a punt pole laid across it. She jumped on to this, though it lurched disconcertingly, and managed to push it across the river.

As soon as she reached the other side she began to run through the water-meadow, stumbling through the tangles of flowers and long grass, towards the brown people, who were going away all the time, retreating behind the willows and alders. She opened her mouth to call them, but no sound would come. They were watching her and slipping away from tree to tree, bush to bush, and then stopping to crouch down and watch. Once, her foot caught under the edge of something in the grass, and she nearly fell – looking down she saw that the portrait of great-grandfather from the dining-room was lying there, the glass cracked, and wondered who could have been so careless as to leave it out here. She wanted to pick it up, but there was no time. Already the people were slipping away into the next field. And then, all of a sudden, it came to her that what they wanted was the thing from the attic. The shield. She stopped abruptly, angry with herself for having been so stupid. 'Wait!' she called, and this time her voice came out quite clearly, very loud in the quiet field. 'Wait! I'm going to get it. I'll bring it here to you.'

They stopped going away. She could see them, shadowy beyond a brown ridge of docks, and feel them watching her, and she turned and began to run back, across the field, and over the river again on the raft, and through the Parks. It seemed to take no time at all – she was running, breathless, and there was grass, and trees, and then suddenly she was opening the door at Norham Gardens, and going into the hall.

And the shield was lying in the middle of the hall. Smashed in pieces. Splintered, broken. And she began to cry.

Chapter 10

*The old men and women of the tribe tell stories to their
children and to their grandchildren; stories of spirits and
gods and of how the world began. One day, they tell
them, the ancestors will come to us, bringing gifts. The
tribe listen, and dig their gardens, and attend to the pigs.
In the next valley, there are bulldozers clearing the forest.
A road is being built, and a mining company is exploring
the soil for minerals. The tribe, who have never climbed
the mountain because there are bad spirits up there, see
and hear nothing.*

'What *are* you doing?' said Maureen. 'Rattling around in
that attic at this hour of the morning.' She stood outside the
lavatory door, yawning, her hair in curlers.

'Nothing. I just wanted to see something was all
right.'

'Have a good day yesterday?'

'Great.'

'Brocade, we got in the end. A courtelle mixture with a
raised motif. Eight yards. She's having the train coming right
down from the shoulder yoke.'

'Lovely,' said Clare.

And the portrait was in the dining-room, of course, not in
the long grass of the water-meadows on the other side of the
Cherwell. Clare, standing in front of it, saw for the first time
that the title of the book great-grandfather held open on his
knee was decipherable – *The Golden Bough: A Study in Magic
and Religion.* A tricky bit of painting, that must have been. It
was a very precise portrait, though, each whisker indicated,
as much attention devoted to buttonholes and lapels as to eye
and nose. Great-grandmother, on the other hand, had been

allowed a certain lack of definition – beyond her, the background disintegrated into swirls of colour, the lace that edged her dress was a drift of smoke.

'Clare!'

'Coming.'

Aunt Anne was feeling better. She had come down to breakfast, which was eaten in the breakfast-room, with the table pulled up close to the gas-fire. The fire made a loud hissing noise, like a stream, or trees in a wind, and the flames were blue, gushing around the columns of grey stuff that became an incandescent red. The toaster, which trapped slices of bread and burned them unless closely supervised, creaked and throbbed. The aunts looked out of the window and told each other it would snow again.

'You're very silent, child. Don't you like the prospect of more snow? It does improve the look of the place, one must admit.'

'No,' said Clare. The aunts looked at her with gentle surprise.

'I hate this winter. I feel as though time had stuck. Last night I dreamed it was summer.'

'One usually does,' said Aunt Anne. 'Odd. Or not so odd, really, I suppose. Like in dreams one is always young.'

'True,' said Aunt Susan. 'A curious piece of self-deception, when you come to think about it. But it is perfectly true, one does.'

Clare said, 'You mean you dream about the past? Yourself in the old days?'

'Not necessarily. The time can be now – one's body has been readjusted, that is all.' Aunt Susan took a piece of toast and put butter and marmalade on it with slow movements.

'I don't,' said Clare. 'I dream I'm older, often. I did last night.'

'And was that interesting?'

'I don't know, really.' She went over to the window and stared out. The aunts were right: it was snowing already. The

137

trees and houses were shuttered off: the air whirled and thickened as she watched.

The house was locked in its own silence all day. The aunts stayed in the library. Maureen had gone by train to visit her parents. John left after breakfast with some friends, small, bespectacled, courteous men, and was not seen again. Clare roamed up and down the stairs, going into rooms and coming out again, purposelessly. She stood in the drawing-room, staring at the hunched, unused chairs and sofas as though she had never seen them before. Once, Aunt Susan, climbing the stairs, found her standing in front of the grandfather clock.

'What is the matter, my dear? You look quite panic-stricken.'

'It's stopped.'

'So it has. We forgot to wind it.'

'You never have before.'

'Haven't I? Well, it's soon put right. There . . .'

And the snow fell. Indiscriminately, blotting out grass and pavements and road alike so that by evening the houses stood in a strange, undefined landscape neither town nor country. Cars were silenced and slowed, creeping past with diffidence, as though perhaps they had no business here. With darkness came a deep silence. Clare, lying in bed, awake in dark reaches of the night, strained for sounds and heard nothing. She could have been deaf, enclosed within her own mind and body. She had to get up and open the window to reassure herself. Somewhere, a car door banged and people shouted to one another. She went back to bed again.

The telephone rang while she was having breakfast alone. Far away, on a line that seemed to fight through gales or under seas, Mrs Hedges' distorted voice was saying that she wouldn't be coming this morning. Something about Headington Hill, and Linda going down with 'flu.

'What?'

The telephone crackled, clicked, and Mrs Hedges wasn't

there any more. Clare put the receiver down and went back into the kitchen. She washed her cup and plate, dried them, and put them away. She told the aunts about Mrs Hedges and took the bus to school, walking the last part among children who whooped in the snow and threw snowballs at each other. Their voices seemed unnaturally loud, as though trapped by the cold. She went past them, and into school.

Art. Up in the high, light, glassy Art Room, which, today, reflected the white glow from outside so that to look up from the paper was almost painful, Clare drew intently, hunched over the table. Somewhere outside her Mrs Elliot was talking, striding among the tables, her long, rather dirty skirt brushing from time to time against people's ankles. 'You want to get a sort of *textural* feel,' she was saying, 'if you see what I mean. A sort of depth. You must bring things together in a kind of focus, do you see?' Nobody spoke, or, apparently, listened: pencils scratched on paper, brushes clinked on the sides of jam-jars. Mrs Elliot waved her cigarette in emphasis of texture, or foci, and paused behind a chair. 'Quite nice, Susan. Good planes. I'd like to see a bit more colour contrast.' She moved on and leaned over Clare's shoulder.

'That's rather effective. Couldn't you develop the pattern a little more at the top?'

'No,' said Clare.

'But it's a bit unbalanced, my dear. Look ...' A hand swooped round Clare's back and came down on to the paper, making swift black lines with marker pencil. 'This is just a suggestion ... It's only a sketch so far, isn't it? You can start again.'

'Stop it!' said Clare violently, jerking the paper. The marker pen clattered to the floor. Mrs Elliot made a startled and indignant noise.

'It has to be like this. That's how it is. This is how they made it.'

Liz, leaning over the table, said, 'It's that thing from your attic, isn't it?'

139

'What thing?' said Mrs Elliot.

'Nothing,' said Clare sullenly. She reached for a clean sheet of paper and began again, filling in the outline. Mrs Elliot said, 'Well, there's no need to be rude,' and went away, smoking energetically. People's heads crouched an inch or two lower over the tables and the brushes clicked in the jars. Outside, the games field was a blinding, uninterrupted white.

Later, during a lesson, English or History or something, she stared out of the window again and was astonished at the tumultuous noise of rooks, circling above the chestnut trees beyond the tennis court. She could not remember ever having noticed them before. Now, they filled the sky, rising and falling, twisting, swirling away all together, returning ... And the noise they made, the persistent harsh crying, was louder than anything else. A sad, timeless noise, drowning everything. The teacher's voice could hardly be heard. Surely she would have to stop? But everyone else was listening to the lesson, leaning back in their chairs, or propped with elbows on the desk. Someone put a hand up: 'Please ...' Clare blinked, and tried to hear above the clamour of the birds.

At dinner-time, people went out into the snow. The games pitch and tennis courts were covered with flying black figures. Everything was black and white: white ground, white sky, black hedges and fences and dark, stripped trees. Sounds were distorted: unnaturally loud, girls' voices, the small aeroplane creeping just above the horizon, or hushed, like the cars that moved slowly up and down the whitened street. Liz talked of plans for a cycling tour in the spring holidays. Youth Hostels in the Cotswolds. Clare could find nothing to say. Spring? This year, next year, sometime, never.

'Don't you want to come?'

'I don't know,' said Clare dully.

Liz said, 'Well, suit yourself,' and walked away, offended.

Coming home, she could see no light in any of the front windows. The house presented a blank and empty face. She ran up the steps and in at the front door, calling, and came face to face with John at the foot of the stairs.

'What's wrong? What's the matter?'

'I thought there was no one here. No lights ...'

'Your aunts are upstairs, I think. Calm down – everything is as usual. How is the snow? More?'

Clare said, 'Yes, I think so – I'm not sure.' John looked at her, puzzled, and went away into the twilight with his head buried in a vast scarf.

She was walking down Norham Gardens but it had become much longer, and wider, more of an avenue than a street, like some continental city – Paris, maybe, or Vienna – and it wasn't level any more. but quite steeply sloping, so that she climbed as she walked. There were trees set in the pavements at either side, each one tidily circled by a low iron railing, neat trees with oblong leaves and smooth grey trunks. There was no traffic, and no people. No one in sight at all: she was entirely alone in this urban landscape. The houses reached up the hill ahead of her, and the problem was to find her own, because the numbers had disappeared, and they all looked exactly the same.

Or nearly the same – several times she stopped to stare uncertainly at a house which would then betray itself by an unfamiliar fire-escape, or glass conservatory tacked on to one side, or the wrong combination of gothic windows. She moved on, hurrying. Somewhere, the aunts were waiting for her. They would be worried: she was late already. The place was absolutely silent, and the houses seemed lifeless – no curtains at the windows, no lights. She crossed from one pavement to the other, searching. Examining each house, rejecting it, moving on. And at last she reached the right one, nearly at the top of the long hill. It was right, she knew, because of the blistered black paint on the front door and the brass knocker shaped like a dolphin that the aunts brought back from a holiday, a long time ago.

141

She ran up the steps, and saw suddenly that there was no glass in the windows. No glass, and weeds clawing up through cracks in the steps. She opened the front door, and there was nothing beyond but daylight and a huge expanse of rubble linking all these houses. They were façades, with nothing beyond – the shadow of houses, homes, sheltering nothing but broken bricks and dust.

All week, the snow lay, and fell again, and lay. The newspapers relegated politicians, crime and economy to inner pages and allowed the weather first place. Statistics were produced: more roads were blocked than ever before, more trains idle, it was the worst winter since 1963, and, before that, 1947.

'Nineteen forty-seven I shall not forget,' said Aunt Anne. 'We got the old pram down from the attic and wheeled it to the coal depot beyond the station.'

'So we did. And one ate the most unlikely food. Whalemeat, and powdered egg.'

'I wasn't born,' said Clare.

'No, indeed, you were a treat to come.'

'A Post War Credit,' said Aunt Susan. 'Butter, please.'

'A what?'

'I was being facetious. Post War Credits were a kind of postponed financial bonus to compensate people for the deprivations of the war. Shouldn't you be off to school?'

'I s'pose so.'

She had this reluctance, nowadays, to leave the house. Ordinarily, you went out in the morning and, one way and another, you didn't really think about it all the time you were somewhere else. The aunts, maybe, from time to time, in snatches: you knew they were there, and they'd be there in the evening when you got back, and that was all there was to it. Now, she had to drag herself away in the mornings, and during the day, looking out of a window, going up and down stairs, eating in the clatter of the dining-hall, her thoughts

142

would home on Norham Gardens, as though, unless she did so, it had no substance. She had to create it in her mind, the rooms, the things in the rooms. There was somebody the aunts had talked about once, a philosopher or something like that, who said things weren't there unless you could see them. Or, at least, how could you prove they were there . . . It was like that with Norham Gardens.

She took to telephoning during the day, for the reassurance of hearing the aunts' voices, or Mrs Hedges. She invented fragile reasons: was there any shopping they wanted done? She just wanted to say she might be a bit late back this afternoon. As soon as she put the receiver down the feeling of uncertainty would come back and she would stand looking at the telephone, wanting to pick it up again. Sitting at her desk, she drew diagrams of the house over and over again on pieces of blotting-paper, or in exercise books – front elevation, rear elevation, cross-sections with the front removed, like a dolls' house, plans of each room, like an architect's blueprint. She spent long minutes on the exact arrangement of pieces of furniture and pictures, angry and frustrated when she could not remember exactly how everything went. She could not pay attention to other things, and did not do her work properly. Exercise books came back to her with long comments in red ink – irritated or puzzled. She pushed them into her desk without reading them.

Once, telephoning at midday, she found herself speaking to Maureen, returned during her lunch-hour to cook herself baked beans in the kitchen. Confused, Clare asked if everything was all right. Maureen's voice, somehow at the same moment both down at the other end of North Oxford and here, in the voice-piece of the telephone, an inch or two from Clare's chin, said that of course everything was all right and what's up with you. 'Nothing,' said Clare. 'Nothing, really.' Later, that evening, or the next, Maureen remembered.

'What were you on about – telephoning to say was everything all right?'

Embarrassed, Clare said she got this feeling, sometimes.

'What feeling?'

'Just this feeling that if I'm somewhere else the house can't be there any more.'

'I know,' said Maureen, surprisingly.

'Do you? You mean you've felt like that?'

'When I was a kid. Younger than you, mind, much. I ran all the way home from school, once, to see if my mum was still there. I got this idea all of a sudden that she couldn't be, if I couldn't see her. Ever such a fuss there was – the teachers were in a proper state.'

'I thought it was just me,' said Clare.

'Nothing's ever just you. Take it from me. Nothing at all.'

The snow had been lying for days now, immobilized by frost. It was cleared from the roads and, here and there, from the pavements. Rigid grey heaps of it stood around at street corners and outside shops and front doors. Paths and un-cleared pavements were furrowed with a thick, glassy skin: only where the city widened out into parks and playing-fields and gardens did it lie white and clean. At Norham Gardens the back garden was dark with birds, small, huddled shapes scavenging around the privet among the clumps of dead stalks that pushed up from what had been flowerbeds. Clare threw bread out to them and stood at the open window, listening to the rush of their wings: the noise seemed unac-countably loud, like the calling of the rooks above the playing-fields. The city seemed to have contracted, to be cramped into a smaller space than usual. Purple clouds, heaped up around the horizon, were like distant mountains encircling it.

Maureen had a 'phone call from Weybridge, to say that her father was ill. She took a couple of days off and went home to see him.

Mrs Hedges caught 'flu from Linda. There was another telephone message to say she would not be in for a day or two. At school, Clare kept thinking of her. She rang the aunts to say she would go up to Headington on the bus, from school.

'That's a nice idea. You could take some flowers.'

'Yes ...'

The flower shop in Summertown was showy with cinerarias, hyacinths, daffodils, chrysanthemums, all seasonally displaced and somehow inappropriate. Clare, staring at the banks of pots and trying to remember Mrs Hedges' favourite colour, and whether she preferred tulips or narcissi, felt as though someone had been interfering with the natural order of things, here, persuading plants that it was spring when it was not. It seemed profoundly unwise, to tamper with time itself. Reluctantly, she bought a pot of daffodils, green buds edged with yellow, and went out into the cold to wait at the bus stop, sheltering the flowers against her coat.

She got off the bus at the top of Headington Hill and walked through gathering darkness, down side-streets, to where Mrs Hedges lived. This was an estate of semi-detached houses with neat gardens and low, clipped hedges separating them from the street and the pavement. Norham Gardens was a grander, larger, more ornate ancestor to this kind of place. The houses blossomed in the twilight, their uncurtained windows orange and sometimes blue where television sets flickered in front rooms. They seemed, with the evening, to have taken on a magnetic quality – everywhere, people were homing on them: children scurrying in the shelter of walls and hedges, women pushing prams or carrying shopping bags, cars sweeping quietly round corners. Clare threaded her way through turnings to right and left, surprised by how easily she could find her way, in the dark, to a place she had only been to before by daylight.

Mrs Hedges came to the door in a dressing-gown, and at once began to scold.

'You shouldn't have come. All this way, and in filthy weather like this. And don't you get near me or you'll be having it next.'

Clare proffered the daffodils.

'Thanks. I love daffs. We'll put them in the warm and they'll be right out in a day or two. Nice to see them so early. Come on in and have some tea. It's Linda's half-day so she's home.'

Mrs Hedges was better, it seemed. She was watching television from the sofa. Linda made tea in the kitchen and shouted instructions at her mother through the hatch about keeping warm and not lifting a finger. Clare fed the goldfish and the bird and sat on a rug that Mrs Hedges had made last winter and felt – for the first time in many days – relaxed and comfortable. Linda came in with a tray of tea and scones she had just taken from the oven, and told Clare she had grown since the summer.

'I haven't, I'm sure, my clothes from last year still fit.'

'Then you've thinned out,' said Linda. 'That's it. Lost your puppy-fat. Growing up, isn't she, Mum?' They looked benevolently at Clare. 'Dad should be home.'

'Late shift,' said Mrs Hedges. 'The old ladies all right, are they? I don't like the thought of them on their own all day. Still, I'll be back, end of the week. Linda, bring the wedding-dress down to show Clare.'

The dress, shrouded in tissue paper, was fetched and lay across the armchair like an object in a museum display. Dress, veil, shoes, sparkly arrangement for pinning veil to hair.

'What a commotion,' said Linda. 'All for one day. All that food and drink and a dress I won't ever wear again and I bet I'll be in such a state I'll never remember anything about it afterwards.'

''Course you will. It's something you look back on all your life. I remember every moment of mine.' Clare, following Mrs Hedges' glance, saw the framed photograph on the low table behind the sofa: Mr Hedges, young, in army uniform with three stripes on one sleeve and cap under the arm that was not threaded through that of the Linda/Mrs Hedges bride at

146

his side, in a stiff square-shouldered jacket and skirt. No white tulle or sparkly head-dress.

'War-time,' said Mrs Hedges. 'Forty-eight hour leave, cider cup in the Village Hall, and a utility costume from the Co-op that my mum gave me all her coupons for. And still I remember every minute.'

'You looked like Linda,' said Clare.

'Now then – who came first, may I ask? Linda looks like me, you mean.'

'Come off it,' said Linda. 'You're a stone heavier than I am.'

'That's middle age. Once upon a time I could have knocked spots off you, my girl. You ask your dad. Clare, if you don't eat that last scone no one else will.'

Linda drew the curtains. It was very warm, very companionable, with the smell of something meaty cooking in the kitchen and the budgerigar tapping at its reflection in a plastic mirror and Mrs Hedges talking on while she drank her tea. Clare sat listening and watching the ebb and flow of colours in the coke fire.

'. . . It seems a wretched time, when you think back, the war, and it was but we had our moments, all the same. Always waiting for something you seemed to be – weekend leaves, and letters, and a bit extra on the rations, or Christmas. And for when it would be all over, most of all. Always looking ahead, promising yourself things one day. They don't know they're born, nowadays, most of them. Shops crammed full of everything you could want, money to burn . . .'

'I've been saving since I was seventeen,' said Linda indignantly.

'Oh, you're all right – you've been properly brought up, haven't you. And none of that winking at Clare – I can see you. All the same, there was something about things then that you don't get now – I couldn't put my finger on it, quite. Something about the way people would put themselves out for each other.'

'Spirit of the Blitz,' said Linda, yawning. 'I've seen old war films, too.'

Mrs Hedges told Linda off for being cheeky about things she didn't understand and Linda teased her mother for being nostalgic and the budgerigar clicked and tapped and sprayed bird-seed on to the carpet. Mrs Hedges put her feet up on the sofa and talked about Saturday night dances at the Naafi and working in a munitions factory and being a landgirl and about D-day and VE night, and Clare listened and dozed and sat up with a start when the clock on the mantelpiece struck seven.

'Is it really as late as that? I've been gone hours – I should go back.'

'That was Mrs Enid Hedges' short course in Twentieth Century History,' said Linda. 'Six easy lessons.'

'Take no notice,' said Mrs Hedges. 'It's gone to her head, all this getting married. Thank you for coming over, dear – it's cheered me up. Tell the old ladies I'll see them on Friday, probably.'

'Yes. Thanks for the scones. Goodnight.'

'Goodnight. Take care how you go. Get the bus at the traffic lights.'

It was freezing hard. Clare, turning the corner into the main road, slipped on the icy pavement and nearly fell. The black roads glinted where car headlights raked down on them. Riding through the city on the bus was like being carried in a warm, steamy tank. You rubbed the window and the grey mist turned to water, running down the glass, and beyond were shops and people and lights, all slightly elongated, blurred into each other like images in trick mirrors at a fairground. It made you want to travel along like this for ever, passive, not bothering about anything, making no decisions. Clare sat, lethargic, thinking of nothing, and went past her stop. She had to walk back, down Banbury Road, getting cold again.

She opened the front door into darkness. So unexpected

was this that she jumped as though the black hall were something solid, a wall that you could knock yourself out against. Her first, confused thought, then, was that there was an electricity cut. She shouted, and no one answered. The house, now that she had shut the door, swallowed her, empty, apparently, and pitch dark. She felt, for an instant, quite panic-stricken, and then groped for the light switches, and the hall light came on, and the one on the landing above. She called again, 'Aunt Susan! Here I am – I'm back!' and threw the library door open, and it was dark in there, now, with the curtains not drawn and the fire not lit, never having been lit, the ashes quite cold. She stood there for a moment, and the most awful feeling came in her stomach, and her heart began to thump, and she went out again and ran past the hall table, knocking some letters off it and a sheet of white paper that fluttered to the floor and got under her foot and made her skid as she rushed up the stairs, calling. John's room was empty – it would be, of course, he was doing a late class, she remembered now – and Maureen was still away. And there was no one anywhere. Every room was empty. The bedrooms, the drawing-room, the dining-room, the study. Empty, quite empty. No one there at all.

She came down the stairs again talking in her head, or, quite possibly, out loud. 'They never go out. They haven't been out for weeks. They wouldn't go out when it's snowy like this.' She went into the kitchen and everything was tidy and put away – no cups or plates on the table or anything left about. The tap dripping. The clock ticking too loud.

'Aunt Susan! Aunt Anne!' Back into the hall. Standing there, crying, almost. Something's happened. There's been an accident. Things were unreeling in her mind – pictures, not words, flashed images that she didn't want to see. The aunts hurt, ill . . . She went back into the kitchen, to shut the pictures out, and then into the library, and back into the hall again. She picked the telephone up, held it for a moment, put it down again. Stood for a moment, again, with a cold, drained feeling going all through her and then ran out of the house, leaving the front door open, and down the steps and out of the drive and up the steps of Mrs Rider's house. The door was open and she went straight in – into the hall that was a twin to her own but entirely different, with plastic-tiled floor and racks of pigeon-holes for letters and a green baize notice-board. A girl student came out of one of the rooms and Clare said, 'Please – is Mrs Rider here?' and the girl went through to the kitchen and then came back and said, 'No, sorry,' and went upstairs.

Clare went back to the house. She ran up the steps and through the open door and up the stairs and into each room, again, praying in her head to open a door and find them sitting there and everything all right, a mistake, a bad dream ... But the house was empty; still. They weren't there, and this was happening, it was perfectly real.

She couldn't, she knew, be by herself like this any more. She had to find someone to help. Mrs Hedges. I need Mrs Hedges. But she hasn't got a telephone – I'll have to go up there. The bus takes too long. Bike. I'll go by bike. Mrs Hedges and Linda will help. They'll know what to do.

She rode too fast, standing up on the pedals, and the wheels kept swerving about in a funny way as though perhaps there was something wrong with the tyres and going round into Banbury Road she slid into the pavement and saved herself from falling with one foot. She went straight down Banbury Road and then when she got to the corner of Keble Road she remembered that it would be much quicker not to go through town, but round by South Parks Road, that way, to Longwall, so she swerved quickly to get round the corner.

And the bike floated away, somehow, sideways, and she went with it, not able to stop it, and there was an awful noise just behind, a car's brakes squealing, and she was lying on her back on the road, and the bike or something was on top of her. Everything was quite clear now, and calm, not all anxious and spinning like a few minutes ago. She was lying

150

on her back on the road, and a man was getting out of a car and there were some people running towards her and for some reason she just went on lying there. And another part of her seemed to be watching, as though this had happened to someone else, not her.

The people were looking down at her now and someone said, 'It's all right – don't move,' and a man put a coat over her and she thought she should say thank you but for some odd reason she wasn't able to. And she ought to get up, not just lie there on the road, but she couldn't do that either, because the part of her that was outside, watching, was the only part that could decide things. The person lying on the road could only hear cars going past and people's voices, and the sound their feet made moving around her on the road. A man said, 'The ambulance should be here in a moment,' and a woman's voice, very close, right over her said, 'I wonder who she is.'

The other Clare, the watcher, wanted to tell them, but somehow she was going further and further away now, up and up, above the road and trees, and after a while she wasn't in the same place at all. She was in some kind of space-ship, a bubble of plastic which turned over and over, floating aimlessly in a sky without a horizon. The bubble had no up and no down, no top and no bottom: it revolved aimlessly and sickeningly, tumbling in space, and she, the person inside it, scrabbled at the transparent walls and tumbled with it, now on her stomach, now on her back, sliding over the smooth surface that offered no hold of any kind, no handle or ledge or rope. She spun, and the bubble spun and the featureless sky spun around it, and she could not get out, and it would not stop.

Chapter 11

One day, visitors come again to the tribe. This time, they weigh them, and measure their height, and count their teeth, and peer into their eyes. They are asked their age (which they do not know) and their names, and the names of their husband and their wife and their father and mother. Their throats are examined, and their fingernails, and the soles of their feet. They are injected and vaccinated and dosed with medicines. The tribe have arrived in the twentieth century. They have no ritual for the celebration of such an event, because it has never happened before, so they remain silent.

Clare was lying on her back on a bed that someone was wheeling along. Her head hurt. She hurt all over. The bed stopped moving and a man was looking down at her. He smiled. 'Don't worry,' he said, 'soon have you all fixed up. You're just going off to sleep for a bit now.'

She did not feel sleepy, and was about to tell him so, and then, strangely, a kind of blackness began to come up from behind her eyes, and she fought against it, but it was huge, swallowing her, taking her away, and there was nothing she could do. She gave in, and went with it, into darkness.

She was in Burford church, walking among those high, light cliffs of stone. The names were scored deeply into the stone: In Memory of . . . , In Fond Remembrance . . . , Pray for the Soul of . . . She walked slowly, reading, because you must not leave this place until you have done so, though there was, she knew, something else, perhaps more important, that she had to do. The tamburan was under her arm, wrapped in an old tweed jacket that came also from the attic. It had been great-grandfather's and smelled comfortingly of tobacco, though there were moth-holes in it and the lining was almost in shreds. It was not an ideal covering as the arms kept unwrapping and she would have to stop to re-arrange it around the tamburan. It was remarkable how the colours had come up lately: it was quite brilliant now, dazzling, almost, as though it had been made yesterday. It reminded her of the paintings in a medieval church she had once seen restored to their original brilliance – blazing and, in some obscure way, quite inappropriate as though to do such a thing were to tamper not with the painting but with time itself. The tamburan was rather like that now: its brightness was quite disturbing which was one reason why she had to wrap it in the old jacket.

The church door was open and outside, as she had known, lay dense green jungle and, quite close, the abrupt slope of the mountainside, reaching up, blue and billowing with tree-tops, to a sky packed with white cloud. She was going to have to climb, this time, before she could reach the people, and it looked as though it would take some time, and probably be hard work. She hitched the tamburan up under her arm and looked for a way through the trees that began where the bamboo ended, small, scrubby trees first but becoming higher and taller and denser, she could see, further up the mountain.

There was a track, quite well worn, as though others had been this way, and she started up it, following its twists and curves as it avoided fallen trees, wet places, and the steepest gradients of the mountainside. Ahead of her, and invisible, there were sudden manic bird-noises, shrieks and screams: sound would explode far away up in the tree-tops, the flap of wings, leaves and branches moving. The path was quite wide and definite, and not yet very steep, and she fancied that she could see the prints of other feet in the dirt and leaf-mould. There was no one about, though, and neither did she expect there to be: this, she had always known, was a journey to be taken alone. There were flowers in the shadowy places at the

153

edge of the path – the kind of greenish and whitish flowers that grow in places without much light, larger and more emphatic versions of the spurges and anemones of English woods. Once or twice she stopped to look at them, and saw butterflies, too, like dappled, moving shadows. So far, the climb was not unpleasant.

But it was beginning to get steeper. Steeper and darker and wetter. There was a faint, clammy mist so that in places where the trunks of the trees thinned out and she could see a few yards into the forest the light was dim and blue. And the tree trunks themselves were furred over with green moss, so that they soared up on all sides of her as great emerald columns, reaching up and up to a vaulting of leaves from which moisture pattered down on to her head and on to the path. It was like walking, climbing, through some huge damp cathedral.

The path had got narrower, and seemed to have been less frequented here: several times she had to stop to push aside hanging curtains of a parasitic plant that slung itself round the trunks and branches of the trees, or to climb over a huge, decaying log that lay right across the path. There were no butterflies now: the insect life upon the path or on the branches level with her head was all of the creeping, crawling or writhing variety so that she preferred not to look too closely, and kept her arms pinned close to her sides and her head down. The flowers, where they occurred, were orchids. Greenhouse orchids in pale, luminous colours, hanging from branches and boles like serpents, waxen and gently swaying. She thought them unattractive and wondered why people went to such pains to grow them, in botanical gardens and hothouses.

There were no birds now. Nothing lived here, it seemed, except creeping things. Once, looking down, she saw something black and slug-like sticking to her leg, and brushed it away with the back of her hand, shuddering uncontrollably. The leeches of which great-grandfather had spoken ... She

154

tried to hurry, still shuddering, but the path was very steep now, rising almost sheer through the squelching leaf-mould, and she was out of breath, her heart racing and ears pounding. She kept slipping, too, on the wet track, coming down on to her knees and scrambling up again in a panic, with a horrid fear of what might rise up from the path with her. Leeches, nastiness ... There was so much water coming down from the trees now that it could more fairly be called rain than mist, and the air itself was so dense with moisture that she could hardly see two yards ahead of her. It was as though she climbed up the very course of a waterfall.

And it got colder and colder. She unwrapped the tamburan from great-grandfather's coat and put the coat on – it did not seem any longer important to suppress the brilliance of the colours and she had no fear that the water would spoil the wood. The coat, of course, was too big for her: the sleeves flapped to her finger-tips and the hem of it reached to her thighs, but it felt reassuring and she was able to get along faster for a while, though the going seemed to become harder and harder. And there was no way of telling how near or how far she might be from the summit. That was the worst of it. On an ordinary, unclothed mountain that at least would be clear, but in this twilit forest she might be nowhere near the top, or a few yards away, and be none the wiser. There was nothing for it but to struggle on.

On and up. She must have climbed very high now, she thought. Thousands of feet? Maybe the pounding in her ears had something to do with that, as well as the physical effort of the climb. Maybe she was so high above sea level that the oxygen was thin. With this thought came a little rush of panic – a feeling that she would never make it, might as well give up ... Several times she hesitated and half turned back, but each time something drove her on. You've got so far, she told herself, you've put up with leeches and got wet through and out of breath, you can't give up now. And they're waiting ... And then, quite suddenly, the blue curtain of mist ahead of her became opaque, with something lying beyond that was not trees nor mountainside but something altogether light and bright and different. Sunshine. There was a rainbow of colour all around her, and the incessant patter of the drops from the trees had stopped, and in a moment the trees themselves, and the ground, no longer went upwards in front of her but had levelled off and fell away steeply down.

Down into the valley. She was on a ridge, with the trees behind and in front the wide and placid valley, neatly chequered with their fields and dotted with the little squat thatched buttons of their huts, clustered about thin blue whiskers of smoke from their cooking-fires. The valley was a great green bowl, floored with the delicate patchwork patterning of their fields, safely cradled between the blue swell of the mountains all around – the mountains up which she had struggled for what, now, seemed hours. Up here, they were no longer so daunting: the mist had gone and there were only harmless puffs of white cloud lying along the skyline, and a clear turquoise sky. She began to go down into the valley, noticing as she did so that there was some curious brown scarring among the fields of the valley that she could not for the moment identify. Thick brown lines that, here and there, cut a swathe right through the patchwork of the fields.

The descent did not take long, through light scrub and, lower down, springy turf dotted about with big grey boulders. There were butterflies again, and birds singing, and the distant noise of dogs barking and once or twice men shouting. There was another noise, too, as she got lower and into the valley itself – a rhythmic throbbing that seemed somehow to have no place here. She tightened her grip on the tamburan and hurried. She was still wearing the coat and though it was warm down here – hot, even – she thought that it would be better to keep it on.

Down in the valley, she was soon in among bamboo and pandanus, head-high, hurrying along the kind of twisting,

156

much used path that now seemed familiar. She could still hear that throbbing noise, somewhere quite near now, and thought, disbelievingly, that it sounded like an engine of some kind. Leaving the bamboo and coming to a more open stretch, with fields and gardens, she found herself right on top of the brown scarring she had seen from above. It was as though a giant claw had reached down into the valley and scraped a wide track right across it. It was, she recognized with amazement, the basic construction of a road.

She crossed the dry, rutted channel – it had the broad herring-boning of tyre-marks on it, she now saw – and went into another bamboo plantation. She thought she must be very near the village now and began to run. She felt certain also that she had been far too long in coming. Far, far too long.

She came out of the bamboo and into the clearing where the village had been. But the huts had gone. In their place were neat ranks of small concrete bungalows, facing each other across a dusty road. One of them was a shop, with tattered advertisements for Coca Cola and washing powder and various brands of cigarettes plastered across its verandah, and another sprouted an arrangement of wires and poles that must have to do with radio transmission. There was a battered and dusty lorry standing at the far end of the bungalow, and a couple of bicycles leaning against the wall of the shop.

They were there, squatted down in the wedges of shadow at the foot of the bungalow walls, or leaning on window sills, or walking down the road. The men wore shirts and khaki shorts, and most of them had cigarette stubs in the corners of their mouths, or tucked behind an ear. The women had cotton dresses on. Only one or two of the very small children went naked. Nobody took any notice at all of Clare. She could walk up to them and their eyes would rove across her, and the jacket, and the tamburan, and rove away again, impassive. They all seemed apathetic, and as though they either had nothing to do or no inclination to do what should

157

be done. In front of the shop a group of the men were clustered around something, huddled over it in silence. Going up to them, and leaning over them, she saw that it was a transistor radio. They stared intently at it and one of them fiddled with the knobs. It howled and whistled and then an English voice came out, with an accent she could not place, reading a news bulletin.

It was moments before she could attract their attention, force them to look up from the radio which seemed to mesmerize them, as though if they did not look at it they would not be able to hear it. 'Look,' she kept saying, 'please look,' and she held the tamburan out, face towards them, with all its colours bright and sharp, and still they would not look, hunched there over the radio.

But in the end they did, turning towards her and looking first at her, without interest and then, at last, at the tamburan. One of them reached out an arm in a tattered cotton sleeve and held it and stared at it and then he shook his head, to and fro, blankly, and handed it back to her. 'The time is six p.m. Western Australia time,' said the voice on the radio. 'Time for Music Roundup,' and music crackled out into the sunshine and the valley and the high clear sky and the men turned away from her and crouched down over the radio again and left her standing there, holding out the tamburan, not knowing what she should do next.

She came up through a great many layers of white fog saying, 'They don't want it any more.'

She was in bed. There were screens around the bed and someone's arm, all wrapped up in white but with bare fingers most oddly protruding at the end, was lying in front of her face, and a woman in a white cap was standing beside the bed. The woman smiled and said, 'There you are, then. Back with us again. How do you feel now, dear?'

A nurse. This is a hospital. That's my arm.

'What's happened to my arm?' said Clare.

'You had a nasty fall off your bike, dear. One broken arm and some bruises and a bang on the head.'

'Am I going to stay here long?'

'Just till we're sure your head's all right.'

'I feel sick.'

Hours later, she woke from another, different, sleep, and things began to fall into place. It was the next day. The aunts would be coming along to see her soon. No, there was nothing at all the matter with them: what had made her think there might be? Her arm would be in plaster for some time. She could go home in a day or two, when the doctor had seen her again. There would be fish for lunch. The weather had improved.

People in hospitals are like refugees. Detached from their own lives, they establish new relationships, create a new world for themselves, fence themselves in with new concerns. By the afternoon Clare's closest friend was the lady in the next bed who had fallen off the step-ladder in the kitchen and damaged herself in various ways. She had four grandchildren and before the lunch came round on clanking trolleys Clare knew a great deal about them all, and a great many other things besides. Her view of the outside world was limited to six squares of sky let into the opposite wall of the ward, and the most immediate and interesting thing was the glass door at the end through which came and went everything that was worth watching. It was something of a shock when, eventually, it opened to admit the aunts, looking bewildered and concerned.

Explanations. A note. On the hall table. Old friend, who had called, with car, and insisted on taking aunts out to expensive dinner. 'Against our better judgement,' said Aunt Susan. 'I am so *sorry* . . .'

A piece of white paper, getting under the feet, while one was dashing around, not being sensible . . .

'No,' said Clare. 'I was stupid. Absolutely daft. Mad.'

159

'We didn't even enjoy the dinner particularly,' said Aunt Anne. 'Much too rich. My poor girl ... How are you?'

'It's a funny thing, but in fact I feel better than I have for ages. Kind of clear in the head. Has it stopped snowing?'

'Yes. Indeed, there seems to be a thaw on the way. But had you been unclear? You should have told us.'

'It wasn't anything you could explain to anyone, really. Just a feeling. When am I coming home?'

'Soon. They want to observe you for a day or two.'

More visitors came. Mrs Cramp. Liz. Mrs Hedges. Maureen and John, together, John's face staring gravely over the top of pink chrysanthemums that bulged like ice cream from a cone of white paper. They sat on either side of the bed and contemplated her. Clare felt priest-like, as though she had only to reach out and take them both by the hand, to unite them for ever. 'Wilt thou take this woman ...' A weak giggle escaped her and Maureen said sternly, 'You shouldn't get yourself excited. Rest, you need.' In a lower voice, but not low enough, as though accidents impaired people's hearing, she said to John, 'We shouldn't stay too long. Better be off in a minute.' John nodded.

She went home, sitting up in an ambulance like a little bus, her plastered arm in a sling. Something had happened to the outside world while she had been away. It had turned green and brown. The snow had all gone, except for islands of white that lingered here and there on lawns or paths, and grey humps in gutters or beside lamp-posts. The roads were wet and black, the trees dripping, the sky pale blue, arching high and wide above the city. Everything seemed brightly coloured – the red brick houses, green grass, the shiny brown buds tipping the chestnut branches that overhung a wall. Going up the steps at Norham Gardens, she noticed the blunt tips of crocuses poking up through the grass at the side of the house, purple and yellow. They must have been there all the time, underneath the snow, and one hadn't known about them. Forgotten they were there.

Home, she toured the house, as though she had been away for a long time and needed to make sure that everything was all right and in its proper place. Drawing-room, library, study, dining-room, spare rooms. She tidied her own room, excavating drawers and cupboards, filling cardboard boxes with rubbish, laboriously, with one hand, arranging books according to subject and author. She threw out the chair she had always used at her desk and asked John to help her bring up the one from the study, a heavy, dark brown thing with a leather seat, that swivelled on its base. Great-grandfather had used it.

'Why all these changes, suddenly?'

'I'm spring-cleaning,' said Clare.

Mrs Hedges, emptying the cardboard boxes into the dustbin, said, 'Trust you to wait till you've got a broken arm, and then decide to turn the place upside down.'

Liz came round after school, and was swept up to the attic, to help with a clearing-out process. Clare had emptied all the things out of the trunks on to the floor, and was sorting them out, folding them, and wrapping the more elaborate dresses in paper, putting them carefully away again. Liz trundled to and fro obediently.

'Those can be thrown away,' said Clare. 'Those old shoes. I'm only keeping the most important things.'

'What about this? Kind of hairy jacket thing? For a man.'

'No. That's to be kept.'

'You couldn't possibly want it for anything.'

'It was useful once,' said Clare briskly. 'Put it in there, with the dresses. There, that's much better.' She looked round the room with satisfaction. 'Now you know where everything is.'

'What about that nasty shield thing?'

'It isn't nasty, it's very interesting. I'll be seeing about that in a day or two. Let's go down and have tea.'

'Does your arm hurt?'

'Not now. It tickles inside the plaster, though. I hope I can have it off before the holidays, if we're going on this cycling trip.'

'I thought you weren't interested.'

'I am now,' said Clare.

There was something else to be done, also. On Saturday it would be Aunt Susan's birthday. I am going, Clare thought, to buy her a very special present. Not anything she needs, but something she didn't at all know that she wanted. But something that, as soon as she sees it, she will know she couldn't possibly do without. It was a large ambition: going out of the front door, she had no idea how she would set about fulfilling it.

First, though, she had to see the doctor. The hospital had said that she must, and Mrs Hedges had rung the surgery.

Clare walked up Banbury Road with her coat hugged round her, one arm flapping loose. In the surgery, she attracted sympathetic glances. A woman chivvied her small boy off his seat to give her somewhere to sit down. The receptionist had a cold: her nose was fringed with pink and her voice, snapping orders at the patients, was thick and resentful. Clare smiled cosily at her and she looked away, uncomfortable.

The doctor was reading a letter from the hospital.

'Well, now,' he said, 'skidded on the ice, I hear.'

'Yes.'

'Not too much damage, though. Arm going on all right?'

'Yes, thank you.'

'Head not aching at all? No sickness?'

'No. I'm feeling very well.'

'Bruises?'

'They're going.'

Splendid.' The doctor looked down at the paper in front of him. 'How's this sleeping business? Any better?'

'Much better.'

'That's the idea,' said the doctor. 'Jolly good. Well, come along and see me in a week or two, then.'

'Yes,' said Clare. 'Thank you. Goodbye.'

Outside again, she hesitated. A bus, headed for the town, was just drawing up at the stop and for a moment she thought of taking it, and then changed her mind. One thing was certain, and that was that an appropriate present for Aunt Susan would not be found in the bright and all-providing shops of the town. She wandered along the pavement uncertainly for a while, and then remembered the cluster of antique and junk shops in the back streets beyond the hospital. Maybe she could look around there and find something.

There were several shops, all identically murky as though someone felt a deliberate gloom appropriate to the display of old or beautiful objects. The first one only had furniture in it, and in the second the vases and pieces of silver on show were arranged with a care that made them likely to be much too expensive. The third, in which things were stacked, rather than arranged, was more promising.

She went in. The shop was full of tables, each one covered with objects. More objects filled bookcases and shelves: pictures and mirrors covered the walls. She had been standing there for several minutes, looking around, when a movement at the back of the shop became a woman, who must have been there all the time, like some creature with protective colouring, inert among the shadows. 'Is there anything you're interested in, particularly?'

Clare had opened a leather-covered box. There were initials on the lid, engraved in silver: V. M. B. Inside, a silver toilet set. It was worn. Someone had used this, once, day after day.

'Fifty pounds,' said the woman.

'Yes.' Clare shut the box.

'Were you looking for anything in particular?'

'A present . . .'

There were old flat-irons, polished up, with white price tickets on the handles. At Norham Gardens, on the larder shelf, there was one like that, without a price ticket. The price tickets said one pound fifty pence. For one pound fifty you can remember what it was like before people had electric irons. Beyond the irons, miscellaneous objects filled a dark corner. A sewing-machine for six pounds. A gramophone for eight. Knife boxes, stone crocks, boxes of faded postcards, one of those white hats for tropical wear, the lining stained with sweat.

The woman said, 'That's not antiques there, of course. Just old things. There's a big demand for that kind of thing, now.'

'Oh,' said Clare. She picked up a beaded purse, and put it down again. Seventy pence.

'Have a look round.'

Oil lamps. For three pounds fifty pence you could dispense with electric light. For two seventy-five you could remember the war with a gas mask. Neat round labels priced each object of survival: the older they were, the more expensive. Candlesticks, pieces of embroidery, pictures. A dark landscape was labelled 'Nineteenth century. £45.' For forty-five pounds you could buy your own two square feet of the nineteenth century. Clare began to move towards the door. 'There's some cheaper things in the other room. Quite nice for presents.'

'Thank you. Actually – well, I'm not sure this person really needs anything like that.'

'Most people like something old, these days. It's fashionable, having old things.'

'Thank you for letting me look,' said Clare. She edged out of the door.

'You're welcome.'

Clare closed the door behind her and walked away. Crossing the road, she saw someone else go into the shop. Perhaps the woman would be able to sell him something old, for ninety pence, or three pounds fifty, or forty-five pounds. Old things were fashionable.

All of a sudden she knew what Aunt Susan wanted for her birthday.

Chapter 12

Houses are built for the tribe, and roads. They learn how to drive cars, use telephones, tin-openers, matches and screwdrivers. They are given laws which they must obey: they are not to kill one another and they must pay their taxes. They listen to the radio and they make no more tamburans, but their nights are rich with dreams. The children of the tribe learn how to read and write: they sit at wooden desks with their heads bent low over sheets of paper, and make marks on the paper. One day, they will discover again the need for tamburans, and they will make a new kind of tamburan for themselves, and for their children, and their children's children.

She carried it back sloped over her shoulder, the roots tidily shrouded in black plastic. It seemed dry and lifeless but there were, she could see, very small dark swellings at the end of its thin branches. Maureen, coming downstairs on her way out, was amazed.

'But that's going to take years to grow. Years and years.'

'I know. About fifty, the man in the shop said. And then it'll last another two or three hundred, if people don't interfere with it.'

'A rose bush she'd get more out of,' said Maureen doubtfully. 'A nice standard rose.'

Clare said, 'No. A tree is what she'd like. A copper beech, this is. In summer it has those dark red leaves and you can lie underneath and look up through them and it's as though the sky was on fire.'

'Well,' said Maureen, 'it's an original present – I'll say that.'

They planted the tree on Aunt Susan's birthday, ceremoniously, at the end of a bright and sunny afternoon that had brought the crocuses out. They were still glowing now, though the sun had gone down and twilight seemed to seep up, somehow, from the ground itself, like the mists that sometimes crept off the river and up the streets. John dug a hole, at the far end of the garden, and Aunt Susan lowered the clutch of roots into it. She had been delighted with her present. It reminded her, apparently, of a tree she had liked long ago, in the garden of some house in Somerset where the aunts had stayed. The aunts argued, amiably, about the name of the people who had owned the house, and the year in which they had visited them.

'Never mind,' said Aunt Susan, 'it's the tree I remember best, anyway. How nice that I am giving birth to one like it, as it were.'

'Excuse me,' said John, staring down at the tree, 'it does not look to me very well.'

'Why?' Clare and the aunts looked at him, and back at the tree.

'It is like a stick. No leaves.'

They laughed. Clare explained about English trees losing their leaves in winter which African ones, it seemed, did not. John, impressed, examined the leaf-buds, and seemed to find the whole process remarkable.

'Whatever had you thought?' said Aunt Anne. 'You must have imagined the whole landscape dying around you.'

'I am a most unobservant person,' said John. 'I hadn't even thought about it.'

Mrs Hughes had made a birthday cake. It had a single candle in the middle. 'Is this tact?' said Aunt Susan. 'Or an insufficiency of candles? What a very kind thought, though.'

'People are kind,' said Clare. 'The people I know, anyway. Mrs Hedges, and Maureen, and John, and Mrs Cramp at school. Cousin Margaret, even.'

'What a benevolent girl you are. Do be careful – stoking the fire with one arm like that.'

'I am being. It's funny what a lot of things you don't need two arms for. Why am I benevolent?'

'Finding people kind.'

'Aren't they?'

'Individually, yes,' said Aunt Susan. 'Collectively, seldom. Have a slice of my cake.'

They ate cake in front of the fire, and the fire wheezed and shifted and sighed and outside the wall at the end of the garden turned black and the sky a hard midnight blue.

'Draw the curtains,' said Aunt Anne, 'there's a dear. Or does that need two arms?'

'No. One does fine.' Clare stood at the window for a moment and looked down the long tunnel of the garden. She could just see the tree, looking young and forlorn with the earth roughed up round its feet, and beyond it the bed where the Christmas roses grew. Not long ago she had picked them and stood looking back at the house and everything had seemed unreal. There had been people where now there were only the dark stiff branches of the chestnut in Mrs Rider's garden, and voices where now the black strands of the telephone wires swooped across the wall. And in dreams she'd walked straight through that wall and into another country. The dreams, though, had been interesting. She couldn't really remember them, except that the same people had kept coming into them, and they had seemed in some curious way to be telling a story. And the story seemed to be finished now. She came and sat down by the fire again.

'Any more cake?'

Cousin Margaret wrote to say what frightfully bad luck about the arm and she hoped Aunt Anne's cold was better. Sal, she said, was not going to the family in France any more because actually she and Edwin thought perhaps she needed to stand on her own feet a bit so she was going to do a secretarial course in Ipswich instead. Bumpy had lost more teeth. They were looking forward to seeing Clare in August.

167

The sun shone. A sun with more brilliance than warmth but that nevertheless disposed of the last snow patches and the grey clumps of ice on street corners, and opened out the crocuses and brought the daffodils up in the school flowerbeds. It was nearly March, Clare was surprised to find, looking at the calendar over the kitchen sink.

'Spring,' said Maureen, staring out of the window. 'I never know about spring, whether I like it or not.'

'I do. It's the beginning of something. Anything might happen.'

'Mmn. When you've seen a few of them, though, it never seems long since the last one. And nothing much ever has happened.' She tightened the belt of her dressing-gown, and went away upstairs. The dressing-gown came downstairs again now, regardless of John, and she had stopped bothering to put lipstick on at breakfast. She talked to John in an ordinary voice, too. Clare remembered her thoughts when Maureen and John had visited her in hospital, and told him about them.

'When I was in hospital I imagined you and Maureen getting married.'

'Do you think that would be a good idea?' said John politely.

'Not really, I suppose.'

'No,' said John. 'Anyway I don't think she would want to marry me. Though she is a very nice person,' he added.

Clare, feeling that she had brought order into the house, at least in so far as this was possible, turned her attention from her bedroom and the attic to the garden. She found a rusting trowel and fork in the shed and went out. Everything was very wet and she felt there was a great deal that ought to be done, without exactly knowing what. She cut some dead wood out of a climbing rose, and pulled up some obvious weeds, leaving other, more doubtful things that she did not feel competent to classify. Gardening with one arm was not easy: it required a certain inventiveness. There were noises from the other side of the wall and Mrs Rider's head appeared.

'Hello, there. I didn't know you were keen on gardening.'

'I'm not,' said Clare, 'I just felt it seemed to need arranging. How do you tell which are weeds and which are plants?'

'If it's strong-growing and looks at home,' said Mrs Rider, 'you can be sure it's a weed. As often as not.' She peered over the wall. 'That's a michaelmas daisy, by your foot. You want to leave that. How's the old ladies?'

'Very well thank you. Aunt Anne's cold is much better.'

'That's good,' said Mrs Rider. 'Inconvenient for them, though, that big house. All the stairs.'

'Not really. They like it. They've lived there a long time.'

'That's a point,' said Mrs Rider vaguely. She gave Clare a sharp look and said, 'You're looking better yourself, I'd say. Very peaky I thought you were last time I saw you. Been overdoing it at school, I daresay.'

'Yes. I expect that's what it was.'

The garden, after an hour or so, did look neater. She gave some water to the tree, which seemed to be settling down, and went inside, feeling pleased with herself. There was something else to be done that she had been saving up for the right moment, when she felt like doing it, and now all of a sudden the right moment seemed to have come. She put on a coat, changed her shoes, which had got muddy in the garden, and went up to the attic. She came downstairs with the tamburan tucked under her arm.

She met John at the front door, coming in.

'Hello. Where are you taking your shield?'

'I'm going to give it to the museum.'

'Ah. Won't you miss it, though? You were so interested in it.'

'I think I've finished with it,' said Clare. 'Or it's finished with me. It would be safer in a museum, if it's very special.'

'You are probably right.'

'If it can't be where it belongs, then a museum is the best place.'

John went upstairs, and Clare walked down Norham

169

Gardens and past the Parks. Everything shone. The grass was brightly green and the earth a sticky brown and the melting snow had left a wet sheen over everything. The road was black and gleaming and the parked cars glittered in the sun. Clare carried the tamburan face outwards under her arm but nobody looked at it, and this gave her an elusive feeling of the same thing having happened once before, somewhere else. Passing the two or three Victorian houses that survived among the new buildings beside the Parks she had another, equally evasive, memory of having seen them, also, under other circumstances. Both impressions occupied her mind until she reached the entrance to the museum, and then she forgot all about them.

To walk into a museum carrying under your arm an object which clearly belongs there is a disconcerting experience. Like, Clare thought, shoplifting in reverse. She walked by the various people in the Natural History Museum feeling acutely uncomfortable: the student on a camp-stool, drawing the blue whale's skeleton, and the clutch of small boys staring at pickled jellyfish, seemed to follow her with their eyes as she hurried past. As for Prince Albert, Darwin and the rest, on their marble plinths...

Once inside the Pitt Rivers, she anticipated any attack that might come by marching straight up to the attendant. She had not rehearsed what she would say and heard herself being embarrassingly incoherent. The attendant looked sideways at the tamburan, with surprise, and then at her, with doubt.

'You want to see someone about giving something to the museum?'

Clare nodded. The attendant disappeared for a moment through a door into some private, inner world of the museum and came back with another man.

He examined the tamburan. 'Very nice. Lovely. But where on earth did you get it?'

Clare explained.

'How extraordinary,' said the man. 'Of course we'd like it,

though. It can go with the rest of the Mayfield Collection.' He ran his hand over the surface of the tamburan. 'How very bright it is. In better condition than our own, really. It could have been made yesterday. Has it been stored with special care?'

'No. Just in a trunk in the attic.'

'Really? Well – many thanks. Would you like to wait while I write out a receipt. What did you say your name was?'

'Clare Mayfield.'

'We could label it "Donated by Miss Clare Mayfield".'

Clare, going hot and red about the face, said, 'Thank you very much.' The man was looking at the tamburan again. He held it in front of him, with both hands, and looked at it with detachment, like a scientist observing remote forms of life under a microscope. 'Extraordinarily powerful images, these things,' he said. 'New Guinea's not really my field, but one can't help being fascinated by them. Your great-grandfather acquired it himself, you say?'

'Yes.'

'Interesting. The tribes were usually very reluctant to part with them. They had a deep magical significance, you see.'

'I know,' said Clare. 'They wanted it back for a long time and then things happened to them and they didn't any more. They forgot why they'd needed them.'

The man stared at her, perplexed. 'What?'

Clare went red again. 'Nothing. Sorry. I think I'd better go home now.'

'Well,' said the man, 'many thanks.' They smiled at each other, awkwardly, and the man went away into his private part of the museum again, taking the tamburan with him. Clare watched it go without emotion. She thought that she might come to visit it when it had been arranged somewhere, in a glass case, or on the stairs with the others, and then again she might not. There would be no particular need to, because she was never likely to forget it, though it had lost

171

the urgency it once had for her. It would be rather fun, though, to see her name on a label, if that man had meant what he said.

Leaving the museum, she remembered that the last time she had gone home from there she had taken John with her. He had met Aunt Susan, and eaten digestive biscuits in front of the fire. It had been snowing and he had been a stranger. Now, the sun was out and John was someone she seemed to have known for a very long time. People you like seem always to have been there: you forget about the time when they were not. She walked back along Parks Road under a blue sky that was both above and below her at the same time – overhead, fringed with trees and houses, and underneath, plunging below the road, the same landscape in reverse shining up from the puddles. Safely tethered to the road, she walked in the middle of this circular world, looking down into the water and enjoying the oddness of her own reflection, foreshortened, feet first, upside-down in a floating mirror. It reminded her, for some reason, of the chameleon in the zoo, but its bifocal view of the world had seemed, at the time, unbearably disconcerting. Now, from a firm standpoint in the centre of things, it was not. She stamped in a puddle, childishly, for the fun of shattering sky, trees and houses and watching them re-assemble.

In the evening she sat in the library with the aunts, at the heart of the silent house. John and Maureen had both gone out. Sitting by the fire, Clare thought of the rooms of the houses, stacked around her, empty and yet full. Maureen's room, and John's, would be full of their possessions, for as long as they lived here, and, thus, of them. Photographs, clothes, books. When, in time, they went away, would anything remain of them here, as so much remained of great-grandfather and great-grandmother and the whole long lives of the aunts? Not really, Clare thought, except for me, because I knew them. Where they will be, in a peculiar way, is inside my head, but I'm the only person who'll know about that.

All the same, that's important – going on inside someone else's head.

'Lost in thought,' said Aunt Susan, 'as usual. How is the arm?'

'Tickling.'

There was a flurry of newspaper as Aunt Anne tried to arrange the page she wanted in a satisfactory reading position. Aunt Susan sighed. 'The only thing,' she said, 'well, one of the only things – I have always held against Anne is her daily massacre of newspapers. In all my life, I have hardly ever picked up a clean, uncrumpled newspaper.'

'It's a small martyrdom,' said Aunt Anne, 'compared to most.' They grinned at each other over Clare's head.

'And you?' said Aunt Susan. 'Child – Clare – What are your private grievances?'

'Making my bed. School dinner. The French teacher. Getting up. Er – Latin. The way the bathroom door won't shut properly.'

'Some of those will clear up with the passage of time. The bathroom door has been like that for twenty years: one learns to live with it.'

'I wonder,' said Clare, 'if this house will be here when I'm old. If I'll live in it.'

'I don't imagine so for a moment. The whole place will have been razed to the ground to make way for a housing estate.'

'Maybe not,' said Aunt Anne. 'You never know. The road may come to be considered highly desirable. Preserved for posterity.'

'Either way, you won't need it. You will have furnished your own life, with other places and other things.'

'I shall keep the photographs from the drawing-room,' said Clare, 'and the clothes in the trunks in the attic, and the portraits in the dining-room, and ...'

'My dear child,' said Aunt Susan, 'you can't carry a museum round with you. Neither will you need to. What you need, you will find you already have to hand – of that I've not the slightest doubt. You are a listener. It is only those who have never listened who find themselves in trouble eventually.'

'Why?'

'Because it is extremely dull,' said Aunt Susan tartly, 'to grow old with nothing inside your head but your own voice. Tedious, to put it mildly.'

The fire heaved, flared up for a moment, and settled itself again. The logs hissed. Outside, a car went past. How odd, Clare thought, to sit here talking about me as though I were another person. Someone quite different. She tried to project herself forwards in time to meet her, this unknown woman with her name and her face, and failed. She walked away, the woman, a stranger, familiar and yet unreachable. The only thing you could know about her for certain was that all this would be part of her: this room, this conversation, the aunts.

The aunts. Aunt Anne, seventy-eight: Aunt Susan, eighty-one. I can't make it stop at now, Clare thought, and you shouldn't want to, not really.

She looked at them, intently, at their faces and their hands and the shape of them. I'm learning them by heart, she thought, that's what I'm doing, that's all I can do, only that.